KiWi
PAPERBACK
1153

Das Buch

Engländer finden nichts witziger als einen Deutschen, der Humor hat. Kaum jemand weiß das besser als Andreas Merkel. Andy ist Deutscher und lebt in London. Tagsüber montiert er deutsche Doppelglasfenster in zugige viktorianische Häuser, abends steht er als Komiker auf kleinen Kabarett-Bühnen und bringt die Leute zum Lachen.

Gerade ist er dabei, als »The funny German« den Sprung zu schaffen aus den Hinterzimmern der Pubs auf die größeren Bühnen Londons, da wird er unschuldig in einen tragischen Unfall verwickelt. Andy kämpft nicht nur mit heftigen Schuldgefühlen, sondern muss auch mit der Tatsache fertig werden, dass seine Karriere ausgerechnet durch den Unfall Auftrieb bekommt.

Mit großem Einfühlungsvermögen erzählt Ronald Reng die Geschichte eines jungen Mannes, der seinen Traum wahr werden sieht und dabei in ein Gefühlschaos stürzt.

»The funny German« besticht durch eine faszinierende Mischung aus psychologischer Raffinesse und britischem Humor und beweist erneut Ronald Rengs außergewöhnliches Erzähltalent.

Der Autor

Ronald Reng, geboren 1970 in Frankfurt am Main, lebt heute als Sportreporter in Barcelona. Von 1996 bis 2001 wohnte er in London.

Sein Debüt »Der Traumhüter« über die unglaubliche Karriere des Torwarts Lars Leese in der englischen Premier League war ein Bestseller in Deutschland und wurde in Großbritannien mit dem Preis für das beste Sportbuch des Jahres 2004 ausgezeichnet.

Weitere Titel bei Kiepenheuer & Witsch

»Der Traumhüter. Die unglaubliche Geschichte eines Torwarts« (mit Lars Leese), KiWi 685, 2002. »Mein Leben als Engländer«, Roman, KiWi 796, 2003. »Fremdgänger«, Roman, KiWi 894, 2005.

Weitere Veröffentlichungen: »Gebrauchsanweisung für London«, Piper, 2004. Hörbuch gelesen von Heike Makatsch.

Das Buch

[illegible]

[illegible]

[illegible]

[illegible]

Der Autor

[illegible]

[illegible]

[illegible] bei Kiepenheuer & Witsch

[illegible]

[illegible]

Ronald Reng

The funny German

Roman

Kiepenheuer & Witsch

1. Auflage 2010

Umschlaggestaltung: Barbara Thoben, Köln
Umschlagmotiv: © United-Photos/Martin Hotkamp
Autorenfoto: © Gunnar Knechtel
Gesetzt aus der Dante
Satz: Buch-Werkstatt GmbH, Bad Aibling
Druck und Bindung: CPI – Clausen & Bosse, Leck
ISBN 978-3-462-04196-5

Für meine Eltern Annemarie und Alwin
und meine Schwester Diana

eins

Für einen Mann, der als Komiker Erfolg haben wollte, besaß ich die unschätzbare Gabe, die Dinge sehr ernst zu nehmen. Ich parkte das Auto auf einem entlegenen Stellplatz neben dem Supermarkt an der Cromwell Road und schaltete erst die Scheinwerfer, dann den Motor aus. Einen Moment blieb ich aufrecht und regungslos sitzen. Nach einem vollen Novembertag ohne ein Zeichen von der Sonne machte sich die Dunkelheit gemächlich über das Grau Londons her, schüchtern klopfte der Regen auf die Windschutzscheibe. Meine Finger brauchten meine Augen nicht, um das Seitenfach aufzuklappen und sich darin zurechtzufinden. Das Licht eines Autos, das wendete, fiel kurz über mich. Ich ließ mich schon nicht mehr von dem Gedanken abhalten, dass ich beobachtet werden könnte. Ich nahm den Korken einer Weinflasche aus dem Seitenfach und stopfte ihn mir in den Mund.

Dann begann ich zu sprechen. Vor allem vielsilbige Wörter wie »Supermarktparkplatz« oder »Ordnungsliebhaber«, jede Silbe betont, danach die Wörter so schnell wie möglich herausgeschossen schließlich getragen und wohlgeformt ausgesprochen, und noch einmal das Ganze von vorn und noch einmal. Der Korken zwischen meinen Zähnen wackelte. Diese Übung lockere die Kiefermuskeln, hatte mir eine Sprachlehrerin gesagt, die Wörter kämen dann leichter und klarer heraus; nachher.

Ich wusste, nichts kann dich wirklich auf einen Auftritt vorbereiten, aber gerade deshalb bereitete ich mich so gewissenhaft vor: um mich selbst zu täuschen. Wenn ich mich gut vorbereitete, fand ich das Selbstvertrauen zu glauben, ich würde mich auf den Auftritt freuen.

Ich ließ den Korken im Mund, um mich an irgendetwas festzuhalten, als ich den Motor wieder einschaltete. Die Scheibenwischer kratzten. Ich sah auf die Autouhr und rechnete. Zwanzig nach sechs. Zum Churchill Arms war es eine Viertelstunde. Ich konnte noch über eine Stunde herumfahren.

Die letzten zwei Stunden vor einem Auftritt verbrachte ich immer im Auto, auch wenn es zum Klub oder Pub nur 15 Minuten waren oder es mit der U-Bahn schneller gewesen wäre. In Zeitungsinterviews erzählten Schauspieler oft, sie würden auf der Bühne schlagartig andere Menschen. Diese Fähigkeit hätte ich gern besessen. Ich wurde schon Stunden vor dem Auftritt ein anderer Mensch, ohne dass ich etwas dagegen unternehmen konnte, außer Auto zu fahren.

Mehr als 30, 40 Gäste würden nicht im Churchill Arms sein, montagabends, viele von ihnen wollten nur ein Bier trinken und wussten gar nichts von der Comedy. So wie für sie sollte der Abend auch für mich einfach dahinplätschern. Es war nicht mehr als ein bezahltes Training für die großen Auftritte am Wochenende oder, besser gesagt: für meine großen Auftritte irgendwann in der Zukunft. Mir war die Bedeutungslosigkeit der Veranstaltung bewusst. Ich konnte mich bloß nicht dementsprechend verhalten. Auch nach über zwei Jahren auf der Bühne war jeder Auftritt ein Kraftakt. Ich fühlte, ich müsse den Zuschauern das Lachen aus dem Mund reißen, immer wieder von Neuem. Für mich war jeder Auftritt das Größte. Ob montagabends vor 30 Leuten im Pub, die ich nur als Hintergrundgesäusel auf ihrem Weg in den Vollrausch begleitete, oder in

Tempeln wie dem Comedy Store, wo du in der Dunkelheit nichts sahst, aber die Anspannung spürtest, wenn 300 Leute kollektiv mit dem Ausatmen warteten, um auf ein Wort, einen einzigen Satz von dir in Lachen auszubrechen. Ich war oft im Comedy Store. Als Zuschauer.
Ich wusste, ich war nicht besonders gut. Aber ich war gut genug, um mir meine Träume zu erhalten.
Für den Notfall besaß ich mein Lachen. Wenn das Publikum sich zierte, lachte einfach ich über meine Sprüche. Sie mochten meine Gags mittelprächtig finden, aber meinem Lachen widerstanden nur die rettungslos Bösartigen. Wenn ich auf die Bühne trat, zitterten mir auch im dritten Jahr die Finger, dann jedoch lachte ich schon mein tiefes einstudiertes Lachen, und es breitete sich aus. Es infizierte zunächst meinen eigenen Körper, die Gesten wurden rund und leicht. Die Leute sahen, wie ich glühte vor Freude am Spiel, in meinen Augen blitzte die Lust an der Ausgelassenheit. Die Leute steckten sich an, ohne es zu merken.
Ich glühte schon. Dabei wartete ich nur, dass die Ampel an der Ecke zur Warwick Road auf Grün sprang.
Ich lieh mir vor einem Auftritt immer den Wagen von Jim, stellte die Musik laut, manchmal drückte ich schon nach dem ersten Lied auf die Wiederholungstaste, ich drückte sie wieder und wieder, ich hörte nur dieses eine Lied, Maggie May von Rod Stewart, zwei Stunden lang, 21-mal Maggie May. Ich mochte das Lied nicht besonders. Aber die CD war die einzige im Auto. Ich glaube, Jim hörte nur Radio.
In den Interviews der großen Sonntagszeitungen, die ich zwanghaft las, behaupteten Schauspieler oder Filmregisseure immer, die aufregendsten Ideen kämen ihnen beim Laufen oder Spazierengehen, da hatte ich es besser: Ich brauchte mich weniger anstrengen, mir reichte die Bewegung des Autos, um die Gedanken in Gang zu bringen. Mit

Maggie May war ich nicht zu stoppen. Der Verkehr auf der Warwick Road stockte, die Fußgänger überholten uns, ihre Oberkörper vorgebeugt, Kopf und Schultern gegen den harmlosen Regen gestemmt. Ich betrachtete den Mann im Auto auf der Spur neben mir, sein stämmiger Hals sprengte beinahe den obersten Hemdknopf, in der linken Ohrmuschel steckte ein verkabelter weißer Knopf. Du bist so wichtig, dachte ich, und schon überholten sich die Gedanken. Laut sagte ich zu dem fleischigen Mann, der mich nicht hören konnte: »Handys. Das Wichtigste im Leben: Mein Handy könnte klingen. Überall sieht man die Typen, die den ganzen Tag mit dem Freisprechknopf im Ohr herumlaufen. Als müssten sie jederzeit bereit für einen Anruf sein. Also, die bekommen vielleicht fünf Anrufe am Tag. Ich laufe doch auch nicht den ganzen Tag mit Messer und Gabel herum, weil ich fünfmal am Tag esse. Oder lasse den ganzen Tag meinen Penis aus der Hose hängen, weil ich fünfmal am Tag auf Toilette muss.«
Der Gag war noch nicht ausgereift, ich musste die Sätze noch einige Mal laut hin und her schieben, ein wenig variieren, aber die Pointe war da, damit ließ sich arbeiten.
Die Leute lachten über alles, wenn ich nur gut vorbereitet war, wenn mein Lachen aus mir herausbrach.

Wegen des Feierabendverkehrs dauerte es fast zwanzig Minuten, bis ich die Runde um West Kensington gefahren war und wieder den Parkplatz am Supermarkt erreichte. Das Auto vibrierte kurz, als ich den Motor abstellte. Ich löste den Sicherheitsgurt und schloss die Augen. Dann atmete ich fest ein. Ich spürte das Senken meiner Brust so klar, dass ich die Umrisse der Lungen auf meiner Haut mit Filzstift hätte nachzeichnen könne. Ich atmete noch fester aus. Dies wiederholte ich 20-mal. Dann schlug ich mir

fünfmal mit den flachen Händen im schnellen Rhythmus auf die Wangen und stieg aus.
Im Supermarkt herrschte ebenfalls Feierabendverkehr. Die Einkaufswagen von amerikanischen Dimensionen rollten stockend durch die Gänge, ich versuchte so stramm wie möglich zu marschieren, ohne Misstrauen zu erregen. Ein kurzer Spaziergang zähmte meine Aufregung. Angesichts des Regens, so sanft und zutraulich er auch sein mochte, wusste ich keinen besseren Ort als den Supermarkt.
Als ich zu dem Regal mit den Fruchtsaftkartons gelangte, begannen die Gedanken zu laufen. Dies war wie ein amerikanischer Supermarkt, dieser Gigantismus, diese übertriebene Klimatisierung, als ob sie mit dem Tiefkühlgemüse auch die Kunden einfrieren wollten. Amerika … Waffen. Die Gedanken rannten, ich blieb stehen. Die Fruchtsaftkartons verwandelten sich in ein Publikum. »Wisst ihr noch, letztens nach dem Schulattentat in den USA«, sagte ich, ohne ein Wort auszusprechen, zu den Fruchtsäften: »Im Fernsehen interviewten sie eine von diesen proper gebauten amerikanischen Mamis. Sie war gerade im Supermarkt, ihr Einkaufswagen quoll über vor lauter Fruchtsaftkartons, und sie quakte in die Kamera: ›Es sind nicht die Pistolen, die Menschen töten! Es sind die Menschen, die Menschen töten!‹ Ja, gut«, hörte ich mich wieder von der nölenden Amerikanerinnenstimme zu meiner eigenen wechseln: »Aber Menschen mit Pistolen haben es ein wenig leichter.«
Und sie würden lachen, das Churchill Arms würde vibrieren vor Lachen.
Ein Schwarzer, die eine Hälfte des Kunstfellkragens seiner Jacke gedankenlos aufgestellt, sah mich fragend an, als er mit einer Hand zwei Apfelsaftkartons aus dem Regal nahm. Aber ich lächelte einfach weiter.
»Entschuldigung!«

Ich drehte mich nicht um, sondern machte mich auf die zweite Runde durch den Supermarkt. Zur Tarnung warf ich nun doch ab und an einen prüfenden Blick auf die Marmelade oder das Thunfischfach.

»Sir!«

Beim Tiefkühlgemüse musste ich mich umdrehen. So schwerhörig, wie ich tat, konnte niemand sein.

Der Schwarze mit dem Fellkragen stand direkt hinter mir.

»Was haben Sie gesagt, Sir?«, stieß er hervor, sein Atem ging heftiger, als es ihm guttat.

»Ich? Ich habe gar nichts gesagt.«

»Und ob Sie etwas gesagt haben, da vorne bei dem Fruchtsaftregal.«

Er trug die zwei Liter Apfelsaft noch immer in der linken Hand, die groß genug war, die beiden Kartons zu umfassen.

Ich lächelte, und da ich nach vier Jahren in England die Bräuche des Landes angenommen hatte, ohne mich noch an ihrer Absurdität zu stören, sagte ich: »Entschuldigung.«

»Sie haben auf mich geschaut und gesagt: ›Dieser Mensch hat eine Pistole!‹«

Ich lächelte schon wieder; ohne dass ich es diesmal gewollt hätte.

»Das muss ein Missverständnis sein.«

»Das ist kein Missverständnis. Das ist Rassismus. Ich habe es satt, dass für Leute wie Sie ein Schwarzer automatisch als Krimineller gilt. Sehe ich etwa so aus, als würde ich eine Waffe tragen?«

»Ja, so sehen Sie aus.« Der Gedanke war nur der Reflex meines Berufszynismus, der selbst in unangenehmen Situationen immer als Erstes reagierte. Ich sagte: »Sie sehen tadellos aus.«

»Darum geht es nicht! Es geht darum, dass Sie hier herumlaufen, mich anstarren und sagen: ›Dieser Mensch trägt eine Pistole.‹ Wer sind Sie überhaupt, der Supermarktdetektiv oder ein selbst ernannter Hilfssheriff? Ich sollte die Polizei rufen.«

Niemand wollte mehr Tiefkühlgemüse kaufen. Die Leute schoben ihre Einkaufswagen schnell an uns vorbei, die Blicke starr auf die Einkaufswagenschiebestange gerichtet, peinlich betreten über unsere Unfähigkeit, die privaten Gefühle im öffentlichen Raum zurückzuhalten.

»Nun, es ist so, dass ich manchmal, um, nun, verstehen Sie, um zu trainieren, innerlich rede. Und, vielleicht habe ich, ohne es zu merken, die innerlichen Sätze etwas laut gemurmelt, und Sie haben dabei etwas nicht ganz richtig verstanden, wenn Sie verstehen, was ich meine.«

»Wollen Sie mich verarschen?«

»Nein, es ist nur so, wenn ich Ihnen erklären würde, wie es gewesen sein muss, würden Sie es mir nicht glauben.«

»Ich glaube Ihnen kein Wort!«

»Natürlich. Es war ein Missverständnis, ich bitte Sie um Verzeihung.«

»Kommen Sie mir jetzt nicht mit diesem Um-Verzeihung-Bitten. Sie haben es gesagt, und Sie haben es gemeint.«

Ich sah auf seine Apfelsäfte, ich sah auf seine Finger, auf den einen, der auf mich zeigte, und auf die anderen, die sich in die Kartons krallten, tiefer und tiefer mit einer enormen Leichtigkeit, und ich erkannte, dass ein glückliches Ende schon ausgeschlossen war. Ich dachte, Hauptsache, es nimmt nicht das Ende, das ich mir ausmale. Ich griff mir drei Tüten Tiefkühlerbsen aus der Truhe, mein Atem hüpfte kurz, als ich die Plastikpackungen an meine Brust drückte.

»Entschuldigung, ich muss gehen, sonst tauen meine Erbsen auf.« Ich marschierte schon. Im Vorbeigehen widmete ich mich noch mit höchst interessiertem Blick den Südfrüchten, ich konnte also schon nicht mehr angesprochen sein von dem Gebrüll hinter mir, »und was, wenn ich wirklich eine Pistole trage, was, wenn ich sie gleich raushole?«. Ich bezahlte drei Familienpackungen Tiefkühlerbsen. Sollte ich dem Churchill Arms unter Spesen aufschreiben, dachte ich im Hinausgehen und fuhr schnellstens los, weil die Stadt einem Komiker zwar unaufhörlich Rohmaterial lieferte, ich aber auch als Komiker nicht immer die lustige Seite daran sehen konnte.

Ich atmete fest ein und schwer aus, konnte mich allerdings nicht mehr selbst täuschen, dass dies Atemübungen waren. Ich durfte die Dinge nicht immer so ernst nehmen, sagte ich mir. Doch es ließ sich nicht mehr übersehen: Das zerbrechliche Gleichgewicht meiner Vorbereitung war gestört. Ich drückte die Vorlauftaste des CD-Spielers, ich ertrug Maggie May nicht mehr. Zwei Möglichkeiten sah ich. Ich absolvierte mein gesamtes Vorbereitungsprogramm noch einmal, wobei ich dann einen neuen, dunklen Supermarktparkplatz finden musste und mir in der Nähe kein anderer einfiel. Oder ich pfiff auf meine Vorbereitungsregeln.
Ich trank in den Stunden vor einem Auftritt nie Kaffee oder Alkohol. Ich fuhr ins O'Sullivan's und bestellte einen Kaffee mit Rum. Ich versuchte, in den Stunden vor einem Auftritt mit niemandem zu reden. Ich sprach den Barkeeper an.
»Schön warm.«
»Regnet es nicht mehr?«
»Ich meine den Kaffee.«
»Ach so. Sie hatten einen harten Arbeitstag, was?«
»Ich hatte einen harten Arbeitstag und habe das Härteste noch vor mir.«

»Das haben wir alle.«
»Natürlich«, sagte ich schnell schuldbewusst.
Sein weißes Haar, das nicht mehr genügte, um die Kopfhaut zu verbergen, hatte den gelben Stich des vergangenen Blonds. Die Tränensäcke sowie die Furchen auf der Stirn gaben ihm das Aussehen eines Mannes Mitte fünfzig, also musste er um die 45 sein. Ich blicke auf den Boden und dachte, viel jünger ist der Teppich auch nicht. Ich war der Einzige am Tresen.
»Es ist nur so, dass, also, ich hatte gerade eine bizarre Begegnung.«
Seine Augen, über denen die Lider schwer hingen, suchten die entfernte Wand des Pubs. Sein Schweigen war das Startzeichen, ich durfte weiterreden, er war in Gedanken bereits woanders und musste nicht zuhören.
»Jemand hat mich im Supermarkt beschuldigt, eine Pistole zu tragen.«
»In Ordnung.«
»Das heißt, falsch – jemand hat mich im Supermarkt beschuldigt, ihn zu beschuldigen, eine Pistole zu tragen.«
»In Ordnung.«
»Ich bin noch immer ganz durcheinander.«
Etwas ließ ihn aufhorchen. Er sah mir ins Gesicht.
»Dein Akzent kommt mir bekannt vor.«
»Ich bin Deutscher.«
»Du bist der lustigste Deutsche, den ich je getroffen habe.«
»Nicht, dass es da viel Auswahl gebe.«
Er lachte ehrlich erheitert. »Du hast ja wirklich Humor.«
»Nein.«
Wie jeder Deutsche in London, der den Ansatz eines Witzes kundgetan hatte, musste ich es tausendmal gehört haben: der lustigste Deutsche, den ich je getroffen habe. Ich musste meine Antwort 999-mal heruntergeleiert haben:

nicht, dass es da viel Auswahl gab. Und trotzdem war es auch beim tausendsten Mal noch erwärmend zu spüren, wie die Pointe wirkte.
Die Uhr hinter dem Tresen zeigte fünf vor halb acht, und auch wenn sie sicher falsch ging, wusste ich, es war Zeit zu gehen. Ich trank den restlichen Irish Coffee in einem Zug aus und sagte in der Laune, ein Abschiedsgeschenk zu hinterlassen: »Handys. Das Wichtigste im Leben: Mein Handy könnte klingeln. Ich wette, bei Ihnen kommen auch diese Typen herein, die den ganzen Tag mit dem Freisprechknopf im Ohr herumlaufen. Als müssten sie jederzeit bereit für einen Anruf sein. Also, die bekommen vielleicht fünf Anrufe am Tag. Ich laufe doch auch nicht den ganzen Tag mit Messer und Gabel herum, weil ich fünfmal am Tag esse. Oder lasse ich etwa den ganzen Tag meinen Penis aus der Hose hängen, weil ich fünfmal am Tag auf Toilette muss?«
Die Lider der Barkeeperaugen versuchten, was sie nie mehr schaffen würden, sich zu heben. Aber selbst der Versuch hochgezogener Augenbrauen sagte alles, was der Mann hinter seinem beeindruckenden Bauch dachte.
»In Ordnung«, sagte ich, »war nur ein Versuch. War nicht witzig, was? Ich arbeite dran. Auf Wiedersehen.«

Ich verließ das O'Sullivan's in der Gewissheit, dass der Schwarze mit Kunstfellkragen nicht mehr der einzige Mensch in dieser Stadt war, der mich für verrückt hielt, und dass, so viele wunderbare Gags über amerikanische Pistolen ich mir auch ausdenken würde, ich selber immer mein bester Witz bleiben würde: ein lustiger Deutscher.
»Ein deutscher Komiker!«
»Ein lustiger Deutscher!!«
»Das ist der beste Witz, den ich je gehört habe!!!«

Irgendwer würde es irgendwann auch an diesem Abend im Churchill Arms rufen. Meine Ohren würden dann glühen vor Glück; weil die Engländer auch ganz andere Sachen rufen konnten.

Ins Churchill Arms waren es, falls ich gleich einen Parkplatz fand, nicht mehr als fünf Minuten. Ich überlegte, zu Fuß zu gehen, aber ich wollte mich ordentlich vorbereiten. Das Autofahren sollte mich noch einmal entspannen. Außerdem schaffte ich es mit dem Wagen noch schnell in die Patisserie Valerie in der unteren Hälfte der Kensington Church Street, am Churchill Arms vorbei.

Drei Stunden vor einem Auftritt aß ich nichts mehr. Weil ich, der vor einem Auftritt nie Kaffee oder Alkohol trank, einen Kaffee mit Rum getrunken hatte, überfiel mich jedoch der Hunger.

Die Holland Avenue führte immer geradeaus, Kensington ging in Notting Hill über, aber die Häuser blieben gleich, rechteckige Bauten aus Backstein, von der Nacht in Tinte getaucht, nur in den Fenstern spiegelte sich matt das gelbe Licht der Straßenlaternen. Eine Stadt, die so viele Geheimnisse barg, benötigte eine eintönige Fassade, um sie alle zu verstecken.

»Wache auf, Maggie, ich denke, ich habe dir etwas zu sagen, es ist später September, und ich sollte wirklich wieder in der Schule sein«, sang ich, stellte die Musik noch etwas lauter und begriff, dass man eine Stadt wie einen Menschen lieben kann.

Ich fuhr am Churchill Arms vorbei, Geranien verbargen die Fenster, durch die niemand hineinsehen sollte. Ich wurde immer beschwingter und nahm Fahrt auf. Das Auto auch.

»Oh, Maggie, ich wünschte, ich hätte dein Gesicht nie gesehen, du hast einen erstklassigen Idioten aus mir gemacht, aber ich bin so blind, wie ein Idiot es nur sein kann«, grölte ich. Meine linke Hand dirigierte mit erhobenem Zeigefinger die eigene Stimme. Nach der langen, sanften Kurve kam schon die Patisserie Valerie. Ich sah im Rückspiegel nach, ob ich mich noch wiedererkannte. Meine Freude hatte sich selbstständig gemacht und mir ein Lachen ins Gesicht gezeichnet, das man nur sympathisch finden konnte oder geisteskrank.

Den Schlag, laut, aber dumpf, fast ohne Widerhall, nahm ich im ersten Moment gar nicht richtig wahr.

zwei

Ich versuchte, nicht mehr hinzusehen, doch so sehr ich mich auch bemühte, mein Blick kehrte immer wieder zu ihm zurück. Seine linke, zierliche Hand starrte mich an. Die dünnen Finger zeigten, halb ausgestreckt, nach oben. Als wollten, als könnten sie sich noch an etwas festklammern. Sie lagen in einer winzigen Pfütze.
Ich verstand nicht, warum sie ihn nicht endlich wegbrachten.
Die Blaulichter der Polizeiautos und des Krankenwagens drehten sich ohne Sirene. Auf der anderen Seite des rotweiß gestreiften Absperrbandes liefen die Motoren der sich stauenden Autos noch immer geduldig mit der pumpenden Gleichmäßigkeit, die die Welt verloren hatte. Die übergroßen neongelben Regenschutzanzüge der Rettungssanitäter quietschten bei ihren schnellen Schritten. Nie hörte ich besser.
Ich stand fünf Meter entfernt, am Bordstein. Hinter mir durften die Fußgänger weiterhin den Bürgersteig nutzen, ich sah sie nicht und spürte, wie sie einen Schritt zulegten. Hart und abgehackt schlugen ihre Absätze auf den nassen Asphalt. Warum brachten sie ihn nicht endlich weg?
Sie hatten die Trage aus dem Krankenwagen geholt, mit dem rotbraunen Winterfutter, doch ich konnte nicht sehen, ob sie ihn wenigstens endlich daraufgebettet hatten, ein kniender Sanitäter in reflektierendem Gummianzug versperrte mir die Sicht. Aber ich wollte doch sowieso

nicht hinblicken und sah neben dem knienden Sanitäter bloß die Hand, die Finger, noch immer auf Halt hoffend, halb erhoben. Das Fahrrad, strahlend rot, lag weiterhin zwischen uns. Das Vorderrad hatte endlich aufgehört, sich in der Luft zu drehen. Niemand interessierte sich für mich.
»Der Verkehr staut sich bereits bis Notting Hill Gate zurück.«
»Ich habe dem Verkehrsdienst schon vor einer Ewigkeit über Funk Bescheid gegeben, damit sie jemanden schicken, der das regelt.«
»Wenn wir die Einbahnstraßenreglung in Campden Gardens aufheben, könnten wir sie über Gordon Street runter auf die High Street Ken umleiten.«
»Das ist Sache des Verkehrsdiensts. Ich mache hier nur meinen Job.«
Der Polizist, der mich bei seiner Ankunft kurz angebunden nach dem Geschehenen befragt hatte und mich dann, nicht unfreundlich, angewiesen hatte zu warten, trug ein weißes Diensthemd mit kurzen Ärmeln. Er ging zu dem Notarzt und den Sanitätern, blieb einen Schritt von ihnen entfernt stehen und stemmte die Hände in die Hüften. Für ihn lief auch das Chaos nach Regeln ab. Aber ich verstand wirklich nicht, warum sie ihn nicht endlich wegbrachten, sie mussten ihn doch wegbringen, der Motor des Krankenwagens lief doch noch. Sie hatten doch keine Zeit zu verlieren, dachte ich. Obwohl ich wusste, dass es zu spät war. Ich rieb mir die Schläfen und legte dabei die Handflächen vor die Augen. Zwischen meinen Fingern hindurch sah ich seine kleine Hand. Und zum ersten Mal bekam ich Angst um mich. Es war nicht meine Schuld gewesen, ich hatte nur einen Schlag gehört, ohne Widerhall, und dann war ein Schatten vor meiner Windschutzscheibe vorbeigeflogen, ein schwarzer Fleck in schwarzer Nacht, nur kurz er-

kennbar, schwarz auf schwarz, welche Schuld konnte mich denn da treffen, ich verstand überhaupt nicht, was passiert war, wie es passieren konnte, natürlich würde ich der Polizei von dem Irish Coffee erzählen müssen, falls sie mich fragte, ein Irish Coffee, nur ein Irish Coffee. Ich hatte mich noch nie so nüchtern gefühlt, so schlagartig nüchtern.
Ein Mann im halblangen, wehenden Mantel hob das Absperrband hoch und schlüpfte halb gebeugt mit einer Selbstverständlichkeit darunter hindurch, dass sich seine Berechtigung dazu nicht anzweifeln ließ. Der Polizist in den kurzen Ärmeln, den ich vor mir selbst, ohne darüber nachzudenken, meinen Polizisten nannte, sah den Mann im Mantel aus den Augenwinkeln und kam ihm entgegen. Vielleicht hörte ich ihre gesamte Unterhaltung – vielleicht filterte meine Wahrnehmung nur bestimmte Gesprächsfetzen heraus. Vielleicht redete mein Polizist auch einfach deutlicher, wenn er die wichtigen Fakten erwähnte. Jedenfalls war mir, als sähe ich einen Text und nähme nur die mit Textmarker leuchtend unterstrichenen Schlüsselbotschaften auf.
»Mit dem Fahrrad.«
»Über die Windschutzscheibe.«
»Keine Chance.«
»Ein Ausländer. Deutscher. Die kapieren es nie mit dem Linksfahren.«
Ich faltete meine Hände über der Nase. Ich blies den Atem in meine Hände hinein. Ich sollte doch nicht hinschauen.
Die Trage knirschte auf dem feuchten Straßenboden, Sicherheitsgurte rasteten ein, »bereit?«, sagte eine Stimme, ich ging davon aus, dass sie einem der Sanitäter gehörte. Ihre schweren Stiefel schlugen auf den Asphalt, und das Pochen in meinem Kopf wurde schneller. Meine Augen begannen zu schwimmen.

»Geben Sie mir bitte Ihren Führerschein?«
Ich versuchte zu schlucken.
»Ich muss Ihre Personalien aufnehmen.«
»Im Auto.« Ich erkannte meine Stimme nicht wieder. »Ich habe den Führerschein im Auto.«
»Ich gehe mit Ihnen hin.«
Der Wagen parkte unmittelbar neben mir, halb auf dem Bürgersteig, die Fahrertür angelehnt. Den Schlüssel dagegen hatte ich beim Aussteigen in die Hosentasche gesteckt. Manche Reflexe funktionieren weiter, wenn man bereits den Kopf verloren hat.
Für einen Polizisten hatte mein Polizist das falsche Gesicht. Die Warmherzigkeit ließ sich auch nicht durch seine raue Stimme vertreiben.
Ich hielt mich an der Fahrertür fest. »Quatsch, ich habe ihn natürlich gar nicht im Auto, sondern hier in meiner Jacke«, ich holte die flach gepresste Geldbörse aus der Innentasche und den lappigen Führerschein aus der Geldbörse.
Der Krankenwagen fuhr ab. Die Sirene schaltete er nicht mehr ein.
»Hören Sie, ich verstehe nicht, wie das passieren konnte, ich habe überhaupt nichts gesehen, und plötzlich hörte ich einen Schlag, ich wusste nicht, wie mir geschah, ich bin doch ganz normal gefahren, ich bin sofort ausgestiegen und habe ihn in die stabile Seitenlage gebracht, vielleicht hätte ich andere Hilfsmaßnahmen ergreifen sollen, aber das fiel mir halt ein, stabile Seitenlage, ich habe doch überhaupt nichts gesehen, plötzlich war da dieser Schlag, der ist mir einfach reingefahren, von links, den Berg hinunter, was er für ein Tempo draufgehabt haben muss, ich weiß auch nicht, warum, wie konnte das passieren.« Während ich redete, hatte ich durchgehend das Gefühl, kein Wort sagen zu können.

Mein Polizist blickte mich an, sagte nichts und senkte die verständnisvollen Augen langsam wieder auf den Führerschein.

»Reden hilft jetzt auch nichts mehr. Vielleicht hätten Sie die Musik nicht so laut drehen sollen, hatten Sie die Musik laut? Sicher hatten Sie die Musik laut, ich kenne Leute wie Sie mit Autos wie diesem«, er hielt den Führerschein hoch, »Andreas Merkel, so heißen Sie?«

»Ja. Also, ja.«

»Geboren am 20. August 1971 in Emden. Das ist wohl Deutschland, was?«

Den Vorwurf konnte ich nicht überhören.

»Ihre Adresse?«

Ich gab die Antworten, ohne den Mund zu bewegen. Über dem vorderen Rad war der rote Lack des Autos abgesplittert, der Regen fiel darauf und gab der Beule Glanz.

»Das ist Ihr Auto, nehme ich an?«

»Nein, es gehört Jim. Jim Merton. Vermutlich brauchen Sie seine Adresse? Die weiß ich gar nicht, also, ich meine, die Postleitzahl weiß ich nicht, die Straße schon, 11 Rowallan Road in Fulham, aber hören Sie, es war wirklich nicht meine Schuld, ich schwöre es Ihnen, mein Gott, das war doch noch ein Kind, der Junge, ein Kind, haben Sie die Hand gesehen, die Hand, ich habe ein Kind – verstehen Sie, ich habe ein Kind ge–«

»Das ist nicht Ihr Auto?« Seine raue Stimme unterbrach mich herrisch.

»Nein, es, also –« Er fiel mir erneut ins Wort: »Sie sind kein geübter Autofahrer?«

»Ich habe es einfach geliehen, von meinem Manager, Manager, das klingt jetzt blöd, aber ja gut, das ist er halt, ich will Ihnen doch nur die Wahrheit sagen, mein Gott, man wird sich doch noch ein Auto leihen dürfen.« Ich ließ die

Tränen einfach weiterlaufen, auch wenn sie bereits auf meine Jacke fielen.
Er tat, was Engländer am besten können. Der Gedanke kam mir wie aus einem anderen Leben, aus einem Leben, das nun lange zurücklag: Er tut, was Engländer am besten können; sich taub stellen.
»Der Fahrzeugschein?«
»Der muss, also, keine Ahnung, der muss ja wohl im Handschuhfach liegen. Aber ich habe Jims Nummer im Handy gespeichert, wir können ihn doch anrufen.«
Nur noch seine Füße standen neben mir. Sein Oberkörper hing bereits in Jims Ford Escort. Als Erstes nahm er den Korken aus dem Handschuhfach. Er betrachtete ihn einen Augenblick zwischen spitzen Fingern, legte ihn dann auf den Beifahrersitz und durchsuchte die Papiere. Wenn er die Stereoanlage anschaltet, dachte ich, wird er feststellen, wie hoch die Lautstärke gedreht war.
Offenbar fand er, was er suchte. Sein Oberkörper kam wieder aus dem Wagen hervor.
»In Ordnung. Geben Sie mir bitte die Autoschlüssel. Unsere Techniker nehmen den Wagen mit zur Spurensuche. Wir benachrichtigen den Besitzer des Wagens und überprüfen, ob er nicht gestohlen wurde. Sie kommen mit mir auf die Wache, eine Blutprobe, das ist obligatorisch.«
Er klang, als habe er den Satz schon hundertmal exakt so gesagt; als habe er abgeschlossen mit mir.

Sie warteten mit dem Einsteigen, bis ich auf der Rückbank des Polizeiautos Platz genommen hatte. Mein Polizist ging um den Wagen herum zum Steuer. Der andere Polizist warf sich auf den Beifahrersitz. Er schob den Stuhl ruckartig und möglichst weit zurück, sodass meine Beine eingequetscht wurden. Dann schaltete er das Radio ein. Es lief ein Poplied.

Wir fuhren den Berg hinunter, auf der anderen Straßenseite lag die Patisserie Valerie, dunkel waren Schaufenster und Reklameleuchten. Wegen eines Croissants. Oder wegen eines Muffins oder was immer ich gewählt hätte, war das passiert. Ich schlug den Kopf gegen die Seitenscheibe. Niemand redete.

Die Polizeiwache Kensington sah aus wie ein Gefängnis. Das gelblich kranke Licht der Straßenlaternen hob den sechsstöckigen Backsteinkasten nur schemenhaft aus der Nacht hervor. Sie brachten mich durch den Hintereingang hinein.

Der Erste, dem ich unmittelbar hinter den zwei Stahltüren begegnete, war der Toilettenmann. Er trug einen Stapel benutzter Handtuchrollen hinaus. Polizeiwache, dreckige Handtücher, Toilettenmann, meine Gedanken begannen ohne Vorwarnung zu laufen, ich konnte sie gerade noch stoppen, bevor mein Gehirn einen Gag daraus fabrizierte. Ich hasste mich. Ich nahm mir nicht ab, dass ich machtlos gegen diese Besessenheit war, dieses permanente Suchen nach Gags, selbst hier, selbst jetzt.

Eine Neonröhre summte. Die Türen der Büros, an denen wir vorbeigingen, standen offen. Ich vermied es, hineinzusehen. Zwei Polizisten kamen uns entgegen, wir mussten hintereinandergehen, um sie vorbeizulassen. Sie grüßten stumm, sie gingen nicht auffällig schnell, und doch lag in ihren Bewegungen hoch konzentrierte Eile.

»Gary!«

Wir blieben prompt stehen.

Der andere, nicht mein Polizist, lehnte sich an den Türrahmen eines Büros.

»Kevin?«

»Habt ihr es gehört? Über Funk?«

»Was meinst du?«

»In Ladbroke Grove haben wir drei Bärtige hochgenommen. Sprengstoff. Gehören offenbar zum Ring um Abu Hamsa. Die Jungs brauchen noch Verstärkung bei der Wohnungsdurchsuchung. Fahrt ihr hin? Oder was ist das da?«

Ich wusste, ohne dass ich hinsah, dass er mit seinem Nicken auf mich zeigte.

»Verkehrsunfall. Ein 13-jähriger Junge.«

»Verfluchte Welt.«

»Craig kümmert sich um die Blutprobe, dann fahren wir sofort hin. Sprengstoff. Verdammte Ayatollahs. Es ist klar, dass wir nach dem 11. September als Nächste dran sind. Irgendwann werden wir zu spät kommen.«

Er bekam keine Antwort mehr.

Wir nahmen die Treppen bis in den vierten Stock. Mein Polizist, der offensichtlich Craig hieß, ging in ein Zimmer. Der Beamte Gary drehte sich wortlos um und verschwand in den Aufzug. Mir sagten sie nichts. Deshalb ging ich davon aus, dass ich auch in den Raum eintreten sollte.

Zwei Schreibtische mit Computern aus dem vergangenen Jahrhundert waren aneinandergeschoben. Mehr Stühle, als ich auf einen Blick zählen konnte, standen ohne ersichtliches System herum. Keiner wurde mir angeboten. An der Wand hing ein Kalender, das Blatt für September zeigte ein Pferderennen auf der Zielgeraden.

Mein Polizist, die weiße Haut seiner Unterarme gerötet, schaltete einen Computer an.

»Dann mal los«, sagte er. Ich war mir sicher, er redete zu sich, nicht zu mir.

Er fragte mich noch einmal nach all den persönlichen Daten, die er am Unfallort erfasst, die er in dem Notizblock vor sich liegen hatte.

»Beruf?«

Das war neu. Oder hatte ich schon vergessen, dass er mich auf der Straße danach gefragt hatte?
Ich überlegte nicht einmal, ehe ich antwortete.
»Fensterinstallateur.«
In den Atempausen, in denen die Computertastatur unter seinen zwei Zeigefingern klapperte, dachte ich über die Erwiderungen nach, die ich ihm geben musste, wenn das Verhör richtig begann. Ich würde nichts ohne einen Anwalt sagen, das würde ich sagen, sie würden mich doch nicht über Nacht in eine Zelle sperren. Das langsame Klappern der Computertasten erschöpfte mich. Gedanken, Gefühle, alles wurde vom Hämmern der Tasten aus meinem Kopf geschlagen, bis ich ganz und gar leer war.
Irgendwann klingelte das Telefon.
»Das Auto ist nicht gestohlen gemeldet«, sagte er, nachdem er aufgelegt hatte. »Gut. Des Weiteren weise ich Sie auf Ihr Recht hin, alle Aussagen, die über die Personenfeststellung hinausgehen, zu verweigern.«
»Ja?«
Es war eine Frage. Er nahm es als Zustimmung.
»Dann brauche ich noch eine Unterschrift.« Er hatte ein Formular mit meinen persönlichen Daten ausgedruckt, jedenfalls nahm ich an, dass es meine persönlichen Daten waren, ich las nur Merkel und Andreas ganz oben in den Kästchen Name und Vorname. Dreimal fasste ich nach, damit der Kugelschreiber richtig in meiner Hand lag. Ich unterschrieb steif, als hielte ich einen Pürierstab in den Fingern.
»So. Die Blutprobe.«
Er stand auf, ich hatte die gesamte Zeit gestanden. Wir gingen wieder durch den langen Korridor, dessen Wände uns bedrängten, mein Polizist blieb durchweg einen Schritt voraus.

Hielten sie mich für verdächtig, für schuldig, ermittelten sie gegen mich? Ich würde geschehen lassen, was immer auch passierte.
Mein Polizist brachte mich in einen Raum, der eher wie ein Labor als ein Revier aussah. Ein Polizist im Ärztekittel nahm mir Blut ab.
»Das Resultat erhalten wir in ungefähr einer Woche. Haben Sie etwas getrunken?«
»Eigentlich nicht.«
»*Eigentlich* nicht.«
»Ich meine, nein. Nein, ich habe nichts getrunken.« Ich gab mir Mühe, die Wörter so klar wie möglich auszusprechen. Damit der Satz mich selbst überzeugte.
»Gut, Sie können gehen.« Der Polizist im Ärztekittel schrieb mit schwarzem Filzstift etwas auf das Reagenzglas mit meinem Blut.
Ich erstarrte auf der Pritsche. Ich wusste nicht, was er meinte. Mein Polizist sah mich an, zum ersten Mal seit er am Unfallort eingetroffen war. »Sie können gehen.«
»Wohin?«, fragte ich, ehe ich nachdenken konnte.
»Wohin Sie wollen, Hauptsache, Sie gehen.«
»Aber.« Wird denn gegen mich ermittelt, wollte ich fragen. »Aber, der Junge«, sagte ich, und die Sinnlosigkeit der Aussage wurde mir schon bewusst, während ich die Wörter noch aussprach. »Er war doch noch ein Kind, der Junge.«
Der Polizist im Ärztekittel war hinter einem verblichenen blauen Plastikvorhang verschwunden. Mein Polizist leckte sich kurz mit der Zunge über die Lippen, um sich selbst davor zu bewahren, die Beherrschung zu verlieren.
»Sie waren in einen Verkehrsunfall verwickelt und in keine Straftat. Sie hatten Vorfahrt. Sie haben, soweit bislang erkennbar, nicht gegen die Verkehrsordnung verstoßen – wenn wir mal davon ausgehen, dass die Blutprobe negativ

ist, was wir sehen werden. Es gibt für Sie, nach derzeitigem Stand, keinen Grund für Selbstvorwürfe. Sie sind einfach nur Zeuge. Als solcher werden wir uns in den nächsten Wochen mit Ihnen in Verbindung setzen und Sie noch einmal auf die Polizeiwache bitten, um Ihre Beobachtungen zu protokollieren. Sie haben das Recht, in Begleitung eines Anwalts zu erscheinen.«

Verkehrsunfall. Einfach nur Zeuge. Ich verstand genau, was er sagte: Wir jagen hier islamische Terroristen, und ich muss mich mit einem banalen Trottel wie Ihnen herumschlagen.

»Dann?«

»Dann was?«

»Dann gehe ich?«

»Ich bitte darum.«

Ich wartete, dass er sich in Bewegung setzte, um mir den Ausgang zu zeigen. Er schaute mich nur an, plötzlich unendlich müde. Mir ging auf, dass nicht nur ich, sondern auch er den Jungen gesehen hatte, die verdammte Hand mit den halb ausgestreckten Fingern in der Pfütze.

»Entschuldigung«, sagte ich. Unsicher trat ich in den Korridor.

Die Tür zum Hauptausgang ließ sich nicht öffnen. Ich rüttelte daran, dann blickte ich zurück. Der Pförtner, der mich gesehen haben musste, tat, als sehe er mich noch immer nicht.

»Entschuldigung, könnten Sie mir bitte die Tür öffnen.« Ich musste die fünf Schritte zurückgehen und den Satz wiederholen, ehe er, ohne hinter seiner Plexiglasscheibe aufzublicken, den Knopf drückte.

Es hatte aufgehört zu regnen. Die Luft war von jener trügerischen Londoner Frische, die man im ersten Augenblick leicht für belebend hielt und die einen nach kürzester Zeit

frösteln und leiden ließ. Ich lief schnell los und blieb sofort stehen, sobald ich das Polizeirevier hinter mir gelassen hatte. Rassells Blumenladen, las ich. Eine Holztafel hing an der Wand des Geschäfts. »Novemberratschläge« stand mit weißer Kreide darauf geschrieben: »Benutze Herbstdünger für Rasen. Bestelle Knospen. Pflanze Lilien und Herbstkrokusse.« Eine Frau, die ihren Golden Retriever ohne Leine ausführte, schlenderte auf der anderen Straßenseite, den Regenschirm noch aufgespannt. Vereinzelte Autos fuhren vorbei. Im Pub schräg gegenüber ging die Tür auf und ließ mehr als einen Spalt heiteres Licht und einen Schwall animierter Stimmen heraus. Im Churchill Arms würden sie genauso kommen und gehen, reden und lachen, ohne überhaupt zu merken, dass etwas fehlte. Nur der Wirt würde kurz mit der Seite seiner Hand die Aufschrift »Heute Comedy« von der Kreidetafel wischen. Vielleicht murmelte er dabei kurz zu sich selbst: Noch nicht einmal auf einen Deutschen kann man sich heutzutage noch verlassen.
Es konnte noch nicht viel später als 21 Uhr sein. Das gelbe Licht eines Taxis kam wie gerufen auf mich zu. Sekunden später fuhr es selbstverständlich und gemütlich an mir vorbei. Ich hatte es nicht geschafft, meinen Arm zu heben.

drei

Ich erreichte die Colehill Lane ohne das vertraute Gefühl, nach Hause zu kommen, und blieb fünfzig Schritte vor meiner Wohnung stehen. Jemand war an meiner Tür. Einbrecher, hätte ich wohl in jeder anderen Nacht gedacht. Polizei, dachte ich diesmal. Die Angst, die sich mit dem einen genauso wie mit dem anderen Gedanken einstellt, ergriff mich nicht. Ich ging weiter, ich hatte mich daran gewöhnt, dass ich meine Füße nicht spürte. Voluminöse schwarze Mülltüten bildeten ein Spalier, glänzend unter Straßenlaternen. Der eine Schatten vor meiner Tür griff nach der Schulter des anderen Schattens, um ihn auf meine Ankunft hinzuweisen.

»Ach, ihr seid es.« Ich war nicht enttäuscht, auch wenn ich hörte, dass ich so klang.

»Andy!«

Jim griff meine Schulter und zog mich zu sich heran, langsam wurde das Daunenpolster seiner Jacke zwischen seinem und meinem Körper flach gepresst, ich spürte seinen Atem auf meinem Ohr.

»Oh, Andy!« Jessica zeichnete mit der Hand in der Luft einen Halbkreis, was als Umarmung reichen musste, da Jim mich nicht losließ.

»Andy-boy.«

»Es tut mir so leid, Andy.«

Ich schob Jim entschlossen beiseite und betrachtete die beiden mit Abstand. Jessica hatte den Kragen ihres hell-

grauen Mantels aufgestellt. Die kaltfeuchte Luft hatte Jims schulterlange blonde Haare an den Spitzen gewellt. Sie sah krank aus. Er unausgeschlafen.
Sie suchten in meinem Gesicht, ich wusste nicht, ob sie dort irgendetwas fanden, ein Zeichen, eine Regung, eine Spur. Ich blickte beharrlich auf den Sprung in der Steinplatte unter mir, den mein rechter Fuß, losgelöst von meinem Körper, immer wieder entlangfuhr.
»Es ist besser, wenn ihr wieder geht.«
»Komm, Andy«, Jim griff schon wieder nach mir und bekam mich am rechten Oberarm zu fassen, »lass uns jetzt erst einmal reingehen, du erfrierst sonst hier draußen noch, mein Gott, du bist ja völlig durchnässt, wie lange warst du denn unterwegs, es hat doch seit Stunden nicht mehr geregnet, sag bloß, du bist den ganzen Weg zu Fuß gegangen, von wo aus überhaupt, auf welche Wache haben sie dich gebracht, Andy, wir sind sofort los, als der Anruf von der Polizei kam, wegen meines Autos, mach dir wegen meiner Kiste mal keine Sorgen, Andy, mach dir mal überhaupt keine Sorgen, wir sind zur Polizeiwache Fulham gefahren, wir dachten, da bist du, und haben ewig dort gewartet, wir trauten uns nicht zu fragen, wir dachten, wir warten einfach, Jessica ist es dann aufgegangen, dass der Unfall ja höchstwahrscheinlich gar nicht hier in Fulham passiert ist, du also auch nicht hier auf der Station sein konntest, aber, so, jetzt komm, Andy.«
Ich blickte verständnislos in seine ausgestreckte Hand.
»Der Schlüssel, Andy.«
Ich tastete in meiner Jeanstasche und spürte den Schlüsselbund. Aber ich bekam ihn nicht heraus.
Jims Bauch wölbte sich so sehr, dass sich sein Kreuz unter dem Gewicht bog. Er hatte mindestens zehn Kilogramm zugenommen, seit wir uns kannten. »In Ordnung, Andy,

alles mit der Ruhe. Lass dir Zeit. Wir werden jetzt hineingehen und einen Tee kochen, einen guten, heißen englischen Tee mit Milch.« Er betonte jedes Wort einzeln und exakt. Endlich zogen meine Finger die Schlüssel aus der Hosentasche.

»Du verstehst es nicht, Jim.«

»Was?«

»Der Junge ist tot.«

Das Daunenpolster streifte wieder mein Kinn. »Andy«, flüsterte er. Weil seine Stimme so dicht an meinem Ohr hing, klang es wie Gebrüll, »lass uns reingehen, du musst dich hinsetzen.«

Ich wusste nicht, warum ich nicht die Tür aufschloss. Stattdessen reichte ich ihm den Schlüsselbund.

Meine Wohnung, flach und verwinkelt in eine Lücke hinter den Reihenhäusern gebaut, hatte die Fähigkeit, Kälte zu speichern; was sich in einem Land ohne Hitze dadurch bemerkbar machte, dass es im Winter in ihr kälter als auf der Straße war. Jim warf den Heizboiler an, Jessica schaltete den elektrischen Wasserkocher ein. Ich warf mich, zum Zeichen der Kapitulation, auf das giftgrüne Sofa, das der Vermieter hineingestellt hatte, um den hohen Mietpreis ins Exorbitante treiben zu können. Ich sank tief ein. In dem Spalt, der sich unter meinem Gewicht zwischen den Sitzkissen auftat, lagen zwei Geldmünzen und Chipsbrösel.

»Wir haben versucht, dich anzurufen«, rief Jim aus der Küche, ich hörte, wie die Kühlschranktür geöffnet und geschlossen wurde, »aber du bist nicht rangegangen, bestimmt musstest du das Handy ausmachen, was.«

Ich erinnerte mich wieder an das Klingeln des Telefons, wie von fern, auf dem Weg nach Hause, und nahm das

Mobiltelefon aus der Hosentasche. 23 verpasste Anrufe. 23-mal Jim.
Eine vorsichtige Hand legte sich auf meinen Unterarm. »Andy, hier.« Sie drückte mir einen Tee in die Hand. Ich ließ es geschehen. Die Hitze der Tasse schmerzte in den Handflächen. Ich drückte die Hände fester gegen das lilafarbene Porzellan. Sie setzten sich neben mich, sie nahmen mich in die Mitte, es wurde eng auf dem Sofa, das für zwei gemacht war und nicht für Leute wie Jim, an dem alles breit und fest war, die Nase, der Hals, die Hüften.
»Ich habe sein Gesicht gesehen.«
Sie schwiegen.
»Er lag da, auf der nassen Straße, er lag einfach so da, als ob es das Normalste der Welt wäre, auf der nassen Straße zu liegen. Der Helm, sein grüner Fahrradhelm, war ihm in die Stirn gerutscht, und die Augen«, ich nahm achtlos einen Schluck Tee, ich verbrannte mir Zunge und Gaumen, ich spuckte den Tee in die Tasse zurück, auf dem hellen Teppich bildeten sich kleine Flecken, »die Augen starrten einfach unbeeindruckt weiter in die Welt, so sanft, so unschuldig, so«, meine Stimme verrutschte, »als ob er niemandem jemals etwas zuleide getan hätte«, ich schloss die Augen.
Ich erstarrte unter Jessicas langen, dünnen Fingern. Mein erster Instinkt war, mich loszureißen, aber ich verharrte. Regungslos registrierte ich hinter verschlossenen Augen: Sie streichelte mich. Ich hatte sie nicht öfters als fünfmal im Leben getroffen.
Jim, nicht sie, hatte mir gesagt, als was sie arbeitete, und ich hatte es vergessen. Sie engagierte sich in der Konservativen Partei, dies war mir in Erinnerung geblieben: eine Frau unter dreißig zu Zeiten von New Labour und Cool Britannia bei den Tories. Das war noch witziger als ein deutscher Komiker.

Ich wollte etwas Versöhnliches sagen.
»Es tut mir leid, dass dein Auto jetzt erst einmal weg ist, Jim.«
»Vergiss jetzt mal das Auto, Andy. Das Auto ist nur ein Auto.« Mir wurde langsam heiß, ob von der sich warm laufenden Heizung oder von Jessicas Hand. »Ich weiß nicht, ob du darüber sprechen willst oder nicht, Andy, aber ich, das heißt wir, wollten dir auf jeden Fall sagen, wir sind für dich hier; hier, um dir zuzuhören, falls dich das Reden erleichtert.«
Ich rieb mit meinen Zähnen über die Unterlippe und sagte nichts.
»Andy, ich verstehe, dass du sehr durcheinander bist und –«
Ich wischte mit der Hand durch die Luft, ich wischte die Worte aus dem Raum. Jessica stand auf und ging in die Küche. Auf meine Schläfen drückten gigantische Gewichte. Ihre Last blockierte meine Sinne. Alles um mich herum geschah in unendlicher Langsamkeit. Nichts war dabei schwerfälliger als meine Gedanken und Regungen. Ich strengte mich an, meine ausgestreckten Füße zu einem kurzen Wippen zu bewegen, und war überrascht, dass sie folgten. Aber ich spürte ihre Bewegung immer noch nicht. Aus der Küche kam ein Schluchzen. Jim erhob sich und ging vor mir auf und ab, die vier Meter von der Kaminattrappe bis zum Spiegel, der jeden, der hineinsah, in die Länge zog.
»Nun gut. Das Wichtigste ist, dass du erst einmal sitzt, Andy. Du musst dich ausruhen, und du musst dir die Haare trocknen, du bist klitschnass, verdammt. Dann der Reihe nach.«
Es war völlig egal, was er sagte. Es war der schnelle Rhythmus seiner Sätze, sein Enthusiasmus zwischen den Zeilen, den man hörte und sofort wusste, man musste ihn mögen.

»Jim –«
»Sag jetzt nichts, Andy, ich sage dir, wir kommen da gemeinsam wieder raus, ich sage dir, das Einzige, was in solchen Fällen hilft, ist, sich an die Fakten zu halten. Fakten.«
»Jim –«
»Also, Fakt Nummer eins: Was hat dir die Polizei gesagt?«
»Nichts.«
»Nichts?« Er hielt kurz inne, es war nur eine halbe Sekunde. »Nichts – das ist gut, das muss bedeuten, sie halten dich für unschuldig, ich meine, ich weiß, dass du unschuldig bist.«
Langsam rutschte ich vom Sofa herunter.
»Er war 13, Jim, auf einem Fahrrad. Ich hatte die Musik laut und getrunken, nur ein Glas, ein einziges Glas, aber was macht das jetzt für einen Unterschied.«
Er wickelte ein paar seiner langen Haare um den Zeigefinger und zog daran.
»Scheiße«, sagte er.
»Jim.« Er tat Jessica mit einer abwehrenden Hand ab, ohne zur Küchentür zu schauen, wo sie sich gegen den Rahmen lehnte, Büschel ihres feinen braunen Haares waren der Spange entwischt, den hellgrauen Mantel trug sie noch immer zugeknöpft.
Er setzte sich verkehrt herum auf meinen Schreibtischstuhl und rollte heran. »Ein Glas, Andy, ein Glas geht in diesem Land als Entnüchterungskur durch, ein Glas ist gar nichts.«
Ich zog meinen Hemdkragen über das Kinn und sah geradeaus an ihm vorbei.
»Sollen wir heute Nacht bei dir bleiben?«
Vier Augen blickten gleich überrascht Jessica an.
»Ja, also, vielleicht ist das tatsächlich die beste Idee, Andy. Jess hat recht, wir bleiben hier, dein Sofa sieht gut aus«, er

maß es mit den Augen, »also, Jess auf dem Sofa, ich auf dem Boden. Was sagst du dazu?«
»Warum lasst ihr mich nicht endlich und einfach allein.«

Es knirschte kurz, als der leere Bürostuhl gegen den Schreibtisch rollte. Jim drückte meine Schulter. Jessica küsste mich auf beide Wangen und sagte, wie es nur in England ohne stärkere Gefühlswallung möglich ist: »Wir lieben dich, Andy.«
Ich verschränkte die Arme.
»Eine Sache noch.« Der Stimme nach war er bereits im Vorraum, ich war beschäftigt, auf meine Füße zu starren. Ich ließ sie wippen, es funktionierte, aber es war, als ob mein Körper unmittelbar unter den Schienbeinen abgetrennt worden wäre. »Du weißt, du hättest übermorgen einen Auftritt im Harvard in West Hampstead.« Er horchte in das Schweigen hinein. »Ich kann den Gig natürlich absagen, Andy. Aber ich«, ich hörte ein Murmeln, »nein, lass mich, Jess, ich versuche nur rational zu bleiben, also, ich kann den Gig natürlich absagen, Andy, kein Thema. Meine ganz persönliche Meinung aber ist, dass du auftreten solltest. Mal abgesehen davon, dass du ganz kurz vor dem Durchbruch stehst und dies natürlich eine Hausnummer ist, Harvard mittwochs, aber – ja, Jess, ich weiß, darum geht es nicht – also, darum geht es natürlich jetzt nicht, Andy. Doch die Sache ist die, jedenfalls ist dies meine ganz persönliche Meinung, also: Je länger du aussetzt, desto schwieriger wird es, ins Leben zurückzukehren. Es hilft in solchen Fällen weiterzumachen, Andy. Der Alltag lindert den Schmerz.«
»Sag das ab. Sag alles ab. Und sag nie mehr etwas zu.«
Ich hörte seinen Atem, der sich schwertat, den langen Weg aus seinem gewölbten Bauch herauszufinden.

»Wie du willst, Andy – wir reden morgen früh darüber, okay. Morgen früh bin ich wieder hier. Und wenn etwas ist, ruf an, egal zu welcher Uhrzeit.«
»Warum bleibt ihr nicht hier?«, rief ich, als die Haustür ins Schloss gefallen war, laut in die leere Wohnung.

Ich war zu müde, um schlafen zu können. Ich richtete mich im Bett auf, das Kissen, das ich mir hinter den Rücken schieben wollte, hatte ich vor lauter Verzweiflung über meine Schlaflosigkeit auf den Boden geworfen. Die Stehlampe brannte noch. Auf dem Nachttisch lag einzig ein Straßenverzeichnis von London.
Ich benötigte nicht viel Zeit, um mich herzurichten. Hemd und Socken trug ich noch, das hellgrüne Hemd mit dem absurd großen Kragen, das ich mir vor Kurzem extra für die Auftritte gekauft hatte.
Auf meinem Vorhof, der beinahe so geräumig wie die Wohnung war, ohne dass ich für ihn mehr Verwendung hatte, als dort mein Fahrrad abzustellen, trat ich auf feuchte Blätter, die von Nachbars Ahornbaum herübergeweht worden waren. Ehe ich wusste, wie, lag ich am Boden. Die Nässe drang durch meine Hose. Ich blieb liegen. Schließlich begann ich, mich langsam, von den Händen aus, aufzurichten. Meinen Füßen konnte ich nicht mehr trauen.
Niemand fand meine Wohnung, nicht der neue Briefträger, kein Pizzajunge, sie lag am Ende eines schmalen Pfads, der von der Colehill Lane aus betrachtet nicht mehr als ein Zugang zu Müllcontainern schien. Deshalb fand ich vor meiner Tür nicht selten Abfalltüten. Hier konnte man sterben, und es würde einen wochenlang niemand finden.
Meine Füße liefen Richtung Themse, und ich wusste nicht, wohin. In London, der Stadt, die niemals schlief, schien ich der Einzige zu sein, der wach war. Ich zog den Reißver-

schluss meines Parkas bis zum Kinn zu. Ich erreichte die Putney Bridge, ohne den Weg wahrgenommen zu haben. Der Fluss war zu tief unter mir, um ihn von der Nacht zu unterscheiden. Ein sanfter Wellenschlag bewegte das schwarze Nichts. Wenn er wenigstens geschrien hätte im letzten Moment, dann höre ich ihn über die laute Maggie May hinweg, dann reiße ich das Lenkrad herum, nach rechts, was den Aufprall, wenn nicht verhindert, doch zumindest abgemildert hätte. Und wenn ich überhaupt vom O'Sullivan's zum Churchill Arms zu Fuß gegangen wäre. Dann. Es wäre doch nur ein Kilometer gewesen.
Fakten, hatte Jim gesagt. Es helfe, sich an die Tatsachen zu halten.
Fakten. Ich war 30 und allein in London, blond und stur genug, um den Vorstellungen der Engländer von einem Deutschen wenigstens entfernt zu genügen. Ich war akademisch prämiert mit Diplom und Doktortitel in politischen Wissenschaften und tourte als drittklassiger Komiker durch Gasthäuser und kleine Klubs, um ein paar Dutzend Schnapsnasen zu erheitern, die sich mit dem Bier alleine genauso amüsiert hätten. Ich wollte nach dem Master-Kurs an der London School of Economics längst wieder zu Hause sein und wusste längst nicht mehr, wo zu Hause war. Noch mehr Fakten, Jim? Ich legte meine Hoffnungen in einen Manager, der jünger als ich und streng genommen ein unausgebildeter Taxifahrer war.
Ein jämmerliches Bellen, das sofort im Husten erstarb, entwich mir. Ich hatte versucht zu lachen.

vier

Auch in der zweiten Nacht schlief ich im Gefühl, permanent wach zu liegen. Um viertel vor acht riss mich das unnachgiebige Läuten des Telefons aus dem Nichtschlaf. Obwohl das Licht der Stehlampe mir bestätigte, wo ich war, benötigte ich einen Moment, um zu erkennen, ob das Läuten aus meiner Wohnung oder der Zwischenwelt des Wachschlafs kam. Ich schüttelte die Bettdecke ab und blieb noch einen Moment reglos liegen, um die Chance zu erhöhen, dass das Klingeln verstummte, ehe ich das Telefon erreichte. Die Kleidung des Vortags legte eine Spur vom Bett ins Wohnzimmer, in umgekehrt chronologischer Reihenfolge, von der Unterhose über die Socken bis letztlich zum marineblauen Rundkragensweater. Ich wusste, dass es Holger war, und nahm ab. Er hätte ansonsten in den nächsten 15 Minuten noch zehnmal angerufen.

»Bist du wieder gesund?«

»Ich bin mir nicht sicher.«

»Kannst du wieder arbeiten?«

Ich seufzte.

Als Firmenbesitzer hatte er keine Zeit, sich von unpräzisen Aussagen aufhalten zu lassen.

»Das war ein Ja, oder? Gut, dann hole ich dich sofort ab. Ich will los, bevor am Hammersmith Flyover alles zu ist.«

»Ich weiß nicht, ob das eine gute Idee ist.«

»Ich parke vor der Tür.«

»Du parkst vor der Tür?«

»Na, ich dachte mir schon, dass du wieder gesund bist, einer wie du ist doch nie länger als einen Tag krank.«
Ich wollte ihn anbrüllen, ich ballte die Fäuste, und es gelang mir, die Wut darin zu zerdrücken. »Okay«, flüsterte ich.
Von Zeit zu Zeit half ich Holger beim Fensterinstallieren, um mir ein wenig Geld dazuzuverdienen. *Von Zeit zu Zeit* bedeutete, dass ich arbeitete, wenn er mich rief. Also täglich. Seine Firma, GERMAN QUALITY WINDOWS LTD., Import und Installation, hatte keine Mitarbeiter, nur mich. *Ein wenig Geld dazuzuverdienen* hieß, dass ich mich als Komiker sah und vom Fenstereinbauen lebte. Ich hatte das nur selten so klar gesehen wie an diesem Morgen.
Ich ging die Kleidung auf meinem Fußboden ab und schlüpfte Stück für Stück hinein. Den Pullover hatte ich noch gar nicht über den Kopf gezogen, da begann ich bereits zu schwitzen. Ich appellierte an meinen Verstand. Ich wollte den Auftritt am Abend durchziehen, also musste ich zuvor auch die Arbeit mit Holger ganz normal bewältigen, so hatte ich es mir gestern fest vorgenommen.
Einen Tag hatte ich mich gehen lassen.
Es war lang genug.
Ich streifte den Pullover wieder ab, warf ihn auf den Boden und zog den Parka über das T-Shirt. Aber das Rasen war weiterhin in mir und sandte Hitze in Wallungen aus, es raste, ich konnte nicht sagen, was, mein Herz, mein Blut oder die Gedanken. Irgendetwas raste. Alles raste.

Als ich vor die Tür trat, spiegelte sich das erste Tageslicht in den Glasscheiben auf der Ladefläche.
»Mann, siehst du übel aus.«
Ich schlug die Lastwagentür hinter mir zu und antwortete nichts.
»Was hast du überhaupt gehabt?«

»Das Übliche.«
»Grippe und so?«
»Und so, ja.«
»Da hilft schlafen am besten. Einfach schlafen.«
»Ach so.«
»Hast du viel geschlafen – und viel Wasser getrunken?«
»Mann, Holger, ich habe seit zwei Tagen überhaupt nicht mehr geschlafen! Verstehst du: nichts, zwei Nächte kein Auge zugemacht.«
Er tat, als ob das Abbiegen auf die Fulham Palace Road seine ganze Konzentration beanspruchte. Der Verkehr stockte bereits. Vor der Sankt-Etheldreda-Kirche wartete der Pfarrer im schwarzen Gewand auf einen, der mindestens genauso unzuverlässig wie Gott war: einen Londoner Bus. Die Musik aus dem Radio konnte unser Schweigen nicht übertönen.
In Ealing reichte mir Holger das *A to Z*, um die Mattock Lane zu suchen. Dies war seine Art, mir die Versöhnung anzubieten nach einem Streit, dessen Ursache er nicht verstand. Nachdem wir 25 Minuten nebeneinandergesessen hatten, sah ich ihn zum ersten Mal an diesem Morgen an. Seine fast tonlos braunen Haare hatten die Form, in der sie aus dem Bett gekommen waren, an den Seiten abstehend, am Hinterkopf platt gedrückt. Bei einem Mann deutlich über 40 ging dies nur schwer als modisch durch. Sein Gesicht hatte in 16 Jahren London den blauen Schimmer der Einheimischen angenommen. Die Haut war so durchsichtig, dass sie die Adern zu erkennen gab. Wahrscheinlich mochten ihn alle, die Freunde und Eltern, seine Frau, die drei Kinder, sicher sogar und besonders die Schwiegereltern. »Ich finde die Mattock Lane nicht«, blaffte ich und klappte das *A to Z* zu.
»Aber du hast doch gar nicht richtig nachgeschaut.«

»Was soll das denn heißen?«
Er lächelte, ohne den Blick von der Straße zu nehmen oder den Mund zu bewegen.
»Ich bin auch immer so gereizt, wenn ich Grippe habe und mich schwach fühle.«
Ich ballte die Fäuste, sodass die Fingernägel in mein Fleisch schnitten.
Wichtig, redete ich mir zu, ist nur, dass du das heute Abend schaffst.
Die Sonne zeigte sich schon den zweiten Tag in Folge so enthusiastisch, als wolle sie sich über den November lustig machen. Holger brachte den Laster am Straßenrand zum Stehen und kurbelte das Seitenfenster herunter. Er fragte eine Passantin nach dem Weg in die Mattock Lane.

Die Frau des Hauses erwartete uns bereits in Trenchcoat und Stöckelschuhen, Laptoptasche und Autoschlüssel in einer Hand.
»Gott sei Dank kommen Sie heute.«
»Tut mir leid wegen gestern, Madame. Aber mein Kompagnon war krank, Grippe, das passiert sogar in den besten Häusern bei diesem Wetter, wobei wir das Wetter ja für alles beschuldigen können, aber in den letzten Tagen sicher nicht für seine Anstrengungen, uns zu überraschen. Es ist ja unglaublich für November, gestern auch schon.«
Ich konnte sehen, wie sich die Anspannung im schmalen Gesicht der Frau löste; wie Holger ihr gefiel.
»Na, Sie haben ja einen schottischen Akzent. Sind Sie überhaupt Deutscher?« Ihr Misstrauen klang nicht gespielt.
»Meine Frau, Madam.«
»Bitte?«
»Meine Frau ist Schottin. Das färbt ab. Aber die Fenster sind echte deutsche Qualität – made in China natürlich.«

Sie stimmte in sein Lachen ein, hell und befreit. Die Leute lachten über alles, wenn sie einen mochten.
»Ich muss los. Sie wissen ja, was Sie tun. Und bis zum Wochenende werden Sie trotz des ausgefallenen gestrigen Tages fertig, sagen Sie?«
»Absolut, Madam. Ab dem Wochenende werden Sie keine Kälte mehr spüren und keine Einbrecher mehr fürchten müssen.«
»Ich möchte Ihnen gerne glauben.« Ihr Blick fiel auf mich. Die Falten an ihrem Hals bildeten einen abrupten Bruch zu ihrem makellosen Gesicht. »Ich muss gestehen, ich befürchtete schon das Schlimmste, als Sie gestern in letzter Minute anriefen und mir mitteilten, dass Sie nicht kommen könnten.«
»Aber hier sind wir, zu Ihren Diensten, Madam«, antwortete Holger für mich.
Sie ging, ohne uns die Hand zu reichen, zur Tür. In meinem Bild von Ealing hatten solche Häuser nicht existiert. Ealing war bereits Teil der Westlondoner Endlosigkeit, Reihen von geduckten Backsteinhäusern, die nicht mehr aufhörten, die allenfalls unterschied, ob nur die Mülltonne in den Vorgarten passte oder ein Stuhl und die Mülltonne. Und hier, versteckt in der Eintönigkeit, standen prächtige, ehrwürdige Herrenhäuser. Sie drehte sich noch einmal um. »Das mit made in China war ein Witz, oder?«
»Aber nein, Madam, das war ernst. Ist das ein Problem?«
»Nun«, sie suchte nach Worten und brauchte keine zu finden, weil es Holger nicht übertreiben wollte.
»Reingelegt! Natürlich war es ein Witz.«
Sie lachten noch einmal gemeinsam. Ich sah zu.
»Und sage noch einer, ihr Deutschen hättet keinen Humor!«
»Wir haben sogar einen deutschen Komiker hier.«
Er musste auf mich gedeutet haben, denn die Frau sah

mich zunächst neugierig an, dann verwirrt weg. »Also dann«, sagte sie, und die automatische Verrieglung ihres Volvos sprang von ferne gesteuert auf. Ich hatte die Augen auf den Boden gerichtet.

»Du hättest schon einen Witz machen können, Andreas.«

»Ja?«

»Wie du meinst. Aber an so einem Tag muss man einfach gute Laune bekommen, ist die Sonne nicht herrlich?«

Ich schaute hinauf, als ob ich die Sonne suchen müsste. Abrupt drehte ich mich ab, rieb mir schnell über die Augen und sagte: »Verfluchte Kontaktlinsen.«

»Komm, lass uns anfangen«, sagte Holger. Ich trat dreimal fest mit dem Fuß auf, als versuchte ich, die Schuhe gewaltsam zu reinigen. Dann folgte ich ihm ins Haus.

Wir arbeiteten uns von oben nach unten vor. Wir hängten die alten Fenster aus. Die Rahmen schlugen wir mit groben Hämmern heraus. Die Monotonie und die rücksichtslose Gewalt der Arbeit befriedigten mich. Holger stellte ein Radio an, so konnten wir uns ohne den Zwang der Unterhaltung ganz unseren Gedanken hingeben.

»Ein Ausländer. Deutscher. Die kapieren es nie mit dem Linksfahren.«

Ich hatte in vier Jahren in England noch nie Ressentiments gespürt, im Gegenteil: Andere Einwanderer strengten sich an, englischer als die Engländer zu werden, um sich zu integrieren, ich dagegen war in England der Deutsche geworden und so besser als die meisten Immigranten aufgenommen worden. Der deutsche Fenstermann, der deutsche Komiker, deutsche Fenster, deutsche Humorlosigkeit, deutsche Effizienz, deutsche Nazis: Ich verkaufte, ohne je danach gestrebt zu haben, das Beste und das Schlechteste, was die Engländer an uns fanden.

»Ein Ausländer. Deutscher.« Ich sagte mir, dass sich die Wut des Polizisten am Montag nicht gegen mich persönlich gerichtet hatte; er hatte nur seinen Schmerz über den Tod des Jungen loswerden wollen. Aber was, wenn dies bei den Ermittlungen, ganz ohne Ressentiments, ganz sachlich gegen mich sprach: Die kapieren es nie mit dem Linksfahren.

Im Schlafzimmer waren die Kissenbezüge mit Leopardenmuster bedruckt. Über dem Bett hing das Foto eines Mannes, leicht als Hausherr zu erraten, mit einem Fuchs in der Hand. Der Mann lächelte, der Fuchs blutete aus dem Mund. Das Jagdgewehr lehnte am Bein des Mannes.

Die Arbeit erforderte wenige Worte. Holger machte sie, ich half aus. Ich hielt den neuen Rahmen, während er die Entkopplungsschrauben fixierte. Still zu halten war der schwierigste Teil meiner Aufgabe. Ich durfte den Rahmen nicht aus dem rechten Winkel rutschen lassen.

Ich hatte mir von Holger die Überlegenheit der deutschen Doppelglasfenster erklären lassen; ich hatte schon lange vorgehabt, panzersichere deutsche und winddurchlässige englische Fenster zu einem Gag zu verarbeiten, aber irgendwie hatte ich mich beim Ideenspinnen immer in Details verfangen. Schreib es auf meinen Grabstein, hatte ich eines Abends im Phoenix zu Jim gesagt: Der Mann, dem kein Witz über Fenster einfiel. Und wir hatten gelacht, damals.

»Pass auf, Mann!«

»Was denn?«

»Merkst du es nicht? Du wackelst!«

Ich griff nach, brachte den Rahmen wieder in den rechten Winkel und sagte nichts. Durch die nun fensterlose Fensteröffnung sandte der Sonnenschein kalte Luft. Ich bekam Hitzewallungen. Ich spürte weder den Rahmen in meinen Händen noch meine Hände selbst.

Wir wechselten noch vor der Mittagspause vom Schlafzimmer in eines der Kinderzimmer, wie viele es gab, wusste ich nicht, Holger kannte das Haus, er war zum Ausmessen hier gewesen. Ich sah das Torwarttrikot, säuberlich, wie eine Trophäe, über den Schreibtischstuhl gehängt, auf dem Tisch, wo Schulbücher liegen sollten, die Torwarthandschuhe für kleine, zierliche Hände und hörte den Schlag, laut, aber dumpf, fast ohne Widerhall.
»Andreas. Andreas!« Holger stand mit flehentlichem Blick am Fenster und schwankte unter dem alten, ausgehängten Fenster, das nach vier Händen verlangte.
»Hast du ein Gespenst gesehen?«
Meine Ohren glühten.
»Was sagst du?«
»Du sollst mir endlich zur Hand gehen, verdammt.«
»Was denkst du, Holger, wie alt ist der Junge, der in dem Zimmer lebt?«
»Was?«
»Ach, nichts.«
»Was redest du?« Er sah mich fragend an, bis er sich sicher war, dass er keine Antwort erhalten würde.
Wir gingen im einstudierten Gleichschritt, um das Fenster zum Laster zu bringen. Wir schnallten die Lastseile fest, wir zogen es hoch, luden das neue hinunter, wir funktionierten, ich spürte, wie er gern etwas gefragt hätte, und setzte deshalb ein abweisendes Gesicht auf.
»Du wirst doch nicht etwa Vater, Andreas? Ich meine, weil du oben offenbar das Kinderzimmer studiert hast. Das wäre ja eine wunderbare Überraschung!«
Ich ging hinten, ich hatte nur die eine Möglichkeit, Holger und der Glasscheibe zwischen uns weiter zu folgen.
Er fragte nicht nach. Er nahm es offenbar als Antwort, dass ich nicht antwortete.

Wir arbeiteten bis 17 Uhr durch. Die Mittagspause ließen wir, ohne dass wir darüber gesprochen hätten, ausfallen. Wir redeten nicht mehr. Wir wussten auch so, was zu tun war. Einmal nur sagte Holger: »Die Sonne, unglaublich«, aber ich nahm an, er redete mehr zu sich selbst als zu mir.

Als ein Auto hupte, wusste ich sofort, dass er es war. In der Mattock Lane, mit ihren dezenten Herrenhäusern, konnte nur Jim mit einem drängelnden Hupen auf sich aufmerksam machen. Ich beeilte mich hinauszukommen, damit Jim nicht hereinkam. Es konnte die Dinge nur komplizieren, falls Jim anfing, Holger etwas zu erzählen.
»Lass nur, das Saubermachen schaffe ich schon allein«, sagte Holger, als ob ich ihm angeboten hätte, noch länger zu bleiben. »Ich hol dich morgen wieder um acht ab, ging ja heute ganz gut mit der Fahrerei.«
»In Ordnung«, sagte ich und legte ihm in einem plötzlichen Bedürfnis, ihn zu berühren, die Hand auf die Schulter. Ich zog sie sofort wieder zurück.
Vor der Tür parkte, mitten auf der Straße, ein flammengelber französischer Sportwagen. Jim trug eine Sonnenbrille.
»Die ist für Frauen, Jim.«
»Was?«
»Deine Sonnenbrille.«
»Hey, das ist aber eine freundliche Begrüßung!«
Sein ausgebrochener Überschwang war ihm selbst unangenehm. »Wie geht es dir?«, fragte er schamvoll.
»Ja, ja.«
Er legte seine linke Hand auf meine Schulter.
»Konzentriere dich auf die Straße, Jim.«
Er ließ die Hand, breit und fleischig, auf mir liegen, obwohl die Haltung für ihn selbst unangenehm werden musste.

»Ich weiß nicht, ob du wirklich gleich wieder Holger helfen solltest, Andy.«
»Ach.«
»Du hast ein großes Herz. Aber du musst, mehr denn je, jetzt an dich denken.«
»Warst es nicht du, der mir riet, Alltag heile? Weitermachen, sich nichts anmerken lassen. Die tolle englische Eigenschaft: *just get on with things.*«
Ich ertrug seine Stille, seine Verlegenheit nicht. »Mit dem Fenstermist verdiene ich meinen Lebensunterhalt.«
»Bitte fang nicht schon wieder damit an. Du wirst mit der Comedy schon bald genug Geld, mehr als genug Geld machen, Andy.«
»Du hast doch angefangen.«
Seine linke Hand zog sich zurück.
»Du stehst kurz vor dem Durchbruch.«
»Ich stehe nun schon fast drei Jahre kurz davor, die Bühnenbretter durchzubrechen und weg zu sein.«
Seine linke Hand schlug auf das Lenkrad.
»Andy, meinst du, für mich ist es so einfach, mich in dieser Situation dir gegenüber zu verhalten? Ich habe mir extra aufgeschrieben, worüber und wie ich mit dir reden wollte, damit ich keine Fehler mache, und jetzt läuft das Gespräch schon wieder völlig falsch. Hier«, er zog einen Kassenbon aus seiner Hosentasche, wozu er und das Auto hin- und herwackeln mussten.
»Was ist das?«
»Der Zettel, auf dem ich mir alles aufgeschrieben habe.«
»Modell Oregon Black, Größe 10, 109 Pfund. Neue Schuhe, Jim?«
»Auf der Rückseite, verdammt.« Er entriss mir den Kassenbon wieder.
Ich blickte aus dem Seitenfenster, damit er nicht sah, dass

ich lächelte. Ich brauchte nicht lange wegzuschauen. Das Rasen in mir hatte die abrupte Unbeschwertheit schon wieder vertrieben.
»Ich glaube nicht, dass ich das heute Abend packe, Jim.«
Er machte eine unfreiwillige Grimasse, mir war nicht klar, ob er mit sich selbst sprach oder ob ich seine Worte nur nicht verstand.
»Solltest wohl mal auf deinen Zettel schauen«, dachte ich.
»Wir fahren erst mal nach West Hampstead, da suchen wir uns ein Café und besprechen alles.« Seine Stimme klang niedergeschlagen.

»Wo hast du eigentlich das Auto her?«, fragte ich, als wir eine halbe Stunde später in einer Seitenstraße geparkt hatten. In West Hampstead sah es wieder so aus, wie ich mir Ealing vorgestellt hatte. Die untergehende Sonne knallte auf die großen Fenster der endlos gleichen Reihenhäuser. Auf dem Glas glänzte ein Schmierfilm aus Putzmittel und Staub.
»Habe es mir von Darren geliehen.«
»Und wo hat Darren so ein Auto her?«
»Er hat einen Manager, der ihm exzellente Verträge verschafft.«
»Spielt er nicht mehr im Reserveteam?«
»Doch, aber er steht kurz davor, den –« Jim merkte es selbst und brach den Satz ab.
Ich hätte ihm gern gesagt, wie sehr ich ihn auf die englische, so dahingesagte Art liebte. Ich steckte die Hände in die Seitentaschen meines Parkas.
Er ging einen Schritt voraus, sein teurer Anzug entwertet durch die plumpe Figur, Jim Merton, Manager für Talente aller Art kurz vor dem Durchbruch, man dachte nur an den außergewöhnlich talentierten Darren Hutchinson, in vier

Jahren aufgestiegen vom Ersatzspieler des viertklassigen Fußball-Clubs Brentford zum Reserveteamprofi des zweitklassigen Fußball-Clubs Watford. Mit 19 wurde Darren wegen Trunkenheit am Steuer der Führerschein für drei Monate entzogen. Er heuerte für diese Zeit einen Fahrer bei SEVEN SEAS MINI-CABS. Sie schickten ihm Jim. Jim erklärte Darren, er wisse, was sein Problem sei. Er müsse weniger trinken, weniger Geld ausgeben und sich einen kompetenten Berater suchen; er kenne da einen. Die Agentur JIM MERTON STARS AND MORE war geboren. Ich hätte es nicht gewagt zu behaupten, dass sich Darrens Trinkverhalten oder, angesichts des französischen Sportwagens, seine Sparpläne drastisch verändert hatten. STARS AND MORE jedoch wuchs, die Agentur repräsentierte seitdem auch Alicia Foster, eine Stadtteiltheaterschauspielerin, die gern Film machen wollte, einen schwulen Komiker, einen deutschen Komiker, seit dem 11. September eine muslimische Komikerin und neuerdings auch einen von Jims Nachbarn, der angab, Schriftsteller zu sein, aber noch nichts veröffentlicht hatte. Jim war sich sicher, der Mann könnte uns Komikern gute Ideen liefern. *Cross-over,* sagte Jim. Das sei die Zukunft. Ich dachte an die Agentur wie an etwas Schönes, das vergangen ist und nicht wiederkommt.

Wir hatten noch anderthalb Stunden Zeit und in der West End Lane die Wahl zwischen dem Wet Fish Café und der Moment Espresso Bar. Ein Café, das mit seinem Namen eine Ode an nasse Fische sang, war für Jim eine große Versuchung, es hatte aus unserer Sicht einzig den Fehler, dass es bloß Café hieß und ein Restaurant war. Die Moment Espresso Bar dagegen, karge Hocker hinter einer riesigen Glasfassade, servierte auch noch um 18.30 Uhr zu Jims Entzücken ein englisches Frühstück.

Mir fiel auf, dass ich den gesamten Tag noch nichts gegessen hatte, ich bekam aber auch von dieser Erkenntnis keinen Hunger.
»Sag mal, findest du wirklich, dass die Sonnenbrille wie eine Frauenbrille aussieht?«
»Nein, aber sie wird nicht schöner, wenn du sie im Café auflässt, während draußen die Dunkelheit hereinbricht.«
»Sie lag bei Darren im Handschuhfach.« Er machte keine Anstalten, sie abzusetzen.
»Vielleicht ist sie gar nicht von Darren, sondern von seiner Freundin.«
Der Kellner brachte zwei Tassen Tee mit Milch und ein kleines Bier. »Fantastischer Tag heute«, sagte er, deutete mit einem Nicken nach draußen, wo die Sonne einen letzten knallig orangefarbenen Streifen hinterließ, und machte kehrt, ohne eine Antwort zu erwarten oder Widerspruch zu akzeptieren. Jim rückte Tee und Bier einige Male hin und her. Als sie wie Springer und Bauer beim Schach zueinander standen, lehnte er sich mit der Zufriedenheit zurück, die Dinge arrangiert zu haben.
»Wie fühlst du dich?«
»Was willst du hören? Dass ich auf Wolken schwebe?«
Er nickte bedächtig, mit zusammengebissenen Lippen, wie ein Doktor, der seine Diagnose bestätigt sah.
Etwas brach. Wie ich ihn so sah, so gutherzig, nicht unterzukriegen enthusiastisch, ließ ich mich nach vorn fallen, die Ellenbogen knallten auf den Tisch, die ausgebreiteten Hände schlugen vor meine Augen.
»Jim, ich weiß, dass du recht hast, dass es das Einzige ist, was hilft: weiterzumachen, *the show must go on,* und ich versuche es, ich sage es mir die ganze Zeit vor: Reiß dich zusammen. Aber«, ich ließ mich genauso katapultartig wieder zurück in die Lehne fallen, »ich schaffe das heute

Abend nicht. Ich bin abgestumpft, ich bin leer, ich sehe die Welt durch eine innere Fensterscheibe, eine deutsche Doppelglasscheibe, da ist eine riesige Distanz zwischen mir und allem, und wenn ich daran denke, dass ich gleich auf die Bühne steigen soll, dann frage ich mich: Bin ich eigentlich verrückt?«

»Pass auf.« Er nahm einen Schluck Bier, einen Schluck Tee, er setzte zum Reden an und ging dann doch auf Nummer sicher mit einem weiteren, langen Zug Bier. »Du bist das größte Comedy-Talent in dieser ganzen verfluchten Stadt. Es spricht sich schon herum: Hast du diesen Deutschen gesehen, den Deutschen musst du sehen, ein lustiger Deutscher, stell dir das vor.«

»Ich weiß, ich stehe kurz vor dem Durchbruch.«

»Nein, Andy, hör mir zu, ich meine das ernst: Erinnerst du dich noch an die Zeit, als wir uns kennenlernten?«

»Leider ja.«

Er hörte mich gar nicht.

»Nach einem deiner ersten Auftritte kamst du direkt zu mir, du hattest das Dach des Pubs eingerissen und deine Augen glühten. ›Weißt du, Jim‹, sagtest du mir, ›jahrelang habe ich mich immer tiefer in die Politikwissenschaft gestürzt und immer weniger gewusst, was ich damit eigentlich anfangen wollte.‹«

»Ja, gut, das habe ich damals so dahingesagt.«

Mit einer Handbewegung wischte er meinen Einwand beiseite.

»Du sagtest: ›Danke, Jim, dass du mich in die Comedy gebracht hast; ich hatte ja keine Ahnung, wie schön es ist, verrückt zu sein.‹ Das hast du gesagt, damals.« Ich beugte mich über den Tisch und nahm ihm die Sonnenbrille von den Augen. Er ließ es widerstandslos geschehen. »Andy, das ist es, was du kannst, was du liebst, also, was du auf jeden Fall geliebt hast, bevor das, diese Sache hier, also, du weißt schon, passierte. Und nur wenn du es schaffst, die Bühne wieder zu lieben, wird es dir gelingen, das Leben wieder zu lieben. Du musst da jetzt durch, das ist ein Klischee, und ich habe dir keine bessere Parole anzubieten, aber so ist es. Was ich dir vorschlage, ist dieses: Wir gehen um viertel vor acht rüber ins Harvard, du schaust dir die Bühne an, du bekommst ein Gefühl, und wenn du siehst, es geht nicht, dann rede ich mit dem Promoter, dann stornieren wir, kein Thema, aber wir dürfen die Fakten nicht übersehen: Dies ist das Harvard, mittwochs, Andy. Das ist eine verfluchte Chance.«

»Mir ist übel, Jim.«

»Trink deinen Tee, Andy, oder sag mir, was ich dir bestellen soll, einen Kognak, was auch immer, ich bestelle es dir.«

»Du willst es nicht verstehen: Mir ist übel, Jim.«

»Okay. Dir ist übel. Ich verstehe.«

Wie still ein Café sein konnte, in dem Geschirr klirrte, Gäste animiert redeten, diskutierten; lachten.

Jim ließ die linke Hand um die Bierflasche geschlossen, sah mich an und wühlte einhändig in der rechten Hosentasche.

»Ich habe mich umgehört.«

»Das heißt, du hast deine Mutter gefragt.«

»Woher weißt du das?« Er war aufrichtig erstaunt.

»Wir kennen uns drei Jahre, Jim.«

»In Ordnung. Also, ich habe meine Mutter gefragt – auch. Du brauchst einen Anwalt.«

Es klang für mich wie: Du hast es nötig, dich zu verteidigen.

»Ich habe einen gefunden. Robert Kozluk. Ich habe schon mit ihm gesprochen. Wenn du einverstanden bist, erledigt er die Sache für dich mit der Polizei.«

Ich verstreute den Zucker auf der Untertasse meines Tees

und beobachtete gebannt, wie die weißen Körner dort unter meinen Fingern hin und her sausten.

»Ich habe nachgeschaut, auch das«, er unternahm vergeblich einen Versuch, den Stolz in seinen Augen zu unterdrücken. »0,8 Promille ist das Limit. Das sind gut und gerne zwei Pints Bier.«

»Ich habe aber nicht zwei Bier, sondern einen Irish Coffee getrunken.«

»Aber da ist doch nicht mehr Alkohol drinnen als in zwei Pints!«

Ich schnippte Zuckerkörner über den Tisch.

»Andy.« Seine Hand legte sich auf meine Tischhälfte. »Dir ist ein Junge ins Auto gefahren. Du konntest nichts dafür. Du bist kein Täter. Du bist genauso ein Opfer wie der Junge.«

Ich hackte mit dem Löffel auf die Zuckerkörner ein. Mein eigenes Kinderzimmer in Emden, ich trotzig auf dem Bett, vielleicht war ich zehn oder zwölf, vielleicht auch zehn und zwölf, die Geschichte wiederholte sich, das Gesicht meines Vaters in der Tür, seine zerzausten Augenbrauen und sein überlegenes Schweigen, das mir sagte: Schuld sollte man zunächst einmal immer bei sich selbst suchen.

Das Schweigen währte so lange, dass danach nichts mehr und also alles gesagt werden konnte. Jim sagte: »Also, dann gebe ich Kozluk grünes Licht.«

»Ich weiß nicht.«

»Das werte ich als Zustimmung. Dann«, er wurde verlegen, »hat mir Jessica etwas gesagt.«

Ich wurde hellhörig.

»Psychologische Hilfe. Sie sagt, es sei skandalös, wie die Polizei mit dir umgegangen ist, dass sie dich einfach so heimschicken. Normal hättest du Anspruch auf psychologische Hilfe, und –«

»Ich brauche keine Hilfe, Jim!«
»– wenn die Polizei da nichts tut, was Kozluk klären soll, dann würde sie sich umhören.«
»Entschuldigung.« Die junge Kellnerin, die bislang nur die Tische im hinteren Teil des Cafés bedient hatte, wartete, dass Jim seine exakt arrangierten Teetasse und Bierflasche auseinanderschob, damit sie den Teller vor ihm platzieren konnte. Sie musste sich ihre Nase einmal gebrochen haben. Monika stand an ihrem Revers. »Einmal englisches Frühstück.«
Jim nestelte an der Innentasche seines Anzugs herum. Er wartete, bis sich die Kellnerin wieder entfernt hatte. Dann legte er eine Schachtel Tabletten neben meine Tasse. »Von Jessica.«
Ich schob die Schachtel mit Schwung über den Tisch zurück. Dort blieb sie vor Jim liegen, ohne dass er sie anrührte. Ich sah ihm beim Essen zu und fühlte, wie die befreiend dumpfe Erschöpfung wieder einmal das Rasen verscheuchte.
»Sie ist sehr nett, Jessica.«
Er hatte ein Stück Wurst auf der Gabel und hielt, was er vor meinen Augen noch nie getan hatte, inne, bevor er es in den Mund schob.
»Was arbeitet sie eigentlich?«
»Jessica? Sie ist Hörgeräteakustikerin. Warum?«
»Nur so.« Nachzufragen, was genau dies für ein Beruf war, überforderte meine Kräfte. Dagegen erschien es mir sofort plausibel, dass in der Konservativen Partei ein akuter Bedarf an Hörgeräteakustikern herrschte.
Jim aß sein Frühstück mit höchster Konzentration, nur gelegentlich warf er ein Auge auf seinen Schoß. Ich folgte seinem Blick. Auf dem Oberschenkel lag sein Kassenbon. Er schien die Themenliste abgearbeitet zu haben.

»Bist du bereit?«, fragte er, als er den Teller wegschob. Ich antwortete mit undurchdachter Ehrlichkeit. »Keine Ahnung.«
»Na, dann komm.«
Die Harvard Bar lag direkt nebenan. Ich zog den Reißverschluss meines Parkas bis zum Kinn zu.

fünf

Als wir an der kurzen Schlange der Zuschauer vorbei die Treppe nach unten stiegen, spürte ich ein Drücken gegen die Rippen. Jim versuchte, sich bei mir unterzuhaken, um mich resolut hinunterzugeleiten. Ich wehrte mich nicht.
Die schlecht beleuchtete Dunkelheit des Saals weckte reflexartig das Gefühl, nach Hause zu kommen, ohne dass ich mich heimisch gefühlt hätte. Ich überflog das Publikum mit einem Blick. Die Stuhlreihen waren bereits locker besetzt. An der Bar standen sie, niemand drängelte. Mittwochspublikum. Am schlimmsten war das Freitagspublikum, wenn die Leute die Aggressionen der Arbeitswoche noch in sich trugen, Alkohol daraufschütteten, wenn sie in Gruppen zu zwölft kamen, in denen nur drei wirklich Comedy sehen und die anderen bloß ihre Anspannung abreagieren wollten, gern am Mann auf der Bühne. Mittwochspublikum war wie Donnerstagspublikum, nur nicht so zahlreich. Sie hatten eine bewusste Entscheidung getroffen, zur Comedy zu gehen. Sie brachten die Bereitschaft mit zu lachen. Sie sollten ein dankbares Publikum sein. Ich traute ihnen nicht.
Ich roch ihre schweißige, bierdunstige Gier, mich fallen zu sehen.
Wir waren keine Theaterschauspieler, die auf der Bühne in ihre eigene Welt abtauchten und das Publikum vergaßen; die es leicht hatten. Wir waren allein da vorn; der Komiker, der mit den Zuschauern rang. Wir wussten nie, was

in der nächsten Sekunde kam, ob das Publikum lachte, rülpste oder »Deutscher zum Taxi!« schrie. Wir mussten auf jede Regung so scharfzüngig, so postwendend reagieren, als wäre uns die Störung willkommen. Wenn wir nur eine Zehntelsekunde zögerten, roch das Publikum unsere Schwäche und fiel über uns her.

Wir waren die Gladiatoren.

Mein Körper nahm Fahrt auf. Ein enormes Tempo, das nichts mit dem Rasen der vergangenen Tage zu tun hatte, machte sich in mir breit. Es erfasste alles, ohne dass ich definieren konnte, was. Doch ich lief nur innerlich auf Touren. Meine Wahrnehmung blieb stumpf, meine Bewegungen lahm. Ich wartete auf das gewohnte Gefühl, Angst und Freude gleichzeitig zu spüren. Aber ich fühlte bloß den Verlust jeglichen Gespürs. Mir ging auf, dass ich völlig unvorbereitet war.

Jim suchte die Umkleidekabine. Sie schickten uns zum Notausgang. Hinter der Tür wartete noch nicht das Freie, sondern ein kurzer Gang. Die anderen drei Komiker und der Moderator waren schon da. Ich kannte sie vom Hörensagen, den Hauptakt, Eddie Jones, hatte ich schon einmal auf der Bühne des Up The Creek gesehen. Es war an mir, mich vorzustellen. Ich nickte stumm in den Raum.

Es gab einen Tisch mit vier Plastikstühlen und einigen Flaschen Bier. Wenn ich nicht stehen wollte, musste ich mich zu ihnen setzen. Der mit den hellen Rastazöpfen musste Brenington sein, der, was man sich im Phoenix erzählte, tot hinter den Augen war und dessen Vorname mir entfallen war. Er kritzelte hektisch auf bereits vollgeschriebenen Papieren herum, strich durch, machte Pfeile, richtete sich auf und starrte konzentriert auf das Blatt. Jones wippte auf dem Stuhl, stieß dabei immer wieder gegen die Wand und zeigte ein gelangweiltes Gesicht. Aber seine Finger tanzten auf der Bierflasche. Der Dritte, der, falls der mit den Rastazöpfen tatsächlich Brenington war, Derek A sein musste, verharrte regungslos, die Arme vor der Brust verschränkt. Zehn Minuten vor einem Auftritt war schon alles gesagt. Außer für Jim, selbstredend.

»Jemand vom Veranstalter hier?«

Er hatte Augen, um zu sehen, dass einzig meine vier Mitstreiter im Raum weilten. Ich war daran gewöhnt, dass bei den Gigs, für die ich gebucht wurde, außer mir niemand von seinem Manager begleitet wurde. Vermutlich standen die anderen schon so lange kurz vor dem Durchbruch, dass ihre Agenten erschöpft waren.

»Ich mache den Zeremonienmeister heute. Marvyn Richardson.« Der Mann im Hawaiihemd streckte mir, nicht Jim die Hand entgegen.

»Mister Marvyn Richardson. Welche Ehre. Ich sah dich neulich im Comedy Store, großer Auftritt, wusste gar nicht, dass du jetzt auch gelegentlich den Zeremonienmeister gibst, nun, das ist eine ganz spezielle Kunst, und ich bin sicher, du beherrschst sie, aber, hör mal, kann ich mal kurz mit dir reden?«

»Natürlich. Wenn Sie mir zuvor noch verraten, wer Sie sind?«

»Jim, bitte. Nicht heute.« Meine Zunge, die Spitze herausgestreckt, klemmte zwischen meinen Lippen fest, während ich den Kopf schüttelte. Ich bat Richardson mit einer Handbewegung, sich wieder zu setzen.

»Was? Gütiger Himmel, Andy, ich wollte nur kurz etwas mit Marvyn Richardson besprechen, der große Richardson, das war was im Comedy Store, was für eine Schau«, er schwang seinen Zeigefinger dazu, »aber gut, dann ein anderes Mal. Mein Name ist Jim. Jim Merton. Stars and More.« Er legte Richardson eine Visitenkarte hin. Richard-

son blickte auf sie, ohne Anstalten zu machen, sie aufzuheben.
»Andy, lass uns mal eine Minute rausgehen.«
Das Summen und Brummen auf der anderen Seite des Notausgangs nahm uns auf. Er wartete nicht, bis die Tür zufiel.
»Was zum Teufel soll das?«
»Jim, ich bin erschöpft, und ich bin froh, wenn ich das heute irgendwie hinter mich bringe, mach mir da nicht noch mehr Stress.«
Ich lehnte mich gegen die Wand und spürte den Glasrahmen eines Fotos an meinem Hinterkopf. Jim stützte seine behaarte Hand neben meinen Kopf an die Wand.
»Mehr Stress? Andy, ich wollte den Moderator nur überreden, dich als Nummer zwei statt als drei auftreten zu lassen.«
»Ich weiß, Jim –«
»Du weißt, wie wichtig solche Details sind. Wenn du heute als Zweitletzter auftrittst, bist du das nächste Mal der Hauptakt, und wenn du der Hauptakt bist, *headlining* im Harvard, dann bist du bald im Jongleurs und Comedy Store.«
»Ich weiß, Jim, und ich bin sehr dankbar, dass ich einen Manager wie dich habe. Aber –«
»Du brauchst nichts sagen, Andy. Ich verstehe. War der falsche Moment. Entschuldige.« Er legte die Hand auf meinen Hals. Plötzlich war der Zeigefinger seiner Hand auf meiner Brust. »Hör zu. Du gehst da heute raus und wirst es ihnen allen zeigen. Diesem arroganten Richardson, der denkt, er könnte jetzt den großen Showmaster geben, dem verfluchten Eddie Jones, der nur noch von dem alten Ruhm zehrt, den er nie hatte, du wirst heute hier das Dach vom Haus reißen.«

»Du verwechselst mich, Jim. Ich bin nicht Darren, ich bin kein Fußballer.« Aus weiter Ferne kam ein Krächzen, und mit ein bisschen Fantasie konnte man wirklich erkennen, dass es mein Lachen war.

Wir gingen alle zusammen raus. Ich hörte das nahe Gejohle, ein ungeordnetes Klatschen und Pfeifen, wie von fern, der Saal war voll, die Decke hing tief, es mussten sechzig, achtzig Leute sein. Ich schwamm bewusstlos mit den anderen drei hinter Richardson her, intuitiv nahm ich wahr, wie er uns vorstellte, durch das Doppelglasfenster in mir, deutsche Qualität, vier Millimeter Glas, 16 Millimeter Hohlraum mit Argon gefüllt und nochmals vier Millimeter Glas, hörte ich, wie er Jones, Derek A und mich bat, an der linken Flanke der Bühne Platz zu nehmen, bis wir an der Reihe seien. Den Rest, Breningtons Auftritt, seine Gags, sein Leiden, nahm ich nicht mehr wahr.
Mein Instinkt übernahm es, dass ich funktionierte. Als das Gejohle, langsam und misstrauisch, wieder einmal aufbrandete, erkannte ich, dass meine Stunde geschlagen hatte. Der Zeremonienmeister Richardson riss die Augen auf, dann den Mund: »Und jetzt, ein kaltes und unfreundliches Willkommen für Andy Merkel!« Ich erhob mich. Meine Füße waren erneut verschwunden. Ich beobachtete, wie sie vorwärtsgingen, ohne Verbindung zu mir.
Ich schraubte am Mikrofonständer, um ihn auf meine Höhe einzustellen, mein inneres Tempo legte noch einen Schritt zu, und meine Bewegungen wurden dadurch nur noch langsamer. Mein Instinkt meldete mir, dass ich dabei war, es zu übertreiben. Wenn ich noch einen Moment länger wartete, würde die durch mein Zögern aufgebaute Anfangsspannung in Missmut umschlagen. Aber ich konnte nicht schneller. Ein Murmeln erhob sich.

»Hi«, sagte ich und erschrak, wie leise meine Stimme und wie laut das Mikrofon klang. Ich ließ das Mikrofon immer im Ständer. Ich hatte studiert, wie Komiker mit dem Mikro in der Hand dazu tendierten, zu viel herumzulaufen, zu viel zu gestikulieren und so vom Essenziellen abzulenken, die wirklich wichtigen Gesten zu verwässern. Ich war noch nie an das Mikrofon getreten, ohne es vorher getestet zu haben.

Bei manchem Auftritt dauerte es Minuten, bis ich mich an das schwarze Nichts vor mir gewöhnt hatte, bis sich das Gefühl einstellte, es zu kontrollieren, zu wissen, auf welcher Höhe die Augen des Publikums waren, das ich, geblendet von den Scheinwerfern, nicht sah. Ich hatte genug Komiker studiert, die permanent über die Augen des schwarzen Nichts hinwegsahen, die das Publikum nicht spürten, die, früher oder später, verloren hatten. Ich kniff die Augen zusammen.

»Ich bin Andy.« Ich strengte mich an, meinen Akzent schlimmer zu machen. »Ich bin Deutscher.«

An jenen Abenden, an denen es von selbst lief, brach an dieser Stelle Lärm wie ein Vulkan aus und begrub mich. Wenn es lief, vibrierte der Saal, und sie brauchten mich gar nicht mehr; sie brachten sich selbst zum Lachen: »Ein Deutscher!«

»Ein lustiger Deutscher!!«

»Das ist der beste Witz, den ich je gehört habe!!!«

Im Harvard stießen sie kurz auf. Dann schluckten sie ihr halb gares Lachen schon wieder hinunter und lauerten regungslos.

»Verdammter Nazi!«, schrie aus dem schwarzen Nichts eine einzelne Stimme. Da lachten sie schon ein wenig mehr.

»Danke für das reizende Kompliment«, sagte ich. Ich bemühte mich, es gab ein Knacken im Mikrofon, weil ich zu nahe herangetreten war, doch meine Stimme blieb unkontrollierbar; tonlos. »Aber Nazis sind ein ernsthaftes Thema, darüber darf man keine Witze machen.« Ich ließ sie kurz murmeln. »Also werde ich heute Abend nicht über Iren reden.«

Fern im schwarzen Nichts erwachte der Vulkan.

»Ich kam nach London, um an der London School of Economics zu studieren.«

Pfiffe.

»Sind irgendwelche Studenten hier? Ja. Toll, dass ihr es so früh aus dem Bett geschafft habt.«

Der Vulkan kochte.

»Jedenfalls studierte ich an der LSE Humor. Für meine Doktorarbeit wählte ich das Thema deutsche Ironie. Das ging am einfachsten: Da war auf einer halben Seite alles gesagt.«

Gleich.

»Mir gefällt es in London, ich muss sagen, London ist eine Stadt mit richtig europäischem Flair geworden. Wie Berlin 1939.«

Von dem Moment an, wenn ich den Vulkan brodeln hörte, wusste ich, wann er ausbrechen würde. Wenn es dann tatsächlich geschah, ergriff ihr explodierendes Lachen meinen Körper. Meine Finger mochten noch zittern, aber ihr Lachen hatte mich schon gepackt, es kitzelte die Lust an der Ausgelassenheit aus mir heraus, meine Gesten wurden rund und leicht und vernebelten dem Publikum die Sinne. An jenen Tagen, an denen es lief.

Sie wieherten. Ich lächelte mechanisch.

»Ja, es ist großartig. Was mir besonders gefällt, ist die englische Verlässlichkeit.«

Kichern, erwartungsvoll.

»Und ich meine nicht die Londoner U-Bahn«, ich redete über das lauwarme Lachen hinweg, »sondern die absolute Verlässlichkeit, wenn du als Deutscher in einem Londoner Pub ein Gespräch anfängst und du dir sicher sein kannst, dein Gegenüber wird dir ins Gesicht schreien: ›Einmal Weltmeister und zweimal Weltkriegsieger!‹ Großartig«, ich machte eine jener Pausen, die eine Kunst sind, nicht länger als der Bruchteil einer Sekunde und doch ununüberhörbar, »wäre es nicht toll, wenn sich alle Nationen so mit ihren Erfolgen vorstellen würden? Die Iren: ›Vier Eurovision Song Contests!‹«, sie hatten die Kontrolle über ihr Lachen verloren, »und die Schotten: ›Nun, ähm, ja.‹«
Ich stand neben mir. Nicht in dem negativen Sinne, in dem der Ausdruck alltäglich verwendet wird, sondern wortwörtlich: Ich stand neben mir und sah mir selbst zu, wie ich agierte.
»Ich bin mir nicht sicher, wie sich die Amerikaner vorstellen würden. Vielleicht: ›In zwei Weltkriegen die Engländer aus der Scheiße geholt!‹«
Etwas – an Tagen, an denen es lief, hätte ich gesagt: ein klein wenig Selbstvertrauen – packte mich. Eher aber war es die völlige Distanz zu meinem eigenen Handeln, aus der heraus ich zu improvisieren wagte.
»Aber keine Kritik, ich liebe die Amerikaner. Wisst ihr noch, letztens nach dem Schulattentat in den USA: Im Fernsehen interviewten sie eine von diesen proper gebauten amerikanischen Mamis. Sie war gerade im Supermarkt, ihr Einkaufswagen quoll über vor lauter Fruchtsaftkartons, und sie quakte in die Kamera: ›Es sind nicht die Pistolen, die Menschen töten! Es sind die Menschen, die Menschen töten!‹ Ja, gut. Aber Menschen mit Pistolen haben es ein wenig leichter.«
Stille in einem Comedy-Klub nach einem Gag schreit,

selbst wenn sie nur eine Zehntelsekunde verweilt. Eine Zehntelsekunde, ein Klick, kann reichen, um die Fröhlichkeit des schwarzen Nichts in Gehässigkeit zu verwandeln.
»Also, ich sollte nicht so viel über verschiedene Nationalitäten sprechen, sind doch alles nur Klischees, nicht wahr, so wie jenes, dass man als Deutscher in England ständig an die Nazis erinnert wird, och, ist doch nur ein Klischee. Ich hatte letzte Woche übrigens Geburtstag. ›Eigentlich‹, sagte mein Freund Alan zu mir, ›wollte ich dir Hitlers *Mein Kampf* schenken. Aber dann dachte ich, das hast du sicher schon.‹«
Sie japsten nach Luft vor Lachen.
»Alan hat mir dann stattdessen ein gerahmtes Foto geschenkt. Von der Anzeigetafel des Münchener Olympiastadions. Darauf stand: 1. September 2001, Deutschland 1, England 5.«
Es war mein Rettungsringgag. Ich hielt ihn immer in Reserve, für kritische Momente.
»Aber in Ordnung, wenn ihr schon einmal alle 35 Jahre etwas im Fußball gewinnt, sollt ihr es auch feiern dürfen. Ihr Briten seid ja sonst eher stark in Sportarten wie Snooker. Snooker! Das ist doch kein Sport. Das ist ehrgeiziges Anlehnen.«
Mein Instinkt mochte das Einzige sein, was mich aufrechterhielt, aber er funktionierte reibungslos. Ich roch sie. Die Gier, mich fallen zu sehen, war erwacht.
Der Ruf kam von links hinten aus dem schwarzen Nichts. Ich verstand ihn nicht. Ich blickte in die Richtung des Zwischenrufers und versuchte in der Dunkelheit seinen Blick zu fixieren, »was sagst du, ich kann dich nicht verstehen, du musst Raum zwischen den Wörter lassen, warum lässt du keinen Raum zwischen deinen Wörtern?«, ich hatte das Publikum augenblicklich auf meine Seite gezogen, wir

standen zusammen gegen ihn, ich hörte es an ihrem Lachen. Er setzte wieder an, und ich redete nach seinem ersten Wort vehement über ihn hinweg. »Sieh dich vor, ich bin handfeste Auseinandersetzungen durchaus gewohnt. So wie ich mich kleide, lassen sich die nicht vermeiden.«
Beiläufigkeit war alles im Leben. Ob es darum ging, auf der Bühne zu überzeugen, in irgendeinem Beruf Erfolg zu haben oder Frauen zu erobern, du musstest deine Schachzüge nur ganz beiläufig setzen, auch wenn du sie in komplizierter Kopfarbeit ausgetüftelt hattest, wenn du sie schon hundertmal angewandt hattest. Nicht, dass ich zu Berufserfolgen oder Fraueneroberungen besonders viel zu sagen gehabt hätte.
Ich kopierte mich nur selbst, ich spulte die Witze herunter, die ich Dutzende Male erzählt hatte, als wären sie mir gerade jetzt eingefallen. Ich war nur aufgewärmt. Warum merkten sie es nicht?
Der Applaus war rhythmisch und warm. »Hier ist ein Deutscher, der offensichtlich denkt, er sei lustig«, rief der Zeremonienmeister Richardson, der neben mich getreten war: »Mister Andy Merkel! Sollen wir ihm zeigen, was wir denken?« Das Publikum trampelte und johlte.
»Ein lustiger Deutscher!«
»Erzähl uns einen Witz über deine Lieblingsbratwurst, Kumpel!!«
»Du musst mein *Deutschland gegen England 1:5*-T-Shirt unterschreiben!!!«
»Vielen Dank!«, hauchte der Zeremonienmeister verschwörerisch. Ich verbeugte mich, die rechte Hand auf meine linken Rippen gelegt.

Ich nahm den Notausgang. Die Tür fiel krachend hinter mir zu und schnitt den fröhlichen Lärm des Saals jäh ab.

Ich stand in der improvisierten, verlassenen Umkleidekabine. Und auf einen Schlag raste ich nicht mehr nur innerlich. Ich ergriff meinen Parka und war schon im Freien. Panisch hetzte mein Blick nach rechts, nach links, ich rannte los, tiefer in die Seitenstraße hinein, bis mein Atem pfiff. Wehrlos, auf beiden Händen abgestützt, über eine weiße Motorhaube gebeugt, ließ ich mich von dem Weinkrampf schütteln.

Als ich Jim rufen hörte, hatte ich schon keine Tränen mehr. Von dem Anfall war nur noch ein jämmerlicher Schluckauf geblieben. Jim stand vor der Notausgangstür. Hemdsärmlig, das Sakko adrett über einem Vorarm, rührte er sich nicht vom Fleck. Ich duckte mich zwischen die geparkten Autos.

Ich verlor das Gefühl für Zeit und Raum, ich wusste nicht, wie lange ich noch kauerte, nachdem Jims Rufe verhallt waren. Ich muss, so erzählte ich es Jim jedenfalls, als er um kurz nach eins bei mir klingelte, irgendwann mit der U-Bahn nach Hause gefahren sein.

sechs

Die Sonne verschwand nicht. Nach einer Woche schrieben sogar die Zeitungen darüber. Jim hatte den INDEPENDENT für die Zugfahrt gekauft, der schönste November aller Zeiten, stand auf der Titelseite über dem Foto eines strahlend bunten Parks.

»Ist das nicht wunderschön?«, sagte Jim, nachdem wir vom Bahnhof aus in wenigen Minuten Great Missenden durchquert hatten und er am Ortsrand jäh stehen geblieben war. Ich folgte seinem Blick auf die Felder Buckinghamshires. Einsam und eintönig braun breiteten sie sich vor uns aus. Am Horizont zeichneten Hügel eine sanfte Wellenlinie, westlich von uns ließen sich noch die zaghaft ansteigenden Dächer des Dorfes erkennen, das Rot der Ziegel ausgewaschen, als wollten sie sich der Harmlosigkeit der englischen Landschaft anpassen.

»Zum Ende der Welt sind es von London nur 40 Minuten mit dem Zug«, sagte Jim hinter mir, aber ich hatte mich schon wieder in Bewegung gesetzt und sah deshalb keine Notwendigkeit, ihm zu antworten.

Die Traktorspuren auf dem Feldweg waren in der regenlosen Woche getrocknet. Der Boden jedoch war noch immer weich, er federte selbst unter meinen untrainierten Schritten. Aus dem Weg wurde ein Pfad, wir passierten eine verlassene Weide, dann ging es unmerklich bergauf, der Wald, noch im morgendlichen Schatten, zeichnete sich bereits ab. Es war, von einigen Comedy-Auftritten und ver-

einzelten Fensterarbeiten in den Kleinstädten der Umgebung abgesehen, das erste Mal in viereinhalb Jahren, dass ich aus London hinausfuhr.
»Warte mal.«
Als ich mich umdrehte, sah ich, dass Jim 15 Meter zurückgefallen war. Unter seinem fest zugeknoteten und stürmisch über die Schulter geworfenen Schal schaute aus dem V-Ausschnitt seines Pullovers rosa gerötet die Haut. Sein Bauch hob und senkte sich. »Ich will nur mal kurz schauen, ob wir auch richtig gehen.«
»Auf dem Holztor zur Weide war der grüne Pfeil.«
»Ja, ja, aber lass mich halt trotzdem kurz nachsehen.«
Er blätterte durch das Wanderbuch und musste dabei, wie bei allen neuen Taschenbüchern, die Seiten fest niederdrücken, damit es nicht wieder zufiel.
Ich machte einige Schritte vor und zurück, in der vergeblichen Hoffnung, die Bewegung würde ihn zum Weitergehen animieren. Von den einzigen Wanderungen meines Lebens, mit meinen Eltern und Schwestern im Deichvorland, hatte ich in Erinnerung behalten, dass ich einen zügigen, monotonen und vor allem ununterbrochenen Schritt erreichen musste, um in ein Wachkoma zu fallen und die Ödnis des Marschierens nicht zu spüren.
»In 250 Yards, die Grenzhecke zu Ihrer linken Seite«, las Jim laut vor, »gelangt der Pfad an ein Holztor. Gehen Sie hindurch und weiter über die Weide, der grüne Pfeil weist Ihnen den Weg. Wir sind auf dem rechten Weg, Andy!«
Die Kühle des von der Sonne unberührten Waldes nahm dann allerdings selbst ihm die Luft und Lust zu reden.
Nur einmal rief er: »Was meinst du, wie viel haben wir schon?«
»Zehn Minuten.«
»Nicht mehr? Oh Gott.«

»Es war deine Idee.«
»Ich sage doch auch gar nichts. Im Gegenteil, ich«, er kämpfte, um die Rhythmen von Atem und Wörtern in ein gesundes Verhältnis zu bringen, »bin begeistert. Wie ich dir prophezeit habe: Es tut gut, einfach mal herauszukommen; weg von alledem.«
Dann schwieg auch er wieder abrupt, erschrocken von seinem letzten Halbsatz. Ich ging rücksichtslos voraus und wartete auf die Leere im Kopf.
Wenn der Weg eine Kurve machte, überprüfte ich über die Schulter hinweg Jims Rückstand. Er ging gebeugt, den Mund die ganze Zeit geöffnet. Das halblange Haar hing schlaff nach vorn. Es gab Menschen, die mit Übergewicht hübscher aussahen, so weit wäre ich bei Jim nicht gegangen, aber: sympathischer, authentischer. Als ich ihm vor drei Jahren das erste Mal begegnet war, hatte er noch schlank, allenfalls kantig gewirkt, das Kinn ragte zu weit heraus, die Schultern stachen zu eckig hervor.

Es musste damals auch November gewesen sein oder schon Anfang Dezember, Alan und Damien deklarierten es jedenfalls als eine Art Weihnachtsfeier unseres Stockwerks im Studentenheim in Battersea. Alle sollten sich verkleiden und wir fuhren gemeinsam mit dem 345er in den Comedy Store. Im Bus rief Alan, die Hand mit der Bierdose lässig über seinem Vordersitz: »Andy, weißt du eigentlich, dass wir in eine King Gong Show gehen? Weißt du, was das ist?« Er erklärte es mir. Anfänger, Talente, ein jeder dürfe an diesem Abend auf die Bühne des Comedy-Klubs und müsse versuchen, dort fünf Minuten mit seinen Gags zu überleben. Zeigte er nur einen Moment Schwäche, einen hohlen Witz, eine kurze Atempause, schlug der King Gong, und er war draußen.

Das klinge vielversprechend, sagte ich. Ja, sagte Alan. Wir waren bereits im Comedy Store und suchten uns Plätze im Kellertheater, dessen schwarze Stühle und pechschwarze Wände nicht vermuten ließen, dass Leute hier zum Lachen herkamen, als Alan hinzufügte: »Übrigens, wir haben dich angemeldet.«
Ich musste plötzlich ständig auf Toilette. Später fragte ich mich oft, welche Fehlschaltung meines Gehirns mich dazu brachte, dann tatsächlich auf die Bühne zu steigen. War es wirklich nur das viele Bier? Oder hatte ich schon verstanden, dass es in England nicht ausreichte zu lachen, wenn es lustig war, sondern vor allem dann, wenn es wehtat?
Ich hatte nie den Verdacht gehabt, dass ich witzig sein könnte. Ich lachte über die Scherze der anderen, mein Lachen war hell und schüttelte das gesamte Gesicht, in Deutschland genügte das, um in Ruhe gelassen, von manchem gar gemocht zu werden.
Auf der Bühne des Comedy Stores erzählte ich die Deutschen-Scherze, die meine Kommilitonen im Studentenheim mit mir in den ersten Monaten getrieben hatten, *wir wollten dir eigentlich Hitlers* Mein Kampf *schenken, aber wir dachten, das hast du schon.* Ich wusste nicht, was ich tat, wie ich es machte. Aber nie hätte ich besser beschreiben können, was Selbstvertrauen ist. Selbstvertrauen ist, wenn dir schlagartig heiß wird, wenn deine Augen auf einmal gestochen scharf sehen; wenn du Lust bekommst, mit allem, selbst der größten Gefahr, zu spielen.
Sie lachten. Der Saal summte vor Lachen. Nach zwei Minuten und 29 Sekunden, wie mir später berichtet wurde, schlug der King Gong, und als ich, von einem hysterischen Lachanfall geschüttelt, erneut ins Publikum zurückkehrte, hielt er mich auf.
»Mein Name ist Jim. Jim Merton. Comedy-Agent. Ich

denke, wir müssen miteinander reden. Du warst absolut großartig.«
Am Revers seines Anzugs trug er einen rosafarbenen Button. Darauf stand: »Fuck me and marry me young.«

Ich hatte oft darüber nachgedacht, was für eine unglaubliche Verknüpfung dazu führte, dass ich überhaupt in eine Comedy-Veranstaltung geriet, dann noch Kommilitonen kannte, die wahnsinnig genug waren, mich auf die Bühne zu schicken; dass ich just dort das eine Mal im Leben den Mut oder den Alkoholpegel hatte, etwas Verrücktes zu tun; dass Jim ausgerechnet an diesem Abend im Comedy Store weilte – dass ich Komiker in London statt ewiger Praktikant beim Institut für Südosteuropapolitik wurde. Ich hatte immer geglaubt, dies sei das Glück meines Lebens: dass ich das Unglaubliche anzog.
Hatte ich dann aber auch dies angezogen: einen Jungen wegen eines Croissants zu töten?
Ich griff mit beiden Daumen unter die Tragegurte meines kleinen Rucksacks und ließ die Hände dort während des Wanderns liegen. Erst als wir den frostigen Wald durchquert hatten, hielt ich an.
Jim kam Minuten später, das Haar schweißgetönt. Er ließ es unkommentiert, dass ich vorausgelaufen war. Er hatte andere Sorgen.
»Ich habe keinen Proviant mehr.«
»Aber wir sind doch erst losgegangen.«
»Es ist bei mir immer dasselbe, ich kann dagegen nichts tun, wenn ich mir auf eine Reise etwas zu essen mitnehme, verschlinge ich es sofort zu Beginn.«
»Wir sollten sowieso bald nach Little Missenden gelangen. Dort wird es schon etwas geben.«
Wir schwiegen und wurden sofort Teil der Stille um uns

herum. Ich horchte, aus einem unterschwelligen Pflichtgefühl heraus, ob ich Vogelstimmen hörte, aber nicht einmal das.
Durch die Einsamkeit hätte das Wandern umso schöner sein sollen. Doch die Verlassenheit verschaffte mir ein schlechtes Gewissen. Es gab offensichtlich andere Dinge als Spazierengehen, die man montagmorgens zu tun hatte, wenn man normal war.
»Hat denn der Anwalt herausgefunden, wann du dein Auto zurückerhältst?«
»Er hat bei der Polizei einen Dringlichkeitsantrag gestellt. Dass ich als privater Taxifahrer ohne den Wagen nicht arbeiten kann, sollte auch denen einleuchten, meinte er. Er sagte, spätestens zehn Tage nach dem, also, nach dem Unfall«, Jim erstickte das Wort, »sollte ich ihn zurückhaben. Das wäre am Mittwoch.«
Wir marschierten schon wieder, ich sah ihn nicht, er ging hinter mir. So war es leichter zu reden.
»Wenn du Geld benötigst, sagst du es mir, Jim.«
Ich hätte nicht gewusst, woher es nehmen.
»Immerhin habe ich dir die zehn Tage ohne Auto, ohne deine Hauptarbeit eingebrockt.«
»Rede keinen Blödsinn.«
Ich wusste nicht: Empfand er es als Unsinn, dass ich mir die Schuld für seinen zehntägigen Zwangsurlaub zurechnete, oder betrachtete er es als Beleidigung, dass ich das Taxifahren als seine Hauptarbeit bezeichnete? Auf jeden Fall konnte ich mich darauf verlassen, dass er seine Künstler nie um Geld bitten würde.
Wieder kam ein Weidezaun, wieder ein Überstieg. Auf der anderen Seite ging es einen Hügel hinauf, weshalb wir zunächst nicht sahen, wie weit die Weide reichte; dass die Einsamkeit vorbei war.

Sie sahen uns, bevor wir sie erblickten. Als wir die Anhöhe erreichten, starrten sie uns bereits an, gar nicht einmal feindselig, eher neugierig, schien mir. Jim, der seinen Blick beim Wandern auf den Boden heftete, bemerkte nicht, dass ich abrupt innegehalten hatte, und lief in meinen Rucksack.
»Oh Gott«, sagte er. »Sind das Hengste?«
Woher sollte ich das wissen?
»Ich glaube, Hengste beißen.«
»Du bist sicher auch ein großer Tierforscher.«
»Mach keine Witze, Andy.«
Die vier weißen Pferde betrachteten uns immer noch sichtlich interessiert, ohne dafür das Kauen zu unterbrechen. Es schienen mir, aus der sicheren Ferne, prächtige Exemplare, groß gewachsen, mit starken Fesseln und in der Sonne glänzendem Fell.
»Ich würde sagen, wir machen es wie bei Hunden: Wir gehen ganz selbstverständlich vorbei, als ob sie uns gar nicht interessierten. Bloß keine Schwäche zeigen. Wenn sie unsere Angst riechen, sind wir verloren, Jim.«
»Aber lass uns bloß eng zusammenbleiben.«
Wir setzten uns wieder in Bewegung. Die Pferde ließen uns nicht aus den Augen.
»Scheiße, der Weg führt ja unmittelbar an ihnen vorbei!«
»Weitergehen. Ganz selbstverständlich tun. Keine Schwäche zeigen.«
In ein oder zwei Minuten würden wir sie passieren müssen. Jim begann zu singen.
»Last christmas I gave you my heart, but the very next day you gave it away.«
»Ob Pferde *Wham* mögen?«
»Dann erinnere mich schnell an einen anderen Liedtext, verdammt, mir fällt sonst keiner ein, *so next year, I'll give it to someone special.«*

In der Furcht vor den Pferden vergaß ich meine Angst vor der Erinnerung. Ohne nachzudenken, fragte ich ihn endlich: »Warum hast du eigentlich immerzu nur diese eine CD im Auto, von Rod Stewart?«
»Was?« Nervosität ließ ihn zornig klingen.
»Fiel mir nur gerade ein, weil du gesungen hast: In deinem Auto ist immer nur diese eine Scheibe.«
»Ich glaube nicht, dass dies der rechte Moment ist, um über Musik zu reden, Andy!«
»Ruhig bleiben. Keine Schwäche zeigen.«
Die Pferde wurden mit jedem Schritt größer. Ich hätte nie gedacht, dass Pferde so riesig sein konnten.
»Lass uns umdrehen, Andy.«
»Dann wären wir erst recht verloren. Sie würden unsere Angst riechen und über uns hinweggaloppieren.«
»Hör auf!«
Zum ersten Mal in den zurückliegenden sieben Tagen bekam ich eine Ahnung, dass so etwas wie Besserung auch für mich existieren könnte. Je schlechter es Jim ging, desto unbeschwerter wurde ich.
Ich wusste nicht, was Jim hinter mir tat. Ich versuchte, so glaubwürdig wie möglich in alle Richtungen, nur nicht zu den Pferden zu schauen. Aus den Augenwinkeln sah ich, dass sie eng beieinander in der Sonne standen, um sich zu wärmen. Von unserem Trampelpfad war ihr Standplatz fünf Meter entfernt.
»Schön brav, Pferdchen, schön brav.«
»Jim! Halt den Mund, verdammt!«
»Wir gehen einfach weiter, Pferdchen, wir gehen hier einfach nur einmal vorbei, und vom Ende der Weide winken wir euch dann zu.«
»Mach sie nicht verrückt, Jim!«
Wir waren auf ihrer Höhe. Wir hörten das Schnauben aus

ihren Nüstern. Ich konzentrierte mich auf meine Schnürsenkel, die im Marschrhythmus auf und nieder flogen. Die plötzliche Bewegung links von mir, dort, wo die Pferde standen, fühlte ich mehr, als dass ich sie sah. Es war, als ob sich ein Schatten löste und auf mich zuflog. Ich spürte einen Schlag, den Schlag, in meinem Kopf und rannte los.
»Andy, verflucht! Andy, verdammt!«
Ich rannte, ich weiß nicht, wie lange, einfach auf den Zaun zu, längst nicht mehr auf dem Pfad, das Ausgangstor musste sich ganz woanders befinden, ich wollte mich einfach über den Zaun retten, ich griff mit der rechten Hand den Draht, und ein heller Schmerz durchfuhr meinen ganzen Körper. Der Zaun war elektrisch geladen.
Auf der anderen Seite warf ich mich ins erdige Gras.

Wir erreichten Little Missenden sprachlos. Ich zeigte auf den Queen's Head, Jim nickte und öffnete die schwere Tür. Ohne uns abzusprechen, einigten wir uns, den Tisch unter dem hinteren Eckfenster des Pubs zu wählen. Ich öffnete den Reißverschluss, zog meine grüne Polyesterjacke allerdings nicht aus. Wir waren die einzigen Gäste.
Jahrhundertealte Kochgeräte hingen an den Wänden. Auf den Fensterbrettern standen Blumentöpfe ohne Blumen, nur mit Erde gefüllt. Ich wirbelte mit dem Finger den Staub vom Fensterbrett auf. Im hereinfallenden Sonnenstreifen tanzten die einzelnen Partikel wie flatternde Falter.
Der Besitzer, entweder mit der Gabe geschickter Wirte gesegnet, sich immerzu der Laune seiner Gäste anzupassen, oder schlichtweg depressiv, nahm unsere einsilbige Bestellung wortlos entgegen. Als er uns das Bier und den Tee gebracht hatte und wieder im Hinterzimmer verschwunden war, begann Jim zu lachen. Er hielt die Hand auf seinen

Bauch, ohne dass sie diesen in den Griff bekam, er warf den Kopf in den Nacken. Ich rührte den Tee um.

»Wenn uns jemand gesehen hätte.«

Ich rührte weiter.

»Die hätten sich vor Lachen in die Hose gemacht.«

Ich hielt es für nicht ausgeschlossen, dass ihm just das passieren konnte.

»Gott sei Dank besitzt der Mensch nicht die Fähigkeit, sich selbst zu beobachten, so ist mir zumindest mein eigener Anblick entgangen, aber allein dich zu sehen, Entschuldigung, Andy, nimm es mir nicht übel, aber wie du gerannt bist.«

Er ließ sein mächtiges Lachen wieder aufheulen. Ich gab mir Mühe zu lächeln.

»Und alles, weil ein Pferd schnaubte.« Er prustete.

Ich versteckte mein Gesicht, so gut es ging hinter der Teetasse. Ich schloss die Augen, was beim Trinken von heißen Getränken nie unnatürlich aussah. Doch so sehr ich mich auch anstrengte, ich konnte mich partout nicht entsinnen, wie ich von der Weide in das Dorf gelangt war.

Jim verlor das Interesse an mir und tippte mit den Fingern irgendeinen Takt auf den Tisch.

»Weißt du, es ist eine sehr persönliche Geschichte«, sagte er schließlich. Ich suchte verständnislos seine graugrünen Augen ab.

»Das Lied.« Er hob den Zeigefinger. Es lief *Sultans of Swing.*

Ich schwieg, damit er weitersprach.

»Weißt du, ich hatte mal eine Urlaubsliebe, die war fünf Jahre älter.«

»Ja?«

»Das Lied, also«, er versuchte zu lächeln und errötete nur. Ich musste, ohne es gemerkt zu haben, mit dem Kopf geschüttelt haben.

»Schüttle nicht den Kopf.« Ich hatte keine Vorstellung, was ich mit einem Kopfschütteln ausdrücken wollte. Er war jedenfalls getroffen. »Weißt du, Andy, du kannst so nicht weitermachen.«
»Das ist ja mal eine Erkenntnis.«
»So ohne feste Freundin, meine ich. Das mit Violeta ist doch jetzt schon über zwei Jahre her.«
»Jim.« Er wartete, das Bierglas im Niemandsland zwischen Tisch und Lippen. Er trug einen feinen Designerpullover mit groben Schweißflecken, das Stück in seiner Garderobe, das Wanderkleidung am nächsten kam. »Ich würde es schätzen, wenn wir über etwas anderes sprächen.«
Er gab einen merkwürdigen Laut von sich, es klang wie ein Schnalzen, aber ich ahnte, dass es das nicht war.
Der Wirt kniete uns gegenüber, vor dem Kamin, bemüht, ein Feuer zu entfachen, zumindest tat er so. Als er sich vorbeugte, löste sich sein Bauch wie ein Luftballon vom Körper. Ich bestellte, weil ich nicht wusste, was sonst als Nächstes sagen, doch noch etwas zu essen, eine Shepherd's Pie.
Der Gedanke kam mir nicht zum ersten Mal: Was, wenn es deinem Sohn passiert wäre? Und dann, unmittelbar anschließend: Mit wem würde ich denn einen Sohn haben?
Eine Gruppe Bauarbeiter kam durch die Tür. Die Stille des Pubs ließ sie augenblicklich die Stimmen senken.
Ich hatte es immer als Gewissheit betrachtet, dass ich um die 30 einmal eine Familie haben würde. 30 schien, selbst mit 29, noch weit genug weg, um solche Überlegungen ohne jeglichen Bezug zur Realität anstellen zu können.
Die Bauarbeiter sprachen mit dem Wirt über die Sonne.
Jim sah den Wirt mit zusammengepressten Lippen an.
»Was ist?«
»Er sollte lieber einmal in die Küche gehen, meine Pasteten werden längst fertig sein.«

Ich wusste nicht einmal den Namen des Jungen. War er mit seinen Eltern wandern gegangen? Ich wollte seinen Eltern gern sagen, wie sehr es mir leidtat, und war erleichtert, dass ich es nicht tun konnte, da ich keine Ahnung hatte, wer sie waren.

Irgendwann würde ich meinen Eltern von dem Jungen erzählen müssen; genauso wie Holger und einer Frau, von der ich noch nicht wusste, wer sie war. *Irgendwann* schien so weit weg wie 30, wenn ich früher an Kinderpläne gedacht hatte.

Die Bauarbeiter setzten sich auf die Terrasse vor dem Pub; dass es äußerst frisch war, ignorierten sie. Es schien doch die Sonne.

Wenn ich es meinen Eltern irgendwann erzählte, würde mich mein Vater über seine Lesebrille hinweg mit diesem Blick ansehen, den er unbewusst für seine Patienten einstudiert hatte. Meine Mutter würde über die Ecke unseres Esstisches hinweg meine Hand nehmen, wenn es etwas zu besprechen gab in Emden, saßen wir in der Küche. Ihre Hand wäre feucht vom Karottenschneiden oder Rouladenrollen. Sie würden eine Zeit lang schweigen, weil sie dies für verständnisvoll hielten, und sie würden denken, dass sie es gewusst hatten. In der Fremde musste irgendwann etwas Schreckliches geschehen.

Jim und ich aßen schweigend. Er bestellte mehr Bier und Tee.

»Wir sollten dann aber bald weitergehen, damit wir nicht in die Dunkelheit geraten.«

»Gleich.«

»Wir haben erst die Hälfte des Weges.«

»Hetz mich doch nicht so.«

»Du kannst nicht mehr, oder?«

»Wo denkst du hin!«

Jim sprang auf. Doch damit war sein Ehrgeiz, mich eines Besseren zu belehren, erschöpft. Er ging nur auf die Toilette. Gleichgültig nahm ich es hin, dass wir noch eine Weile blieben.

Jims INDEPENDENT lag auf dem Tisch, ich konnte die Zeitung anstarren und beschäftigt tun, während Jim sich erleichterte. Das Kaminfeuer war entflammt und umgab mich mit ermüdender Wärme.

Im Grunde zehrte ich noch immer von den Deutschen-Witzen, die meine Kommilitonen vor über vier Jahren im Studentenheim mit mir getrieben hatten, *die Doktorarbeit über deutschen Humor, da ist auf einer halben Seite alles gesagt*. Ich kreierte dann und wann einen neuen, eigenen Gag, *es sind nicht Pistolen, es sind Menschen, die Menschen töten*. Aber dann führte ich sie, wenn sie mir gefielen, doch fast nie auf. Es schien mir unpassend. Als Deutscher wollten die Leute von mir keine politischen Gags über New Labour, über Bush oder Afghanistan, über Themen, die meiner Show eine tiefere Bedeutung gegeben hätten. Es ging nicht darum, wie schlagfertig, wie gut ich wirklich war. Mein Erfolg bestand darin, der Deutsche zu sein; der lustige Deutsche. Und wenn ich mich selbst zu Tode gelangweilt hätte, müsste ich trotzdem noch in hundert Jahren dieselben Witze machen.

»Nachdenklich?«

Ich hatte Jim nicht zurückkehren gehört.

»Nein, ich lese.«

Er überflog die Titelseite.

»Interessantes Thema.«

Ich betrachtete den Artikel, auf den mein Finger gezeigt hatte. *Neue Methode der englischen Krankenhäuser, die Erfolgsquote zu steigern. Sie nehmen Sterbenskranke erst gar nicht mehr auf.*

»Wer braucht da noch Komiker?«
»Rede nicht so, Andy.«
»Aber es stimmt doch.«
Er zwängte sich auf die Bank hinter dem Tisch, gab dem Wirt ein Zeichen mit einem Finger, noch ein Bier und, ohne mich zu fragen, noch einen Tee zu bringen, und leckte sich über den Mund. Auf das Stichwort hatte er gewartet. Komiker.
»Ich gebe zu, dass es zu früh war, dich zwei Tage danach wieder durch eine Show zu jagen. Mein Fehler. Aber es war Harvard, Harvard am Mittwoch, Andy, und die Wahrheit ist, dass du brillant warst, absolut brillant. Sie wollen dich wieder buchen, und ich bin mir sicher, die Mundpropaganda läuft schon nach diesem Auftritt.«
»Ja, ja.«
»Wie ich dir gesagt habe, Andy, ich werde dich nicht drängen, nimm dir Zeit für die Rückkehr, morgen gehst du mit Kozluk zur Polizei und bringst das hinter dich, Trisha beziehungsweise Bernard springen bei deinen Auftritten diese Woche für dich ein. Aber lass dir nicht zu viel Zeit. Die Lamb Tavern nächsten Montag wäre das ideale Terrain für ein Comeback, ein kleiner Saal, Montagspublikum, harmlose Laufkundschaft, kein Druck. Denk darüber nach.«
»Wie du meinst.«
»Danke.« Er wartete, bis der Wirt Glas und Tasse schweigend, aber übersorgsam abgestellt hatte. Dann nahm er einen kräftigen Schluck vom neuen Bier, genug, um den Rest seines alten Biers in das neue Glas dazuschütten zu können. Er hatte sich mindestens vier Tage nicht rasiert. Wenn er einem nah kam, konnte man den entfernten Ansatz eines Flaums erkennen.
»Ich habe eine Idee, Andy.« Ich roch das Bier in seinem Atem. »Wir geben es an die Zeitungen.« Er lehnte sich

wieder zurück, um meine Antwort mit Abstand hören zu können.
»Ich verstehe nicht, was du meinst.«
»Ich kann die Schlagzeile schon sehen: Berühmter Komiker muss um sein Lachen kämpfen. Unschuldig in einen tragischen Unfall verwickelt, versucht der tapfere Komiker Andy Merkel seine Karriere nichtsdestotrotz und so weiter, und so blablabla.«
»Bist du verrückt?« Ich meinte es genauso, wie ich es sagte.
»Ich weiß, es ist moralisch ein bisschen, nun, verwegen. Aber darum geht es im Leben: das Beste daraus zu machen. Denk nur einmal, was das für eine Aufmerksamkeit generiert. Da schlägt der *Human-touch*-Faktor voll durch: Die Klubs wollen dich buchen, die Leute wollen dich sehen, teils aus Mitleid, teils aus Voyeurismus, aber das kann, das muss, das wird uns egal sein. Das ist deine Chance.«
»Du bist verrückt.«
Einer der Bauarbeiter kam herein, den gelben Helm, vermutlich als desperaten Schutz gegen die Winterfrische, unverändert auf dem Kopf. »Die Toilette?« Ich wies ihm die Richtung. Er sagte »Danke« und rülpste.
»Wenn du das machst, sind wir geschiedene Leute, Jim.«
»Schon gut. Tut mir leid. Es war doch nur eine Idee, was glaubst du, natürlich hatte ich dieselben Zweifel wie du, ich wollte es dir nur vorschlagen. Du bist der Komiker, der Star, du entscheidest, was dein Agent für dich tut und was nicht.«
»Lass einfach gut sein, Jim, es macht mich müde.«
»Wie du willst. Du bist der Komiker.«
»Ich war der Komiker.«
»Noch einmal: Wie du willst.«
Jim trank sein Bier aus. Ich ließ meinen Tee stehen. Dann bestellten wir ein Taxi, das uns zum Bahnhof zurückbrachte.

sieben

Ich besaß nur eine Krawatte, dunkelgrau, aus der Ferne konnte man sie für schwarz halten. Für Hochzeiten wie Beerdigungen war sie gleichermaßen geeignet. Ich bat den Angestellten in der Textilreinigung auf der Fulham Palace Road, mir den Knoten zu binden, er kannte mich, wenngleich nicht als guten, so doch als regelmäßigen Kunden. Er fragte nicht nach dem Anlass. Es war Dienstag, Mittag, es musste also eher eine Beerdigung als eine Hochzeit sein. Der 74er Bus kam wider Erwarten sofort.

Das Tageslicht konnte der Polizeiwache Kensington auch nicht mehr helfen. Ihr Anblick war so bedrückend wie damals. Die Fenster waren aus verspiegeltem Panzerglas gefertigt. Ihre Holzrahmen, das erkannte ich aus vier Metern, hätten allerdings dringend ausgetauscht werden müssen. Sie boten dem leichtesten Wind unzählige Schlupflöcher.

Ich ging ein paar Meter, um nicht direkt vor dem Gebäude warten zu müssen. In den hinteren Oberschenkeln hatte ich nach der halben Wanderung tatsächlich Muskelkater. Ich öffnete den Reißverschluss meines Parkas, der Anzug darunter drückte, ich steckte die Hände in die Parkataschen, ich nahm die Hände wieder heraus und zog den Reißverschluss zu.

Panisch wühlte ich nach meinem Handy in der Anzughose, eine Einpfundmünze fiel zu Boden, ich kickte sie, während sie noch über den Bürgersteig rollte, auf die Straße und drückte Wahlwiederholung.

Er meldete sich mit einem freundlich erwartungsvollen *Hello?*, als ob er nicht wüsste, wer anrief.
»Jim, hör zu, kannst du Kozluk kurz anrufen, dass ich woanders auf ihn warte, vielleicht im Pub gegenüber von der Polizeiwache, und er soll früher kommen, es wäre sowieso besser, und das habe ich dir bereits mehrmals gesagt, wenn ich mit ihm vorher alles einmal durchsprechen könnte.«
»Andy.«
»Rede nicht so mit mir, Jim!«
»Ich rede doch noch gar nicht mit dir.«
»Das Pub heißt –«
»Andy, keine Panik. Konzentrier dich. Es ist 13 Uhr und 18 Minuten. In zwölf Minuten habt ihr den Termin bei der Polizei, Kozluk wird also jeden Moment auftauchen, es ist übrigens ein Termin, kein Verhör, eine Zeugenbefragung ist es, und das weißt du. Also, beruhige dich bitte. Kozluk sagte, es bestehe keine Notwendigkeit, sich vorher mit dir zu treffen, ich habe ihn ausgiebig informiert, er sagt, die Befragung ist reine Routine –«
»Eine Scheißroutine ist es! Kozluk hat nur keine Lust, Zeit mit mir zu verschwenden, der will sein Honorar mit dem kleinstmöglichen Aufwand abkassieren, das ist alles. Er soll sofort herkommen!«
»Andy. Beruhige dich. Jetzt.«
»Jim, du denkst, ich sei wahnsinnig.«
»Ich denke gar nichts, Andy.«
»Und ich sage dir etwas: Ihr seid wahnsinnig. Was glaubt dein blöder Anwalt: dass ich mich in diesen Zeiten einfach so zehn Minuten vor eine Polizeiwache stellen und auf ihn warten kann? Wie kam er auf so einen Treffpunkt? Einfach vor dem Haupteingang. Ich muss hier weg, Jim, nach fünf Minuten verhaften die mich, weil sie denken, ich würde den Laden für Al Qaida auskundschaften.«

»Andy. Dein Erscheinungsbild überschneidet sich nur sehr, sehr bedingt mit dem von Al-Qaida-Terroristen.« Ich legte einfach auf.

Ein Auto, ein grüner Kleinwagen, musste quietschend bremsen. Ich zeigte dem Fahrer, der nicht einmal hupte, die *Fuck-you*-Finger, ohne ihn anzusehen, und überquerte weiter rücksichtslos die Straße.

Ich lehnte mich an die Mauer des Pubs. Die Sonne blendete, das tat gut. Sie zwang mich, die Augen zu schließen. Mein Atem wurde flacher. Das Handy klingelte. Unbekannter Anrufer, zeigte das Display an. Ich war mir sicher, dass es Jim war, aber ich musste abnehmen, falls es Kozluk oder die Polizei waren.

»Hallo?«

»Andy Merkel?«

»Ich bin dran.«

»Oh, hallo, Andy. Hier spricht Matt Cosgrove von der BBC Radio London. Ich habe Ihre Nummer von Jim Merton erhalten.«

–

»Es tut mir leid, falls ich Sie störe, wie geht es Ihnen?«

Ich sah auf der anderen Straßenseite einen Mann im kurzen blauen Mantel mit militärischen Schritten aus Richtung Kensington High Street auf die Polizeiwache zukommen. Ich wartete, ob er vor dem Haupteingang stehen blieb. Als er dort einmal nach links, einmal nach rechts sah, schien mir klar, dass es Kozluk sein musste.

»Ich würde für die *Late Show* mit Jumoke Fashola gerne ein Interview mit Ihnen wegen Ihrer Comedy-Show aufzeichnen, vielleicht morgen früh?«

»Mit mir?«

»Nun, es ist nur für das regionale Programm, aber ich hoffe, das ist in Ordnung.«

Diesmal hupte das Auto. Ich hob die Hand zur Entschuldigung, stellte aus den Augenwinkeln fest, dass Kozluk mich auf dem Mittelstreifen entdeckt hatte, und winkte dem Wagen auf der anderen Fahrspur zu, weiterzufahren, ich würde den Rest der Straße nach ihm überqueren. Mein Streit mit Jim, wenn man das einen Streit nennen wollte, hatte mich erschöpft.
Nicht einmal um nervös zu sein, hatte ich noch Kraft, glaubte ich.
»Nein, kein Problem natürlich, morgen früh muss ich allerdings arbeiten, aber nach 17 Uhr ginge es.«
»Das wäre wunderbar. Sagen wir 17.30 Uhr? Wir können das Interview am Telefon machen, es würde auch nicht länger als zehn Minuten dauern.«
Ich schüttelte Kozluk die Hand und zeigte, als ob er es übersehen konnte, auf mein Handy am Ohr. Er musste Mitte 40 sein. Das schwarze Haar hatte er seitlich gescheitelt. Seine Aktentasche ließ auf regen Gebrauch und eine ausgeprägte Sparsamkeit des Besitzers schließen.
»Rufen Sie mich einfach wieder an.«
»Nun, es wäre schon schön, wenn wir uns auf eine feste Uhrzeit einigen könnten, denn ich muss für die Schaltung ein Studio –«
»Entschuldigung, wenn ich Sie unterbreche, aber ich kann gerade nicht besonders gut reden, rufen Sie mich morgen einfach an, dann besprechen wir alles Weitere, okay?«
»Viel zu tun?«, sagte Kozluk eine Spur zu enthusiastisch, um ernsthaft interessiert zu sein, als ich aufgelegt hatte.
»Nein, das war nur«, sagte ich und winkte ab, weil ich, nachdem ich nur halb zugehört hatte, nicht genau sagen konnte, was das gewesen war.
»Dann wollen wir mal«, sagte Kozluk. Ich dachte: Nein, wollen wir nicht.

Ich konnte die Tür nicht öffnen. Ich rüttelte am Griff.
»Warten Sie.« Kozluk drückte auf einen Klingelknopf. Die Glastür öffnete sich langsam und automatisch. Wir mussten zurücktreten, um ihr aus dem Weg zu gehen.
»Das ist ein gutes Zeichen.«
»Was?«
»Dass Sie nicht wissen, dass sich die Tür einer Polizeiwache nie von außen öffnen lässt. Heißt: Sie waren noch nie hier.«
Kozluk grüßte und dankte dem Pförtner mit dem Selbstbewusstsein eines langjährigen Bekannten. Nicht ohne Zufriedenheit registrierte ich, wie der Pförtner hinter der Glaswand regungslos darüber hinwegsah. Auf seinem Tisch lag ein Käsesandwich, noch in Plastikverpackung, schon angebissen, neben einem Schlagstock.
»Zu Mister Morgan, Chris Morgan.«
Der Pförtner zupfte, als hätte er Kozluk nicht gehört, an seinen Fingernägeln. »Police Constable Christopher Morgan«, sagte er schließlich ins Nichts und griff zum Telefon.
Den ganzen Morgen lang hatte ich immer wieder schlagartig das müde und stoische Gesicht meines Polizisten Craig gesehen. *Ein Ausländer, Deutscher; ich kenne Leute wie Sie mit Autos wie diesem.* Ich war zu verwirrt, um erleichtert zu sein, dass ich offenbar von einem anderen Polizisten vernommen werden sollte.
Der schlecht verlegte Linoleumboden schluckte den Hall unserer Schuhe. Kozluk ging, als wisse er, wohin. Ich hielt mit, obwohl ich meine Beine mitschleifen musste, in den Oberschenkeln saß tief und schwer eine Sperre.
»Unglaublich, die Sonne, für diese Jahreszeit.«
Er erkannte mit einem versteckten Seitenblick, dass er keine Antwort von mir erhalten würde.
»Jim sagte mir, Sie arbeiten als Komiker für ihn.«

»Ich arbeite nicht *für ihn.*«
»Oh, Entschuldigung, die Feinheiten der Sprache: Mit ihm ist wohl der richtige Ausdruck. Jim hat Ihnen ja ausgerichtet, wie das hier jetzt abläuft.«
»Nein.«
Ich mochte willenlos sein, aber mein Instinkt lief noch. Es spielte keine Rolle, dass er hier war, um mir zu helfen. Einer wie er konnte nur Gegner sein.
Die schwachen Neonlampen warfen ein Schattenmosaik in das fensterlose Treppenhaus. Ich hatte den Abend von vor acht Tagen so klar vor Augen, dass ich glaubte, es sei wieder Abend, und konnte mich doch nicht erinnern, jemals hier gewesen zu sein.
Ein Polizist im weißen Diensthemd mit schwarzen Schulterklappen ging an uns vorbei und strengte sich an, uns zu übersehen. Ich ließ mich instinktiv hinter Kozluk fallen. Der verlassene Flur, sein Linoleumboden, von Luftblasen gewellt, und über allem der Geruch von billigem Essigreiniger, erinnerte an die Melancholie einer beliebigen Verwaltung, nicht an die Dramen einer Polizeiwache.
»Mister Merkel, Andy.«
Eine Wärme, die ich ihm nicht zugetraut hätte, lag in Kozluks Stimme. Er blieb stehen, um auf mich zu warten. »Nur ruhig. Ich darf Sie daran erinnern: Sie haben nichts zu befürchten. Sie sind Zeuge, und wenn wir in«, er sah tatsächlich auf seine Armbanduhr, »einer Viertelstunde hier gemeinsam rausgehen, ist der Fall für Sie für immer und ewig abgeschlossen.«
»Wie können Sie das sagen?« Meine Brust zog sich zusammen. »Ich habe einen Jungen getötet.«
Wie so oft nachts begann der Satz in mir zu hallen, wieder und wieder, und hier gab es nicht einmal ein Kissen, mit dem ich gegen meinen Kopf schlagen konnte, wieder

und wieder, bis der Satz sich in wortlose Verzweiflung auflöste.
Kozluk lächelte mich hemmungslos an. »Nun, dies mag nach Ihrem Gefühl so sein. Aber das Recht hält sich an die Sachlage. Und die spricht eindeutig für Sie.«
Ich knirschte mit den Zähnen. Er hielt meinem Blick stand. Ich ging an ihm vorüber und dachte nicht daran, dass ich gar nicht wusste, wohin, bis er, spöttisch sanft, von hinten rief: »Mister Merkel. Wir sind hier.« Ich drehte mich um. Er stand zehn Meter hinter mir.

Police Constable Christopher Morgan erhob sich von seinem Schreibtischstuhl, um uns mit Handschlag zu begrüßen. Er rückte uns zwei Stühle heran, aus einem quoll der Schaumstoff. Morgan fragte: »Tee?«
Er hatte die hellbraunen Haare in der Einheitskürze preiswerter englischer Friseure geschnitten.
»Mit Milch, bitte, ohne Zucker«, sagte Kozluk, der schon saß, die ergraute Aktentasche aufrecht auf den Knien.
»Unglaublich, die Sonne, für diese Jahreszeit.«
Morgan sah zum Fenster, als habe er Neuigkeiten erhalten.
»Geradezu prachtvoll«, sagte er.
Das Wasser rauschte, steigerte sich zum Brodeln, wir lauschten ihm, mit einem Klicken stellte der Teekocher die Arbeit ein.
»Wie geht es Sergeant Norris?«
»Sie hatten mit ihm zu tun?« Trotz seiner Jugend hatte sich in Morgans Stirn eine einzelne, tiefe Falte gegraben.
»Mehrmals.«
»Aha.«
»Zuletzt wegen des Einbruchs bei Volkswagen Calvington. Sechs Wagen in hell erleuchteter Nacht im Herzen Londons einfach so aus dem Autohaus gefahren – durch das

Schaufenster.« Kozluk lachte angetan, wenngleich kurz. »Ein guter Mann, Sergeant Norris. Fleißig, effizient.«
»Er wurde versetzt. Nach Catford.« Morgan presste die Lippen aufeinander, als sollte sich nichts in seinem Gesicht bewegen. Doch die eine Falte zog die Stirn zusammen.
»Catford? Das ist aber nicht gerade ein Karrieresprung.«
»Dinge passieren.«
Ich konnte es nicht lassen, einen triumphierenden Blick auf Kozluk zu werfen. Er nestelte kleinlaut an seinem Aktentaschenschloss herum.
Police Constable Morgan stellte die dampfenden Teetassen vor uns. Die mit dem Sprung gab er Kozluk.
Die Tassen waren das Zeichen.
»Also«, sagte Morgan und blickte auf den Computer, nicht auf uns. Er las ohne Eile etwas auf dem Bildschirm. Selbst Kozluk traute sich nicht, ihn dabei zu unterbrechen.
»Also«, wiederholte er und warf mir ein angedeutetes Lächeln zu. »Am besten erzählen Sie mir einfach, was in der Nacht vom 19. November passiert ist.«
Er stellte kein Tonband an. Er unterbrach mich nicht. Er stellte keine einzige Frage. Er tippte, die Zungenspitze aus dem Mund, hastig auf seine Computertasten. Einmal, als ich sagte, »wie ein Schatten, der von links kam und über meine Motorhaube huschte, verstehen Sie, nicht mehr als ein Schatten, den ich mehr spürte als sah«, nickte er. Als ich schließlich schwieg, sagte er: »Danke«, und tippte, nun gegen die Stille, noch eine Weile weiter auf seine Tasten.
Ich fühlte mich, zum ersten Mal, verstanden.
»Nichts hinzuzufügen«, sagte Kozluk ungefragt. Ich verschränkte die Arme vor der Brust.
Morgan tippte weiter. Der Drucker sprang an, Papier wurde schlürfend eingezogen. Morgan reichte mir vier Seiten, ich tat, als ob ich die Zeugenaussage lesen würde, und

überlegte, nach wie viel Minuten man vier zu lesende Seiten zurückgeben konnte.
»Wunderbar«, sagte Kozluk, nachdem er gelesen hatte.
»Ich hätte eine Frage.«
Kozluk erstarrte. Wenn ich nicht sofort weiterredete, würde mich der Mut wieder verlassen. »Der Junge.« Morgan faltete die Hände und stützte das Kinn darauf. »Ich weiß nicht einmal, wie er heißt. Und seine Eltern. Ich meine, also, ich habe überlegt, ob ich nicht einen Kranz auf sein Grab legen sollte, oder zumindest – verstehen Sie?«
»Das –«
Morgan redete einfach über Kozluks Satzbeginn hinweg: »Wir haben die Pflicht, die Daten des Toten und seiner Familie zu schützen, Mister Merkel. Auch wenn ich Ihr Anliegen verstehe. Ich denke, Ihr Anwalt wird Wege finden, Sie bei Ihrem Anliegen zu unterstützen.«
»Absolut. Lassen Sie es in meiner Hand, Andy.«
Kozluks Teetasse war leer. Morgans und meine waren nahezu unangetastet. Morgan heftete das zweifach ausgefertigte und unterschriebene Protokoll zusammen.
»Nur noch eine Sache, Mister Merkel.«
Er wandte sich dem Bildschirm zu. Ich blies die Wangen auf. Hinter ihm hing ein Plakat, ein Polizeiauto im Nebel der Nacht, die Farben ausgeblichen. *Catch you later tonight!* stand darauf und kleiner: Fahre nie mit Alkohol. Denke nicht einmal daran.
»In Ihrer Personenfeststellung.« Sein Zeigefinger streichelte den Bildschirm von oben nach unten. »Sie geben an, Fensterinstallateur zu sein.«
»Ja.«
»Es ist nur, es ist nichts Wichtiges. Aber in der Zeitung habe ich heute gelesen, Sie seien Komiker.«

Ich wartete an der Bushaltestelle schräg gegenüber der Polizeiwache, bis Kozluk in der High Street Kensington verschwunden war. Dann ging ich die wenigen Schritte zurück zu dem indischen Krämerladen mit den brüllenden Werbeplakaten der Zeitungen. Die Schaufenster waren bis unter die Decke vollgestopft mit Krimskrams, Limonadenflaschen neben Toilettenpapier, und obwohl ich nicht hineinsehen konnte und niemand hinaus, war ich überzeugt, der indische Besitzer, der wahrscheinlicher Pakistani war, beobachte mich.
»Das war es«, hatte Kozluk, schon auf der Straße, beim Abschied gesagt und zu lachen begonnen wie jemand, der seinen eigenen tollen Witz nicht abwarten konnte: »Sie sind frei.«
Ich fühlte mich wie ein Verbrecher.
Ich riet mir, erst einmal abzuwarten, was wirklich in der Zeitung stand. Sicher hatte Jim mit dem Redakteur telefoniert und ihm gesagt, das kannst du nicht schreiben, dies nur zu deiner Information, aber schreib doch bitte einfach ein Porträt von ihm, er ist gut, einzigartig, ein deutscher Komiker, ha, ha, er ist auch eine gute Story, ohne dass du *es* schreibst. So musste es gewesen sein.
Ich hatte es immer als meine Stärke betrachtet, mich in die Lage der anderen zu versetzen, wenngleich ich in England gelernt hatte, dass es schlechte Erziehung war, überhaupt zu glauben, man verfüge über irgendwelche starken Seiten. Wenn ich mich in Jim versetzte, sah ich die Versuchung. Sein Gehirn drehte sich den ganzen Tag um nichts anderes als: der Durchbruch. Er kam noch auf viel verrücktere Ideen, als aus dem Unfall Kapital zu schlagen; einen Deutschen zum Komiker zu machen zum Beispiel. Er war nicht Manager, um Geld oder Ruhm zu erreichen, sondern um etwas Verrücktes zu bewerkstelligen. Geld

und Ruhm kämen dann von allein. Genau wie ich sah er die Comedy als Spiel. Es ging uns nicht darum, nach ganz oben oder auch nur irgendwohin zu gelangen. Es ging darum, träumen zu können, man könnte irgendwohin gelangen.

Ich wollte die Zeitung gar nicht sehen.

Ich trottete zur Bushaltestelle zurück. Eine Frau karibischer Abstammung in mittleren Jahren, weiße Plastiktüten in den Händen, eine schwarze Wollmütze mit der neonorangen Aufschrift *Der gefährlichste Mann der Welt* auf dem Kopf, lächelte mir zu, als ob ich sie gegrüßt hätte. Aber natürlich kam der Bus nicht. Immer kamen die Busse zu spät in London. Ich wartete zehn Minuten, mindestens, dann ging ich zum Krämerladen zurück.

Es roch nach verwelkten Blumen und scharfen Zwiebeln in abgestandener Luft. Ich ließ mir noch eine Fluchtchance.

»Könnten Sie mir einen 20-Pfund-Schein wechseln, ich fahre mit dem Bus, und die Fahrer können doch nie Scheine wechseln.«

Die Verkäuferin schüttelte den Kopf. Ich war mir nicht sicher, ob sie Englisch verstand.

»Dann muss ich halt eine Kleinigkeit kaufen«, sagte ich laut, aber zu niemandem Bestimmten und seufzte. Ich nahm den EVENING STANDARD und 19,50 Pfund Wechselgeld. Als ich aus dem Laden trat, die Türglocke schrillte, fuhr der 328er gerade an der Haltestelle davon.

Das Pub hatte bereits geöffnet.

»Etwas zum Essen dazu?«, fragte der polnische Kellner, als er mir das Lagerbier reichte.

»Später«, sagte ich geistesgegenwärtig.

In der Mitte des Saals standen einige Holzfässer als Psyeudotische für einsame Trinker.

Das Bier schmeckte, nach so langer Entwöhnung, schal

und bitter. Das Glas hinterließ einen runden Abdruck auf der Zeitung.
Er konnte es der Redaktion gar nicht erzählt haben. Es war bereits nach 19 Uhr gewesen, als wir gestern aus Buckinghamshire zurückkamen, da würde Jessica schon zu Hause gewesen sein, da rief er sicher nicht mehr beim STANDARD an, außerdem hätte er es sich vor Jessica nie getraut. Sie hätte ihm was erzählt. Und morgens stand Jim nicht vor zehn, halb elf auf, zumal wenn er kein Taxi fuhr; bis dahin musste die erste, die Mittagsausgabe des STANDARDS schon Redaktionsschluss haben. Und wenn er es der Zeitung bereits erzählt hatte, bevor er mir beim Wandern von der Idee berichtete?
Ich schlug die Zeitung auf, ein Schluck Bier, eine Seite umgeblättert, wieder ein Schluck Bier, so kämpfte ich mich voran. Ich kam bis Seite neun.
Comedy-Star: Mein verlorenes Lachen.
Ich hatte keine Ahnung, wo sie mein Foto herhatten. Das Bild legte jedenfalls nahe, dass ich ein Fall von hoffnungsloser Hässlichkeit war oder es noch nicht sehr vielen professionellen Fotografen in den Sinn gekommen war, mich abzulichten.
Ich setzte das Bierglas nicht mehr ab. Obwohl es längst leer war.
Die Sätze rauschten an mir vorbei.
Londons berühmter Komiker Andy Merkel in seinem größten Kampf ... Er bringt uns zum Lachen, und keiner von uns ahnt, dass das seine erloschen ist ... grässlicher Unfall ... absolut unschuldig ... Der 13-jährige Schüler S. M. ... dem nach ersten Polizeiermittlungen vermutlich auf der regenglatten Straße die Bremsseile des Fahrrads rissen ... Sein einflussreicher Agent Jim Merton ... sagt: »Alle wissen, dass Andy eines der größten Talente auf der

englischen Tour ist. Aber die wenigsten wissen, was für ein Kämpfer er ist. Ich bange um ihn, aber ich bin absolut überzeugt, er wird aus diesem Drama stärker denn je hervorgehen.« … Merton, der nach eigenen Angaben Geschichte an der Universität Oxford studierte, schließt: »Andy ist ein Aniketos unserer Zeit.« Aniketos – für alle, die sich fragen: Wer? – war in der griechischen Mythologie …

Ich biss in das Glas.

acht

S.M.
Sean Manus, Seymour Miller, Simon Mills, Scott Murray, Seamus Marshall, Spencer Martin, Stan Moore, Stanley Morrison, Steven McManaman.
Samuel Mason, Seth Mitchell, Sebastian Mifsud.
Solomon Moses.
Und was hätte es geändert, wenn ich seinen Namen gewusst hätte?
Alles.
Jeder Name besaß einen Klang, der die Person vor mir zum Leben erweckte. Wenn ich zum Beispiel dachte: Scott Murray. Dann sah ich einen robusten Jungen mit klaren Augen und struppigen blonden Haaren in der Stirn und nicht mehr die verdammte Hand mit den halb ausgestreckten Fingern, die verfluchten starren Augen unter dem grünen Radhelm.
Shean MacAteer, Stuart Mellor, Stephen Monk.
Violeta Martínez.
Der Klang ihres Namens, hell und enthusiastisch, war mir geblieben.
Andy Merkel. Andreas Merkel.
Gelegentlich würde der Name auch in ihrem Kopf ertönen, in London oder Spanien oder wo immer sie inzwischen war. Sie würde versuchen, ihn abzuschütteln, und vermutlich würde es ihr schnell gelingen, die Kälte und die Verdruckstheit, die der Name in sich trug, würden ihr

nur einen kurzen physischen Schmerz bereiten, als ob ihre Zähne auf ein Papiertaschentuch bissen.
Ich unterschied kategorisch und unverdrossen zwischen Violeta und den Frauen, die ich in momentaner Euphorie im Phoenix kennenlernte. Ich hatte niemals einen Zusammenhang gesehen, wenn ich am nächsten Morgen die Wohnung der Frau verließ, deren Nachname ich nie wusste und deren Vorname ich oft schon vergaß, und dann später am Tage Violeta traf. Es waren zwei verschiedene Dinge. Spiel und Ernst. Aber ich konnte, zwei Jahre später, verstehen, dass es Violeta anders sehen musste.
Letztendlich hinterließ ich in den Frauen, ob Ernst oder Spiel, Bitterkeit. Sie machten Andeutungen, in Hampstead Heath sei es so schön, sie verlangten am Morgen nach der Nacht einfache Gesten, und ich verstand nicht, dass ich sie bloß auf einen Spaziergang nach Hampstead Heath einladen musste, nur fragen sollte, ob wir uns denn auch einmal bei Tage sehen würden.
Wenn mich jemand gefragt hätte, was es bedeutete, 30 zu sein, dann hätte ich gesagt: endlich zu verstehen, dass zum Lieben, ob Ernst oder Spaß, mehr als unbedarfter Enthusiasmus gehörte. Deswegen war ich allerdings noch lange nicht in der Lage, mehr zu geben.
Beiläufig, so wie mir solche Gedanken mit 28 kamen, hatte ich mir damals vorstellen können, mit 30 mit Violeta Kinder zu haben. Wenn wir das Kind Sebastian oder Sara genannt hätten, konnten wir ihm den Nachnamen der Mutter oder des Vaters geben. Es wäre immer S.M. gewesen.
Ich hob zaghaft den Finger, um die Aufmerksamkeit des Kellners zu gewinnen. Mein Magen hatte sich zum Ziegelstein verhärtet, der Alkohol vertrug sich nicht mit diesen Tabletten von Jessica. Ich verachtete es, Kellner mit Vornamen anzusprechen, diese Anbiederung, diese Besitzergrei-

fung, diese lächerliche Gockelei. Ich sagte: »Darren, zapfst du mir noch ein Pint?«
Ein Künstlerklub wie das Phoenix, der etwas Besseres sein wollte, hatte es leicht in einer Stadt, in der die Gasthäuser um 23 Uhr schlossen: Der Klub musste nur vor 23 Uhr leer sein, das reichte schon, um Weltläufigkeit vorzugeben. Im Theater über der Kellerbar lief noch das Abendprogramm, ein Musical, wie ich dem Werbezettel auf der Bar entnahm. Überall in der Stadt standen die Komiker, die gegen Mitternacht hier eintreffen würden, noch auf Bühnen und jagten mit besessenem Ernst das Lachen. Niemand, kein Zuschauer, kein Kollege, kein Veranstalter, würde fragen, wo denn Londons berühmter Komiker Andy Merkel war. Früher, wenn eine Frau ihre Enttäuschung über mich nicht verbergen konnte, hatte ich nie verstanden, warum sie nur so verletzt war; damals hatte ich immer geglaubt, ich würde es nie werden: bitter.
»Andy, was machst du denn schon hier, Mann?«
Ich sah ihn an und suchte nach dem Namen, der mir mit einem Schlag alles über ihn sagen würde. Seit ein, zwei Jahren passierte es mir öfters, dass ich die Namen vergaß, die Gesichter blieben mir für immer und bis ins Detail, aber die Namen; weg.
»Und selbst, solltest du nicht auch auf einer Bühne stehen?«
Englische Umgangsformen hatten diesen Vorteil: Man konnte eine Frage durch eine Gegenfrage unbeantwortet lassen.
»Ich war im The Cat in Shoes gebucht, nichts Besonderes, aber die Show wurde in letzter Minute gestrichen, weil Comedy wohl in den letzten Wochen nicht richtig lief. Stattdessen machen sie ein Pubquiz.«
»Tut mir leid, das zu hören.«
Sein Vorname begann mit D, nicht David, nicht Darren,

nicht Damien, aber mit D, und wenn mir erst der Vorname einfiel, wusste ich alles; dass er seine Zukunft hinter sich hatte, erkannte ich allerdings auch so. Wer freitagabends keinen Auftritt fand, war niemand. Und ich wusste, was er in diesem Moment über mich dachte.
Die Leere des Klubs nahm mir die letzte Lust, mich zu unterhalten. Ich hatte das Gefühl, belauscht zu werden. Die wenigen frühen Gäste hatten sich vor der Leere in die Ecken verkrochen. Ich betrachtete die Porträtfotos und Theaterplakate, die der Wand kaum eine bloße Stelle ließen, Gertrude Lawrence und Laurence Olivier erkannte ich. D, aber nicht Dillon, Derek, Daniel. Er hätte einfach sagen können, schön, dich zu sehen, ich gehe mal wieder zu meinem Tisch, wir sehen uns später. Aber er blieb stehen und sah, während ich die Wand betrachtete, meine Schuhe an.
»Ich habe davon gelesen. Es tut mir leid, Andy, es muss hart sein, und wenn ich irgendetwas für dich tun kann, dann.«
Es hingen viele Bilder von Laurence Olivier an der Wand. Wahrscheinlich hatte er nur einmal im Phoenix Theatre gespielt.
»Das … das wollte ich dir nur sagen.«
»Und da du es nun gesagt hast, könntest du mich bitte in Ruhe lassen?«
Mein Bier schwappte über. Der Aufschlag des Glases auf die Bar erschreckte mich selbst. Der ganze leere Klub starrte mich an. D, nicht Desmond, Dexter, Dwight, hob sein Glas, wie um mir zuzuprosten, drehte sich um und setzte sich an einen freien Tisch, nicht weiter als fünf Meter von mir entfernt.
Zu erkennen, dass ich alles falsch machte, half nicht, irgendetwas richtig zu machen.

Gedämpft erreichte der Applaus zum Ende des Musicals durch den Fußboden die Kellerbar. Bis er hier ankam, klang der Beifall nicht mehr begeistert, nur noch liebevoll. Langsam würde nun der Lärm in die Bar einkehren. Der Fakt, dass der Zugang zum Phoenix nur Mitgliedern offen stand, machte den Künstlerklub besonders für alle künstlerisch uninspirierten Menschen interessant, zuvorderst Theatergroupies nahe dem Rentenalter und Komiker. Wir waren der Spiegel, der den Glanz der Schauspielerinnen überhaupt erst reflektierte, wenn sie nach Mitternacht ihren Eingang ins Phoenix nahmen.
Ich hatte niemals eine Schauspielerin angesprochen, während ich mit Violeta zusammen war.
Das war mein Treueschwur gewesen. Sie mussten schon mich ansprechen.
Tatsächlich war ich zu verklemmt, irgendjemanden anzusprechen.
Immer waren sie auf mich zugekommen. Wie es gehe, was mein Name sei, schön, mich kennenzulernen. Wenn sie dann glaubten, die Worte hätten ihre Aufgabe erfüllt, mich packten und ihre Zunge sprechen ließen, dann hörte ich, hinterher, zur Erklärung mehr als einmal: »Ich fühle mich so von dir angezogen: Du wirkst so glücklich.«
Das Problem war, dass sie mich wiedersahen. Lange verwechselte keine Frau mein freies Lachen mit der Kraft, glücklich zu machen.
Der Tisch, an dem D, nicht Duncan, Dylan, Dennis, allein gesessen hatte, wurde mit einem weiteren zusammengeschoben. Tim Arthur war da, Rod Gilbert, der legendäre Nick Cooper, diejenigen, die im West End aufgetreten waren und es nicht weit gehabt hatten. Ein gutes Dutzend war es bestimmt schon. Ich schaute nicht hin und spürte dann und wann ihre Blicke auf mir.

Das Summen und Brummen der Freitagnacht lag schon über dem Saal, als ich seine Stimme heraushörte. Sie war nicht zu verkennen. Panisch versuchte ich, beschäftigt zu tun, was eine Herausforderung war, allein vor einem kümmerlich gefüllten Bierglas an der Bar. Ich konzentrierte mich auf eine der Barkeeperinnen.
»Andy, Mann.« Seine Stimme klang roh, wenn er glaubte, sanft zu sprechen. Er fasste mich zur Begrüßung am Ellenbogen an.
»Kann ich noch eines haben?« Die Barkeeperin nahm meine Bestellung mit einem Nicken auf. Dann drehte ich ihm widerwillig den Kopf zu. Er wurde von Alicia Foster und seinem Nachbarn, dem Schriftsteller, eingerahmt. Sie nickte mir schüchtern und stumm zu, der unveröffentlichte Schriftsteller starrte mich unbeweglich durch seine Brille an.
»Betriebsausflug oder was?«
»Du hast getrunken, Andy.«
»Und was kümmert es dich?«
»Andy.« Er lehnte sich zu mir vor, was Alicia und den Schriftsteller, der noch nicht existierte, instinktiv veranlasste zurückzutreten. »Ich bin froh, dass du wenigstens heute Abend zu unserer Verabredung gekommen bist.«
»Ich bin nicht zu deiner Verabredung gekommen. Ich bin einfach so hierhergekommen.«
»Natürlich.« Er legte seine Hand behutsam auf meinen Vorarm. Ich wollte den Arm wegziehen und wusste auch nicht, warum ich es nicht tat. »Ich habe drei Tage versucht, dich zu erreichen, Andy.«
»52 vergebliche Anrufe. Ich habe mitgezählt.«
»Nicht zu vergessen, dass ich gestern zwei Stunden in der verfluchten Kälte vor deiner Tür gestanden habe.«
»Und 38-mal geläutet hast. Ich saß am Schreibtisch und führte Strichliste. Aber so kalt wird es nicht gewesen sein,

die Sonne schien doch. Die wunderbare Sonne, im November, ist es nicht überwältigend?«

»Andy, jetzt einmal vernünftig.« Seine Empörung, die mir galt, traf die Barkeeperin, die es wagte, sich zu erkundigen, was er trinken wollte.

Seit es laut geworden war, hatten sie Musik angemacht. Das Lied war nur als Pochen und Zucken zu erahnen. Wer reden wollte, musste brüllen. Das Deckenlicht kreierte ein angenehmes Halbdunkel. Noch war die Welt fein säuberlich unterteilt, die Schauspielerinnen nebenan im Festsaal, die Komiker im kleinen Barraum, Keith Harris, der Große Keith, war nun auch erschienen, und dazwischen schwirrten die Möchtegerns, die Groupies hin und her, ohne Halt, ohne Ziel, Insekten der Nacht, die sich an der eigenen aufgeregten Bewegung berauschten.

»Vernünftig? Das sagst du? Was glaubtest du eigentlich, Jim: dass ich in Freude ausbrechen würde, dass ich sagen würde, wie vernünftig von Jim, diesen Artikel im EVENING STANDARD zu platzieren?«

»Andy.« Er lächelte der Barkeeperin dankbar zu, die sein Bier brachte, was ihm eine kurze Feuerpause gewährte. Die Barkeeperin wollte jetzt von einem Lächeln auch nichts mehr wissen. Er packte zunächst seine Geldbörse umständlich in die Jackettinnentasche, ehe er, ohne den Kopf zu heben, weiterredete. »Ich habe die Meldung nicht an den STANDARD gegeben.«

»Oho, die Nachricht ist der Redaktion einfach so zugeflogen. Vielleicht hörte ein Reporter sie von den Markthändlerinnen an der North End Road, was?«

»Ich werde dir sagen, wie es war, und du kannst dann selbst entscheiden, ob du es glaubst oder nicht. Aber so war es: Am Sonntag – also, am Tag bevor wir in die Chilterns fuhren – telefonierte ich mit Ian Chadband von der STANDARD-

Sportredaktion wegen Darren. Er ist gerade dabei, in Watford den Durchbruch in die erste Mannschaft zu schaffen, er ist ein echter Londoner, das ist eine Story für den STANDARD.«

Erwartete er, dass ich ihm dies bestätigte?

»Wir redeten, und Chadband fragte mich, wen ich sonst noch so repräsentieren würde. Da erwähnte ich dich, weil ich glaube, dass du deinen Weg gehen wirst, und, ja, da erzählte ich ihm auch, was dir passiert ist.«

T, nicht D! Jetzt fiel es mir ein. Nicht Dion, Dirk oder Davin hieß er, sondern Trevor.

»Chadband muss es an die Nachrichtenredaktion weitergegeben haben. Du kannst mich beschuldigen, naiv zu sein, vielleicht war ich naiv, in Ordnung, ich erhebe meine Hände und gestehe meine Schuld, aber wie konnte ich damit rechnen, dass ein eindeutiges privates Gespräch in einem reißerischen Artikel endet?«

»Wer es glaubt.«

Er erhob seine Hände, wie um seine Schuld einzugestehen. »Wie ich dir gesagt habe: Ich kann dich nicht zwingen, mir zu glauben. Ich kann dir nur erzählen, wie es war.«

»Sagt der große Oxforder Geschichtsstudent Jim Merton.«

»Ha, ha, bist du witzig. Ich sage dir etwas, Andy: Ich reibe mich auf für dich. Aber tief in mir habe ich immer den Verdacht gehabt, du nimmst mich nicht ernst, du denkst, ich könnte nur Taxi fahren, du glaubst, Straßennamen seien alles, was in meinem Kopf ist, Dawes Road, Lillie Road, Munster Road, Rylston Road, Aintree Street, das denkst du. Ich habe dir nie erzählt, dass ich in Oxford studierte, weil ich mir nichts darauf einbilde. Was ich vom Leben will, sind ein paar kleine Freuden und ein paar große Träume – und ich dachte immer, mit dir als Freund bekäme ich das alles, ich dachte, du wärst genauso wie ich.«

»Offenbar ein Irrtum.«
Trevor Fairholme hieß er. Wir waren einmal im Wellington Pub in Farringdon bei der Dienstagsshow aufgetreten, er als Ranglistenletzter, ich direkt nach ihm. Mehr als 25 Leute waren nicht anwesend gewesen, zehn hörten nicht zu, drei unterhielten sich einfach und lautstark weiter, Pubpublikum. Trevor Fairholme. Den Namen musste man sich nicht merken.
»Offenbar.«
»Entschuldigung, ich will euch nicht stören, aber ich glaube, ich gehe.«
Alicia hatte ihre Lippen feuerrot geschminkt, das hatte sie früher nicht getan. Der Kontrast ließ ihr porzellanweißes Gesicht noch elfenhafter erscheinen. Es musste heiß sein unter ihrer roten Lederjacke mit dem Stehkragen. Wobei ihr immer kalt war, früher jedenfalls.
»Hi, Andy. Ich hatte noch gar keine Chance, Hallo zu sagen. Zu sagen, wie, also, wie leid es mir tut.«
»Mir auch«, sagte ich.
Alle hatten den Bericht gelesen. Niemand las die Seite neun, dienstags, im EVENING STANDARD, es sei denn, die U-Bahn blieb wieder einmal stecken und jede Ablenkung war recht. Aber alle hatten diesen Bericht gelesen. Trevor Fairholme, Alicia, Holger. Nachdem Holger mich am Mittwoch bei der Arbeit angesprochen hatte, warum ich nichts gesagt hätte, ihm hätte ich es doch sagen müssen, ging ich abends von der Station Parsons Green nach Hause, die Leute hatten ihre Schals über das Kinn gezogen, und ich glaubte wirklich, sie würden mich alle anstarren. Am Donnerstag hatte mir Holger etwas von seiner Frau mitgebracht. Sie hatte es aus dem Internet ausgedruckt. Posttraumatischer Stress, Information für Betroffene. Damit Andy nicht denke, er sei verrückt geworden, hatte ihm seine Frau gesagt: Es ist ganz normal.

Ganz normal, hatte ich zurückgefragt. Holger hatte mit den Achseln gezuckt.
»So, kommt, lasst uns nicht so verdruckst hier herumstehen. Kommt her. Alicia, bleib wenigstens noch kurz hier, die Nacht ist jung.« Sie wand sich. Unwirsch schob sie Jims Hand von ihrer Hüfte. Wenn sie nicht auf der Bühne stand, war sie eine schlechte Schauspielerin. Aber sie blieb.
»Andy, das ist Ben, meine neuste Entdeckung, Ben Fletcher, Poesie in Bewegung, du wirst von ihm hören. Ben, das ist Andy, du hast schon von ihm gehört.«
Ben Fletcher, sein Mund ein blutarmer Strich in einem gekrausten Vollbart, reichte mir die Hand.
»Du gehörst also auch zu der Armee derer, die glauben, eine Jarvis-Cocker-Brille reiche, um von der Inspiration geküsst zu werden.«
»Ach, Andy«, sagte Alicia zu niemand Bestimmtem, so wie sie es früher einmal zu mir gesagt hatte.
Jim jedoch hatte entschieden, dass dies ein fröhlicher Abend war. Er schlug Fletcher auf die Schulter, vermutlich, weil er sich nicht traute, es bei mir zu tun. »Immer einen Witz auf den Lippen, Andy Merkel, Londons schlagfertigster Komiker.«
Fletcher sagte nichts. Ich drehte mich um.
»Lange nicht gesehen«, sagte ich zu Alicia.
»Und?«
»Du siehst gut aus.«
»Das fällt dir ein bisschen spät auf.« Aber es lag kein Groll in ihren Worten, im Gegenteil.
»Nehmt das!«
Jim schob die Schnapsgläser, bis zum Rand gefüllt, wie Spielzeugautos über den Tresen zu uns. Das Summen und Brummen des Saals erfasste ihn. Er wippte im Takt der Musik, von der nur noch der Bass zu hören war. Wenn Jim

glücklich war, benötigte er Körperkontakt. Er gab seine Freude wahllos weiter, jeder Arm, jede Schulter, gar jedes Ohr war ihm recht. Wer von ihm berührt wurde, steckte sich an.
Er hatte den Arm um Fletcher gelegt, er zog ihn heran und sagte, ich müsse Ben einmal nachmittags treffen. Bens Sprache sei ein Schatz, der nur darauf warte, gehoben zu werden. Er hatte ihm gesagt, nicht wahr, Ben, Jim drückte Bens Schulter, er quetschte ein richtiggehend überschwängliches Lächeln aus ihm, er hatte Ben gesagt, es müsse doch nicht gleich ein Roman sein. Warum nicht damit anfangen, zusammen mit Andy Gags zu entwickeln?

Komiker kamen an die Bar, Schauspielerinnen standen auf und schauten sich um, Möchtegerns und Groupies nahmen den Mut zusammen, andere Gäste anzusprechen, und waren nicht enttäuscht, dass sie immerzu nur ihresgleichen kennenlernten. Jims Augen flogen nun. Sie waren hier und da und überall.
Großer Keith, rief er, was gibt es Neues, wo hat der Große Keith heute sein Lachen strahlen lassen? Der Große Keith gab nicht zu erkennen, ob er Jim erkannte oder zumindest kannte. Rod, rief Jim, schenke der Welt ein Lachen. Rod Gilbert schob die Lippen zusammen, um mit tragischem Ernst bedächtig zu nicken. Jim ließ die breiten Hände fliegen, die linke Hand landete auf dem Unterarm des Großen Keith, schon boxte er mit rechts feixend in Gilberts Rippe. Und sie konnten sich nicht mehr gegen das eigene Lächeln wehren, sie blieben bei ihm, mitten in der drängelnden, surrenden Menge schlossen sie sich mit ihm in einen luftdicht abgeschirmten Raum ein, in dem nur die Comedy existierte.
Er war im 99 Club am Leicester Square aufgetreten, nichts

Besonderes, sagte der Große Keith, der die Tatsache, dass er seit Monaten nicht mehr beim Friseur gewesen war, als Langhaarschnitt zu tarnen versuchte. Es war schwer vorstellbar, dass es noch Auftritte gab, die er als besonders bezeichnet hätte.
War da nicht auch Malcolm Bradford am Start gewesen, fiel ihm Jim ins Wort, Malcolm Bradford, sagte Rod Gilbert, mein Gott, der war doch tot hinter den Augen, der hatte sich letztens im Pearshaped vor lauter Aufregung mit dem Mikrofon die Brille von der Nase geschlagen, es war erstaunlich, fand Jim, wer alles im 99 Club gebucht wurde, also, das Haus hatte einen Ruf, immer noch, das sage er uns, sagte Jim, aber man musste sich schon fragen, was da ablief, mit Promotern, die befreundeten Agenten einen Gefallen taten, und alle nickten, sich der heiligen Selbstgefälligkeit in ihren Gesichtern vollends unbewusst.
Aber was könne er ihnen erzählen, sagte Jim, er war heute Abend mit seinem schwulen Komiker im Pravda Room, oh Gott, freitags im Pravda, sagte Gilbert, ein brutales Pack, wem sagst du das, sagte Jim, der Große Keith nickte, während er versuchte, Alicia auf den Busen zu starren, was nicht einfach war, weil die rote Lederjacke nur einen kleinen Spalt freigab, doch ich konnte dem Blick des Großen Keith folgen, ihr Busen schien sich majestätisch erhoben zu haben, im Vergleich zu früher, und dann stelle er sich einmal einen Schwulen freitags auf der Bühne des Pravdas vor, sagte Jim zu Gilbert, sie hatten Bernard geschlachtet, absolut geschlachtet, das Pack biss nach ihm, als ob es sich abgesprochen hätte: Um 21.12 Uhr legen wir los, um Punkt 21.12 Uhr walzen wir den Komiker platt. Schenk uns eine Gleitcreme, Alter, zeig uns George Michaels Unterhose, solche Zwischenrufe hagelte es um 21.12 Uhr, trotz all der wunderbar selbstironischen Schwulengags, die Bernard bis dahin geris-

sen hatte, ob wir uns im Geringsten vorstellen konnten, was da los war, fragte Jim und schwelgte, zugegeben, Bernard war die falsche Besetzung für so einen Klub an so einem Abend gewesen, er war auch nur eingesprungen, eigentlich hatte er hier ja auftreten sollen. Alle schauten auf mich. Der Große Keith nickte mir zu, mir schien, verständnisvoll. Ich sagte, ich müsse einmal auf Toilette.

Außerirdische aßen mein Schnitzel, stand dunkelblau an der Wand meiner Toilettenkabine geschrieben. Als ich die Tür wieder aufschloss, stand T, nicht D, Trevor Fairholme, am Waschbecken.
Er registrierte mich mit einem Blick in den zerkratzten Spiegel. »Sieh an, der lustige Deutsche muss sich die Hände waschen.« Ich fühlte mich müde und lächelte entsprechend. »Und allen Grund hast du, dir die Hände zu waschen.«
Er fuhr sich mit nassen Händen durch das dichte Haar. Wasser rann ihm die Schläfen hinunter, an der feingliedrigen Nase vorbei, während er das Haar zur Mitte hin auftürmte. Seine Augen waren zu braunen Kugeln geweitet. Ich verschränkte die Arme, noch immer zwei Meter hinter ihm und dem einzigen Waschbecken. Er drehte sich nicht um.
»Du hast ein paar Gläser geleert, Trev?«
»Darauf kannst du wetten. Und ich sage dir: Allen Grund hast du, dir die Hände zu waschen.«
»Alles klar, Trev?«
Er sah mich im Spiegel, ich sah ihn im Spiegel. Die Kugeln in seinen Augen schienen zu rollen. Mir fiel ein, dass ich meinen Gürtel noch gar nicht geschlossen hatte.
»Ich weiß ganz genau, was hier gespielt wird, lustiger Deutscher, alle hier wissen es.«
»Ich bin mir nicht sicher, ob ich dich verstehe, Kumpel, es ist spät und –«

»Ein toter Junge. Ein Komiker, dem etwas Tragisches passiert. Ein Komiker, der sein Lachen sucht. Eine brillante Geschichte. Wunderbar ausgedacht, lustiger Deutscher.«

»Entschuldigung, Trev, ich glaube, wir sollten jetzt einfach nicht weiterreden«, sagte ich, viel zu leise, kam es mir vor.

»Die Wahrheit schmerzt, was? Als du mich am Anfang des Abends so schroff abwiest, war ich erst gekränkt, aber dann wurde mir plötzlich klar, da stimmt doch was nicht, es ist ihm unangenehm, darüber zu reden – na klar, weil er alles erfunden hat! Vielleicht hast du Glück, vielleicht fliegt die Geschichte noch nicht mal auf, obwohl in der Szene alle wissen, dass das ein lausiger PR-Stunt ist. Aber ich sage dir etwas: Am Ende wirst du trotzdem scheitern, am Ende wirst du trotzdem keine Auftritte mehr bekommen. Weil dein Programm scheiße ist. Die beste PR kann Qualität nie langfristig ersetzen.«

Der Wasserhahn lief die ganze Zeit.

»Du bist betrunken, Fairholme.«

»Und lange möge ich es bleiben.«

Ich hastete mit gesenktem Kopf zur Tür. Ich erschrak, mit welcher Wucht sie aufsprang, als ich die Klinke hinunterdrückte.

Der jähe ausgelassene Lärm der Bar ließ mich gefrieren. Das jämmerliche Gefühl der vergangenen Tage, von allen angestarrt zu werden, war zurück, aber auf ganz andere Art.

Er war betrunken, redete ich mir zu, natürlich glauben hier nicht alle, dass der Unfall eine Erfindung war, niemand glaubt es außer einem sechstklassigen, verbitterten Konkurrenten. Ich bahnte mir den Weg zu den anderen zurück. Es war mir, als ginge vor mir eine Schneise auf; als ziehe sich jeder vor mir zurück.

Könne er nachvollziehen, sagte Jim gerade in die Runde, als ich ihn erreichte, der Große Keith orderte unterdessen mit einem Augenbrauenrunzeln ein Bier, aber, fand Jim, zu viele von uns beschuldigten den 11. September, von wegen die Leute wollten in so einer Zeit nicht mehr lachen und so, er behaupte das Gegenteil, Großer Keith, Rod, es mochte geschmacklos klingen, aber der 11. September war das Beste, was der Comedy-Szene passieren konnte, das sage er ihnen, wenn die Dinge ganz schlimm standen, wollten die Leute nur noch lachen, das war schon immer so, wir brauchten nur Charly Chaplin nehmen, er hatte seine größten Erfolge im Zweiten Weltkrieg. Er würde sein Vermögen verwetten, sagte Jim, dass die Comedy in den nächsten Jahren einen Boom erlebe. Schön zu hören, dass er ein Vermögen besitze, murmelte der Große Keith. Hier war ich einmal zu Hause gewesen und hatte gedacht, für immer.

Ich wandte mich ab und drängte mich rabiat zwischen Alicia und Fletcher. Aus den Augenwinkeln beobachtete ich die Toilettentür. Schön, dich wiederzusehen, sagte ich hastig zu Alicia.

»Die Freude ist ganz meinerseits.«

Das mit ihrem Busen musste mit einem dieser Wunderbüstenhalter zu tun haben.

»Wir haben uns lange nicht gesehen.«

»Es war deine Entscheidung, uns nicht mehr zu sehen, falls du dich erinnerst.«

Daran erinnerte ich mich in der Tat nicht.

Fletcher stand daneben und hörte zu.

Es stand, früher, immer ein Hindernis zwischen Alicia und mir, etwas, das nichts mit meiner Liebe zu Violeta oder mit Violetas abklingender Liebe zu mir zu tun hatte. Es lag daran, dass wir beide erfolglose Künstler waren. Wir hat-

ten uns im ständigen Misstrauen und vorauseilenden Neid beäugt, der andere könnte bald erfolgreich werden und einen selbst zurücklassen.
»Wo spielst du gerade?«
»Im Moment gebe ich an drei Abenden die Woche Kurse an der Volkshochschule Hammersmith, Laientheater.«
»Ich verstehe.«
»Du verstehst richtig. Ich mache Vorsprechproben, wo ich nur kann. Heute Morgen war ich im Camden Civic Theatre. Ich hoffe, dass ich die Rolle als Cecily in *The Importance of Being Earnest* bekomme.«
»Ja?«
Ich hatte Fairholme entdeckt. Er stand an den zwei zusammengeschobenen Tischen der Komiker und redete mit Tim Arthur.
»Was seufzt du?«
»Was?«
»Du hast gerade geseufzt.« Alicia lächelte mich an, verständnisvoll und auf einmal so nah, dass ich ihre langen dunklen Wimpern entdeckte. Hatte sie die früher auch gehabt?
»Habe ich das? Habe ich gar nicht gemerkt, entschuldige.«
Die leiseste Ahnung einer Gesprächspause wurde von Jim genutzt.
»Andy.« Seine Hand legte sich wie ein Zementsack auf meine. Er musste kurz mit mir sprechen.
Er drehte Alicia die Schulter zu, er war ein Meister, wenn es darum ging, in großer Runde einen intimen Gesprächszirkel zu formen, er wandte die Schulter, er drehte den Rücken, er fragte Alicia, ob sie nicht noch etwas trinken wolle, er überhörte ihre dankende Ablehnung, vier Wodka Orange, Darren, sagte er, obwohl die Barkeeperin viel näher zu ihm stand. Anisschnaps war es gewesen, was wir zuvor getrunken hatten. Nun roch ich es aus seinem Mund.

»Warum ist eigentlich Jessica nicht dabei?«
Er war überrumpelt.
»Hätte ich sie fragen sollen, ob sie mitkommt? Das hier ist doch nicht ihre Welt. Ich dachte, ich gehe morgen Nachmittag mit ihr an der Themse spazieren. Oder in den Richmond Park. Die Sonne muss man ausnutzen. Jedenfalls – danke, Darren, du bist ein Star! Andy, also. Kozluk rief an.«
Das war seine Art, Streit zu schlichten: zu tun, als hätte es nie Streit gegeben.
Kozluk hatte ihm berichtet, wie gut ich mich geschlagen hatte. Meine Hand drückte das Bierglas, es mochte jeden Moment zerspringen, aber ich drückte weiter. Eine häufige Reaktion auf ein traumatisches Ereignis sei permanente Wachsamkeit, Zittern, Schreckhaftigkeit, Reizbarkeit, stand in den Informationsblättern von Holgers Frau. Ich hatte sie nicht lesen wollen, aber da ich nach dem Zeitungsartikel im Evening Standard keinen Wert darauf legte, auf die Straße zu gehen, und ich mich zu Hause auf wenig konzentrieren konnte, hatte ich die Blätter doch, kurz, in die Hand genommen. Solche Reaktionen seien vollkommen verständlich, stand dort geschrieben. Aber es war doch nicht ich, es war doch Jim, der mich reizte, der mich zum Explodieren brachte: Kozluk hatte ihm berichtet, wie gut ich mich geschlagen hatte. Was glaubte er: dass dies ein Wettkampf war, dass es darum ging, irgendwen zu schlagen, und wenn, wen denn, etwa die Eltern des Jungen?
Kozluk hatte alle Informationen beschafft.
Jim fuhr die Ellenbogen aus, um Alicia den Weg zurück zu uns zu versperren. Er wartete und akzeptierte schließlich, dass er von mir keine Reaktion, geschweige denn ein Lob hören würde.
0,25 Promille hatte mein Alkoholniveau betragen, weit unter der Grenze, da gab es keine Probleme mehr, der Fall

war, was mich betraf, beendet, und soweit er dazu etwas sagen durfte, sollte der Fall auch abgeschlossen bleiben. »Wozu willst du den Namen des Jungen wissen, Andy?«

»Was geht dich das an?«

»Nichts oder wenig; wenig geht mich das an. Kozluk hat die Namen – Eltern, Junge, Adresse, alles. Das ist nicht das Problem. Aber ich denke, du solltest versuchen, den Fall hinter dir zu lassen und dich nicht noch weiter hineinzuwühlen.«

»Den *Fall.*«

»Dann halt den Unfall, das Drama, was du willst, mein Gott, Andy, ich verstehe, dass du verletzlich bist, aber lege doch nicht jedes meiner Worte auf die Goldwaage.«

»Schön zu hören, dass du wenigstens irgendetwas verstehst. Verstehst du dann vielleicht auch, wie es dazu kam, dass hier alle Welt herumerzählt, ich würde geschmacklose Geschichten von einem toten Jungen erfinden, um auf mich aufmerksam zu machen?«

»Wer erzählt was?«

»Ach, nichts.«

»Andy –« Er verstand mein Zeichen, nicht weiterzureden. Eine Gruppe von Schauspielern stand um die Tische der Komiker. Fairholme sprach nun animiert mit einer langhaarigen Frau, sie hatte nichts dagegen, dass er unnötig nah zu ihr stand, sie sonnte sich in seinem Lachen. Als würde er meinen Blick über zehn Meter und 50 Schultern spüren, sah er auf und entdeckte mich. Mit unbeweglichem Gesicht starrte ich ihm weiter direkt in die Augen. Seine Gesprächspartnerin, die ein äußerst kurzes Kleid mit einem extrem breiten Gürtel trug, argumentierte mit ihren Händen, sie fasste ihn sogar am Oberarm, doch er schüttelte sie sanft ab und wich unter meinem Blick zurück. Er verabschiedete sich von der Frau mit ein paar Worten und vom

Rest der Gruppe mit einem hektischen Gruß. Während er Richtung Ausgang ging, starrte ich ihn mit zusammengekniffenen Augen unvermindert an, bis ich ihn nicht mehr sah.

Als ich meine Augen wieder entspannte, spürte ich einen Druck auf meinem Rückgrat, ohne ihn zunächst definieren zu können. Eine Hand streichelte mich. Das beruhigende Gefühl wurde auch kaum durch die Erkenntnis gemildert, dass Alicia nicht nur mich, sondern gleichzeitig auch Jim streichelte.
Wie so vieles verstand er auch diese Geste falsch; nicht als Zeichen, es gut sein zu lassen, sondern als Signal, wieder loslegen zu können.
Er wolle ja nicht wieder damit anfangen, fing er an, aber der Bericht im STANDARD habe, auch wenn er nichts für ihn konnte und ihn lieber nicht veröffentlicht gesehen hätte, doch eine beträchtliche Wirkung gezeigt, und wenn er beträchtlich sagte, meinte er: positiv. Er hatte etliche Anfragen von Promotern für mich, und wenn er etliche sagte, meinte er etliche, ich würde sehen, nächsten Montag wäre die Lamb Tavern voll, sogar die BBC hatte wegen eines Interviews angerufen.
Ausgelaugt vom permanenten Aufbrausen und Zusammensacken, war ich, innerlich in andauernder Alarmbereitschaft, in einen äußerlichen Dämmerzustand gefallen. An meiner eigenen Bösartigkeit konnte ich mich allerdings noch erfreuen. »Der Reporter von der BBC hat sich gemeldet. Er rief am Mittwoch viermal an und hinterließ drei Nachrichten, es sei dringend, wir wären doch verabredet, er hätte schon die Schaltung gelegt. Ich bin nicht ans Telefon gegangen.«
Hey, sie spielten Kylie Minogue, sagte Jim einfach.

Mark Goodison, der im Brewhouse aufgetreten war, kam an die Bar, ob wir gehört hätten, David Beckham sei ausgeraubt worden. »Er hatte sich seine PIN auf den Arm tätowieren lassen.« Goodison lachte schallend, brüllte: »War das jetzt mein Witz oder deiner, Andy?«, und war schon wieder in der Menge untergetaucht. Alicia sagte, sie gehe jetzt aber wirklich, und blieb. Fletcher stand da. Jim holte Goodison zurück, bleib doch mal hier, Goody, wie war es im Brewhouse, hatte er mit Mike Butcher geredet, er wüsste schon, dem Promoter.

Ich sagte, ich müsse noch einmal auf die Toilette. Schwerfällig nahm ich die Treppen, erblickte den Ausgang und trug meinen Parka noch in der Hand, als ich schon fröstelnd in der klaren Nacht durch die Charing Cross Road lief.

neun

Auf den Bürgersteigen der Charing Cross Road galten die Gesetze englischer Autobahnen, links gehen, rechts überholen. Ein unausgesprochenes Einverständnis ordnete die wilde Prozession der Nachtschwärmer. Gedankenverloren verfing ich mich im Gegenstrom. Ellenbogen schubsten mich aus der Bahn, ich strauchelte. Augenblicklich zogen mich kräftige Hände vom Boden und reihten mich richtig ein, ehe ich mich bei meinen Helfern bedanken konnte, hatte der Strom sie schon davongetragen.

Hunderte junge Leute schwärmten zwischen den Bars und Klubs des West Ends hin und her, Frauen mit Glitzer auf den Wangen, Männer ohne Jacken, Jungen mit ungesundem Teint und zu viel Gel in den Haaren. Kreischend und krakeelend bildeten sie einen kuriosen Kontrast zu den Schaufenstern der Charing Cross Road, in denen Bücher neben Büchern standen. Und doch waren die Nachtschwärmer mehr als die Dutzend aneinandergereihten Buchläden ein Beweis für das Kultivierte dieser Stadt, die die Höflichkeit zur höchsten Ordnungsmacht ausgerufen hatte.

Für einen Moment glaubte ich, es sei die frische Luft der Nacht, die mich belebte, dann jedoch wusste ich es besser. Es war kein Luftzug, es war eine Offenbarung: Draußen auf der Straße, im Strom der glitzernden und ausgelassenen Menge, war ich endlich wieder irgendwer und nicht der, der den Jungen getötet hatte.

Ich fühlte eine tiefe und törichte Befriedigung, ohne Verabschiedung aus dem Phoenix weggelaufen zu sein. Sicher hatten sie sich einen Moment lang gegenseitig Sorge um mich vorgespielt, Jim war vermutlich einmal hinauf auf die Straße gelaufen, unten in der Bar empfingen die Handys kaum ein Signal, er würde kopfschüttelnd zurückgekehrt sein, geht nicht ran, und nach zwei, drei pflichtbewussten Erklärungen zu meinem Zustand waren sie wieder bei der Comedy gelandet. Eine Limonadendose lag am Bordstein, ich trat extra auf die Straße, um sie elanvoll die Charing Cross Road hinunterzuschießen.
Ich bog in die Old Compton Street ein, wo die Tische der Straßencafés besetzt waren, als existiere die Kälte nicht. Eigentlich war ich auf dem Weg Richtung Piccadilly, wo die Nachtbusse nach Fulham hielten, doch die Entscheidung, noch nicht nach Hause zu fahren, reifte schon. Ich hatte genügend Nächte im Bett gelegen und vergeblich darauf gewartet, endlich wieder einschlafen zu können. Zwölf Tage hatte ich nur ein Thema gekannt, studiert, analysiert: mich. Mit ein wenig Abstand, den ich für kurze Momente sogar fand, war es durchaus faszinierend zu bemerken, wie genau man sich selbst auch im eigenen Ausnahmezustand beobachten und durchschauen konnte; ohne allerdings dadurch die Fähigkeit zu erlangen, sich zu ändern.
Ich hatte dies alles satt und am meisten mich selbst.

Die Schlange vor einem Nachtklub brach den Strom auf dem Bürgersteig, ich musste auf die Straße ausweichen. Ich erinnerte mich an den Klub und rang mir ein Lächeln ab. Es war in meinen ersten Monaten als Komiker gewesen, ich war noch beseelt davon, es allen recht zu machen, und naiv genug zu glauben, jeder Auftritt könnte den Durchbruch bedeuten. Ich erschien 40 Minuten vor der

Show im Soho Club und stand vor verschlossener Tür. Als der Geschäftsführer schließlich kam, die Glatze glänzend vor Creme, eine Lederweste über dem karierten Hemd, musterte er mich, sagte drei Minuten nichts und dann: »Du bist aber nicht schwul, oder?«
Jemand hatte dem Promoter erzählt, Jim repräsentiere einen begabten homosexuellen Komiker. Irgendetwas war schiefgelaufen, was, war nun nicht mehr nachzuvollziehen, unzweifelhaft war nur, ich war gekommen und nicht Bernard. Der Geschäftsführer sagte, er könne der Comedy-Nacht sowieso nicht viel abgewinnen, sie wäre eine Idee des Besitzers. Also könne genauso gut auch ich auftreten.
Ich eröffnete die wöchentliche Soho Club Comedy Night, vor mir 200 Leute, die davon ausgingen, dass hier jeder, also auch ich, so war wie sie. Ich sagte Guten Abend, irgendjemand vom Veranstalter habe sich leider in der Minderheit geirrt. Ich sei Deutscher, nicht schwul.
Sie waren erheitert. Sie wussten nicht genau, wo der Witz lag, ob ich nun tatsächlich nur Deutscher oder doch deutsch und schwul war. Ich sagte: »Aber für die *Daily-Mail*-Leser ist das sowieso dasselbe.«
Mit zwei Sätzen hatte ich sie für mich eingenommen. *Ich habe sie.* Es war nie ein ausformulierter Gedanke, nur eine instinktive Regung, aber sie durchdrang meinen ganzen Körper, sie füllte mich mit ein wenig Kraft und sehr viel mehr Gier, Hunger auf ihr nächstes Lachen. *Ich habe sie.* Es gab kein besseres Gefühl.
»Während für einen Australier ein Schwuler ja ein Mann ist, der Frauen lieber mag als Bier.«
Wenn ich sie hatte, gelang mir alles. Ich war dann eine der Comicfiguren, in deren Kopf Ausrufezeichen blitzten.
»Aber nun zu den Bereichen, in denen ich mich besser auskenne, Nazigruß und pünktliche Züge statt Analsex.«

Ich riss nicht das Dach des Soho Clubs ein, aber daran gemessen, dass ich die falsche Besetzung war, schlug ich mich ordentlich. Sie mochten mich, und wenn sie dich mochten, musste nicht jeder Witz unerträglich lustig, exakt nach ihrem Geschmack sein. Ein wohliges Gefühl der Zuneigung hüllte uns – sie und mich – ein.
Wie wunderbar unschuldig ich damals gewesen war.
Als ich meinem Vater nach dem Master-Kurs gestand, ich würde noch eine Weile in London bleiben und als Komiker arbeiten, fragte er bemüht sachlich, ob das denn was Richtiges für einen Mann von 30 sei. Und da war ich erst 28. Ich antwortete ihm: Mal sehen. Aber ich glühte bereits vor Überzeugung. Das war es.
Comedy war das Erste in meinem Leben, das mir das Gefühl schenkte: Ich kann etwas wirklich gut.
Drei Jahre später war ich mir bewusst, wie roh und ungelenk ich zu Beginn auftrat, doch vor allem erkannte ich, wie frei von all dem törichten Drumherum der Comedy-Szene ich gewesen war. Dieses permanente Kreisen um die Comedy, was ziehe ich an, mit dem Promoter vom Churchill Arms musst du dich gut stellen, Jim muss mich unbedingt auf Bill Hallways Kosten auf den zweitwichtigsten Startplatz im Phenomenal durchdrücken, alle denken, dass du die Geschichte von dem toten Jungen und verlorenen Lachen erfunden hast.
Und nirgendwo eine Limonadendose im Rinnsal, die ich hätte treten können.
Damals im Soho Club hatte ich mich nach meinem Auftritt unter das Publikum gemischt, erfüllt vom Glück, davongekommen zu sein. Ich sprach niemanden an und nahm doch dankbar jede Einladung zu einem Bier oder Gespräch an. Für das nächste Mal, sagte einer der Schwulen am Ende und legte einen Arm um mich, damit du dann wenigstens

einen Schwulengag drauhast: »Kommt ein Mann in die Bar und bestellt sechs Wodka. ›Ist Ihnen was passiert?‹, fragt der Barkeeper. ›Ich habe erfahren, dass mein jüngerer Bruder schwul ist.‹ Am nächsten Tag kommt der Mann erneut in die Bar und bestellt sechs Wodka. ›Ich habe erfahren, dass mein älterer Bruder auch schwul ist.‹ Am dritten Tag ist er schon wieder da und verlangt sechs Wodka. ›Ja, liebt denn niemand in Ihrer Familie Frauen?‹, fragt der Barkeeper. ›Doch, meine Ehefrau.‹«

Ich traute mich nicht, richtig zu lachen.

Damals genoss ich die Gespräche und das Bier, den Moment nach der Show, ohne einen Hintergedanken. Drei Jahre danach spielte ich eine Rolle, wenn es sich einmal nicht vermeiden ließ und ich mich mit Zuschauern unterhalten musste. Ich tat lustig und angenehm berührt. In Gedanken war ich nicht anwesend. Es ging viel zu oft nur noch darum, schnell ins Phoenix zu kommen; darum, was die anderen im Phoenix von einem dachten.

Die Schlange vor dem Soho Club umfasste nicht mehr als 20 Männer, weshalb es umso langsamer voranging, weil die Wartereihe vor der Tür eines Klubs, der etwas auf sich hielt, nie kurz werden durfte. Ich spielte mit dem Gedanken hineinzugehen. Es war eine dieser Ideen, von denen man schon, während man sie dachte, wusste, man würde sie nicht umsetzen.

Als ich vor der ehemaligen Kirche an der Ecke Shaftesbury Avenue mit Charing Cross Road wieder eine Warteschlange sah, konnte ich mich nicht entsinnen, wie ich vom Soho Club hierhergelangt war. Diese Schlange war so kurz, dass die Türsteher die Wartezeit manipulieren konnten, wie sie wollten, es ließ sich kein Massenandrang simulieren. Bis vor Kurzem war die Kirche noch eine Diskothek gewesen, ich hatte auf dem Weg zum Phoenix öfters von der U-Bahn-Station Leicester Square hinübergesehen. Nun war ein australischer Themenpub eingezogen. Ich gesellte mich in der Schlange zu den anderen drei Wartenden.

Das grelle Licht der Diskoscheinwerfer ließ mich sofort in die Defensive gehen. Meine Augen sahen nichts, instinktiv suchte ich den Tresen, etwas, an dem ich mich festhalten konnte. Verschüttete Getränke hatten eine Schliere auf dem Boden gebildet, die Schuhe schlürften jedes Mal, wenn ich sie anhob. Ich rang nach Luft und inhalierte nur Zigarettenrauch, Ausdünstungen und Kunstnebel. Was ich wolle, brüllte der Barkeeper gegen die Musik an, es klang wie eine Drohung, ich sagte, Gin Tonic, und glaubte, mich übergeben zu müssen, als ich es nur aussprach. Als sich meine Augen an den ständigen Wechsel zwischen Hell und Dunkel gewöhnt hatten, erkannte ich, dass ich neben einer langhaarigen Frau stand, die mich anlächelte. Als ich vorsichtig zurücklächelte, nahm sie ihr Wechselgeld entgegen und ging weg.

Ich hielt die Augen krampfhaft auf ihre sich entfernenden Schultern gerichtet, um niemanden mit meinem Blick zu belästigen. Leute, nass und weich, schoben sich an mir vorbei. Es war ein großer, hoher Raum, holzverkleidet, in der Mitte befand sich wohl eine Tanzfläche, aber die Leute tanzten überall, in den Gängen, an der Bar, nur nicht auf den wenigen Tischen. Noch nicht, dachte ich. Die meisten trugen kurzärmlige T-Shirts und Jeans, und ich traute ihnen zu, dass sie so spärlich bekleidet auch durch die Novembernacht liefen. Eine Jacke anzuziehen brachte in ihren Augen nur Unannehmlichkeiten mit sich, das lange Anstehen vor der Garderobe, das eine Pfund Sterling für die Aufbewahrung, die Gefahr, das Märkchen betrunken

zu verlieren. Ich erkannte das Lied, das gespielt wurde. Das entspannte mich ein wenig. Es war ein Song von *Wham;* fast zwei Jahrzehnte alt.
Sie tanzte mit ihrer Freundin über ihren auf dem klebrigen Boden abgestellten Handtaschen, ihre kleinen Getränkeflaschen schaukelten sie vor ihrem Busen sanft im Takt. Wenn es der Rhythmus des Liedes vorsah, dass ihr Kopf in Richtung Bar schwenkte, suchte sie mich. Sie war jung genug, um sie mit ein wenig spielerischer Höflichkeit noch ein Mädchen zu nennen. Ich legte den Ellenbogen auf den Tresen, trank vom Gin Tonic, um über dem Glasrand verstohlen ihren Bewegungen zu folgen. Mein Ärmel auf dem Tresen wurde in Bier getränkt. Mit Frauen war es wie mit der Comedy; wenn ich zum ersten Mal in dem Pub oder Klub war, fühlte ich mich verwundbar, ausgeliefert; außerhalb meines Terrains.
Violeta mochte mich verlassen haben, aber die Regel blieb mir: Sie mussten schon mich ansprechen.
Als ich mir das versichert hatte, ging es mir besser. Es lag kein Druck auf mir, dass irgendetwas passieren musste.
Ich hatte mich nie einsam gefühlt. Allein zu sein bedeutete für mich, frei von solchen Pflichten zu leben, wie durch Hampstead Heath spazieren zu müssen. Allein zu sein verschaffte mir das schönste der Gefühle, das die Liebe bereithielt: die Hoffnung, dass es bald, jederzeit, passieren könnte. Doch der gewohnte Enthusiasmus, dass es mit der Frau, jung genug, sie ein Mädchen zu nennen, passieren könnte, packte mich nicht. Alles, was, müde und erschlagen, noch in mir erwachte, war die Gier eines Jägers und Sammlers.
Auf der Tanzfläche sprachen zwei Türsteher in schwarzen Fliegerjacken beruhigend auf einen Gast ein. Er hatte sich das eigene Bier über den Kopf geschüttet. Es war, das erkannten auch die Ordner, ein Ausdruck des Überschwangs

gewesen. Die Musik spielte nun ein Lied, das fast so alt wie ich war, ich kannte noch nicht einmal die Interpreten oder den Titel, nur den süßlichen Klang, der klebrig wie ein Kaugummi haften blieben. In Emden und Oldenburg hätte ich eine solche Bar als provinziell abgelehnt. Hier in London empfand ich, gut verpackt in meine Stumpfheit, eine sanfte Zuneigung für den Ort und seine Gäste. Ich war ein bedingungsloser Bewunderer des englischen Drangs, die Dinge exzessiv zu betreiben, egal, ob es um den Humor ging, Toleranz oder Alkoholkonsum. Der Pub war auf seine abstoßende Weise nur eine weitere Facette des wunderbaren englischen Extremismus.

Ich hätte nicht gewusst, wo ich sonst leben sollte. Die Sehnsucht, alles hinzuwerfen, aus London zu verschwinden, kehrte in endlosen, nervenzerreibenden Wiederholungen zurück. Doch wenn ich anfing, den Gedanken konkret durchzuspielen, wurde ich erst richtig verzweifelt. Wohin ich auch gehen würde, ich würde dort nicht viel machen, außer der Stadt und meinem Londoner Leben nachzutrauern. Andererseits war ich schon jetzt damit beschäftigt, mein Londoner Leben zu vermissen. Es gab kein Zurück und kein Vorwärts für mich.

Ich war aus Emden und später aus Oldenburg weggegangen, um etwas hinter mir zu lassen, nicht, um irgendwo anzukommen. Ich war froh, eine Stadt gefunden zu haben, in der ich nie zu Hause sein würde, in der ich aber wenigstens nicht mehr daran dachte, nach einem Zuhause weitersuchen zu müssen.

Ich hatte sie nicht kommen sehen. Sie tanzte plötzlich vor mir, zwei Meter entfernt, drei grobleibige, schwitzende, glückliche Tänzer zwischen uns, und doch bildeten wir schon eine spürbare Einheit.

Ihre langes Haar war leicht gelockt, ungebändigt. In einer

Jeans und einem langärmligen grauen T-Shirt steckte ein zarter, aber alles andere als zerbrechlicher Körper. Sie bemerkte meinen Blick und sagte etwas zu ihrer Freundin. Diese bog die Schultern zurück und schüttelte eine Bewegung aus ihrem Oberkörper, sodass ihre zwei kleinen Brüste tanzten. Es gab kein besseres Gefühl: Ich habe sie.
Ein Lied ging ins nächste über, sie blickte auf ihre Handtaschen hinunter, ihre Hände ballten sich, während ihre Arme wilder schwangen. Ein Junge im roten T-Shirt voller frischer Flecken kam heran und schrie ihr etwas ins Ohr. Sie wandte sich ab, ohne den Blick zu heben. Ich, den leeren Plastikbecher in den Händen, begann zu tanzen; vorwärts, immer weiter.
Ihr Arm berührte ungewollt meinen Bauch. Mir wurde heiß. Dabei hatte ich gedacht, mir wäre schon heiß. Ihre rotblonde Freundin bewegte sich im Takt der Musik seitwärts, bis sie, als habe sie die Melodie konsequent dorthin geführt, hinter uns verschwand.
»Ziemlich kalte Nacht heute, was.«
Sie verbarg nicht, was sie von meinem Humor hielt. Sie wandte sich ihrer Freundin zu. Sie redeten nicht. Sie lachten nur. Ich sang zu einem Lied, dessen Text ich nicht kannte, zog mich in die wogende Menge zurück und sammelte Courage für einen zweiten Versuch.
»Hallo, ich bin Andy. Schön, dich kennenzulernen.«
Sie musste nichts tun. Sie stand da, und ich küsste sie auf beide Wangen, der zweite Kuss streifte ihren Mund derart, dass sich nur noch schwer an Zufall glauben ließ.
Sie hieß Orla. Ihre Freundin Lucy, sie deutete mit einem halben Nicken hinter sich, und sie waren aus Nordirland.
»Interessant«, sagte ich. Sie war vielleicht 20.
»Sehr interessant«, sagte sie und lachte derb. Lucy lachte wie jemand, der weiß, was von ihm erwartet wird.

Allenfalls 20 war sie.
Ich wusste nicht, was ich noch hätte sagen sollen.
Ich sagte: »Einen Drink?«
Ich war froh, sie einladen zu können, selbst wenn der Gang zur Bar nur den kürzesten Waffenstillstand versprach. Arme schoben mich am Tresen zur Seite, Schultern drückten mich weg, ich beschwerte mich nicht. Als ich mit meinen drei Gläsern zurückkam, waren sie nicht mehr da.
Ich weiß nicht, wie lange ich wartete, bis ich sie von den Toiletten kommen sah, ich erkannte Orla, obwohl sie durch Lucy fast vollends verdeckt wurde. Sie hatte sich die kräftigen Lippen nachgezeichnet. Das tiefe Rot stand ihr, wenngleich sie dadurch wie ein Mädchen aussah, das reife Frau spielte. Falls sie mich fragte, würde ich sagen, ich sei 27. Wohin ich auch schaute, sangen die Leute den Refrain mit, *I don't want your freedom,* sie zogen das *eeeee* lang, schrill und hoch, und lachten über sich selbst und ihr Glück, für einen Moment absolut glücklich zu sein. Ich musste mitlachen.
»Also Nordirland.«
»Und?«
»Nichts und.«
Sie fragte nicht, woher ich sei. Fragen zu stellen war solch ein simples Mittel der menschlichen Kommunikation, und dennoch beherrschten es die wenigsten. Seit ich an Violeta festgestellt hatte, dass sie nie Fragen stellte, und danach bei anderen darauf achtete, war mir bewusst geworden, dass ich allein deshalb für viele ein ungewöhnlicher Gesprächspartner war, weil ich Fragen stellte. Die Leute glaubten, ich wäre an ihnen interessiert.
Sie studierte Agrarwissenschaften am King's College. Ihre Freundin Lucy war wie sie aus der Gegend von Letterkenny, County Donegal, also, Freundinnen waren sie aber

erst, seit sie in London waren. Ihr Dorf kannte ich sicher nicht, natürlich konnte sie mir den Namen sagen, aber wozu, nun, Kirkneedy. Natürlich hatte ich es noch nie gehört, was hatte ich denn gedacht. Ihre Familie betrieb eine Milchfarm, warum wollte ich denn wissen, wie viele Kühe sie hatten. Sie war sich nicht sicher, ob sie später einmal dort arbeiten wollte, ob sie die Farm überhaupt übernehmen könnte, es gab auch noch ihre zwei Brüder. 200 Kühe waren es, wenn ich es denn unbedingt wissen wollte. London gefiel ihr, auch wenn es anders als Kirkneedy war.
In wenigen Minuten erwarb ich ein klares Bild von ihr und musste dafür noch nicht einmal den Tanz unterbrechen. Ich hatte Erfahrungen mit Menschen, die keine Fragen stellten. Ich wusste, ich musste nun ungefragt von mir erzählen, sonst galt ich als unhöflich.
»Ich habe auch mit Tieren zu tun. Allerdings sind sie ein bisschen glitschiger als Kühe.«
Sie fragte noch immer nicht. Sie tanzte einfach weiter und griff, als müsse sie sich wappnen, nach Lucys Hand.
»Ich bin ein Meeresbiologe an Land.«
Ich arbeitete im New London Laboratory, wir bekamen die Proben von den Forschern auf See und mussten sie untersuchen, Fische und Fauna, derzeit waren wir einer Epidemie bei den chilenischen Lachsen auf der Spur, kein Witz, sondern eine Tragödie, überfüttert mit Antibiotika, steckten sie sich in den übervölkerten Zuchtkäfigen permanent gegenseitig an.
Aus dem Handgreif schuf ich mir meine Biografie. Ich war bereits geübt. Jim und ich hatten uns manchmal im Phoenix im Gespräch mit Schauspielerinnen Fantasie-Identitäten gegeben. Ich griff gern auf die Meeresbiologie zurück, ich hatte einen Roman über einen jungen Ungarn gelesen, der als Meeresbiologe nach London zog. Sprachlich

war das Werk alles andere als ausgereift, aber mit Details über Forschung und Fische reich genug bestückt, um mir zu helfen, in wenigen Sekunden glaubhaft ein neues Leben zu entwerfen.
Diesmal war es kein Spaß. Diesmal erschien es mir eine Notwendigkeit, vor Orla nicht der zu sein, der ich war.
Die Gesichter der Tanzenden waren blau. Ich griff nach Orlas Hand. Die Diskolichter wechselten zu Gelb, wieder Blau. Einzelne Momente blitzten aus der Menge auf; zwei Hände, die sich hielten, hoch in der Luft; ein Mädchen, das den Pferdeschwanz öffnete und die verschwitzten Haare von sich warf; Finger, weitmöglichst gespreizt, die ein fremdes, lachendes Gesicht hielten, Gelb, Blau, Gelb.
Einen Moment, sagte Orla lautlos zu mir. Sie hob ihre Handtasche vom Boden auf, schob sie auf die rechte Schulter, schloss die Augen und wartete auf meinen Kuss.

Als wir ins Freie traten, hatte es zu regnen begonnen. Regen, so fein, dass man ihn gar nicht spürte, fiel zum ersten Mal seit zwölf Nächten auf die Stadt. In den Scheinwerfern der Autos schwamm London. Auf den Bürgersteigen standen Jugendliche in kleinen Gruppen, niemand hatte eine Jacke an, ihre Kleidung, ob an den Armen der Männer oder an den Beinen der Frauen, war vor allem eines: kurz.
»Und jetzt?«
Ich bündelte meine ganze Kraft, um mich mit einem langen, tiefen Kuss vor einer Antwort zu drücken. Sie missverstand meinen Kuss als Antwort.
»Dann komm.«
Lucy verabschiedete sich mit einem kalten Kuss auf Orlas Wange und einem eisigen Druck meiner Hand.
Orla wohnte in einem Studentenheim in Wandsworth. Die Scheibenwischer des illegalen Taxis surrten gemütlich

hin und her, als genossen sie es, endlich wieder ein wenig leichte Arbeit zu finden. Lucy habe eigentlich bei ihr übernachten wollen, sagte sie. Ich suchte ihre Hand. Vereint lagen unsere Hände zwischen uns auf dem billigen Stoffbezug der Rückbank und entschuldigten unser Schweigen.
In meinem Studentenheim in Battersea, an meinem ersten Morgen in London, hatte ich Violeta zum ersten Mal gesehen. Ich war damals mit einem Hitler-Schnauzbart in der Gemeinschaftsküche erschienen. Jemand hatte ihn mir, während ich schlief, ins Gesicht gemalt. Mit Seife und warmem Wasser, das es durchaus gab, wenn man den Wasserhahn fünf Minuten laufen ließ, hätte sich die Oberlippe leicht vom schwarzen Edding-Stift reinigen lassen. Doch ich ahnte schon damals, am ersten Morgen, dass es in England nicht darum ging, was ich lustig fand, sondern dass es allenfalls als humorlos galt, irgendeinen Scherz nicht mitzumachen. Also lief ich mit dem Schnauzbart in der Küche ein. Alan, der Biologie studierte, nahm seine Teetasse nicht vom Mund, während er aufblickte. Er sah schon wieder auf den Tisch aus grobem Holz, ehe er mit jener gleichgültigen Stimme, die er für das Offensichtliche reservierte, sagte: »Bisschen früh am Morgen für Nazis.« Ein schwarzhaariges Mädchen hielt den Teekessel unter den Wasserhahn und redete über das strömende Wasser hinweg: »Mach dir nichts draus. Mir haben sie in der ersten Nacht im Schlaf auch einen Schnauzbart gemalt.« Sie war aus Spanien. Ich dachte, so beginnen echte Freundschaften, und kannte noch nicht einmal ihren Namen. Violeta, sagte sie, mit einem t.
Was hatte Violeta, was Orla nicht hatte?
Die Frage war ungerecht, zuvorderst auch unangebracht, nachdem ich Orla erst zwei Stunden kannte und ihr die Chance, sich näher vorzustellen, die meiste Zeit damit ver-

baut hatte, indem ich ihr mit meiner Zunge den Mund versperrte. Doch ich war bereits überzeugt, dass ich sie früher oder später mit Violeta vergleichen und nicht mehr sehen würde. Es war allerdings auch einfach, dies schon zu wissen. Es war mit allen Frauen so.

Sie sagte nichts, sie legte einfach ihren Zeigefinger, sanft und spielerisch, auf meinen Mund, als sie die Tür des Wohnheims aufgeschlossen hatte. Wir schlichen die Treppen hinauf bis in den fünften Stock, und die Erregung, etwas Geheimes zu tun, erfüllte mich, auch wenn es niemanden gab, vor dem es sich lohnte, unseren Gang in ihr Zimmer geheim zu halten.
Der Fantasie von Architekten waren bei der Konstruktion von Studentenheimen vermutlich enge Grenzen gesetzt. Jedenfalls wähnte ich mich auf einer Zeitreise zurück nach Battersea. Zu mir und Violeta. Die Tür ließ sich nur zur Hälfte öffnen, dann stieß sie an das schmale Bett dahinter, an das sich beinahe nahtlos der Kleiderschrank und schließlich ein Schreibtisch anschlossen, die ihre lieblose Fertigung gar nicht vertuschen wollten. Überall war blauer, von Zigarettenglut durchlöcherter Teppich, auch im Bad. Sie hatte das Licht eingeschaltet. Grell leuchtete an der Decke eine nackte Glühbirne. Ich fühlte mich entzaubert. Auf dem Bücherregal gab es zu wenig, um es ernsthaft zu studieren. Ich stand im Nirgendwo des kleinen Raums, einen Schritt hinter ihr, sah sie an und lachte.
»Also.«
Sie lachte zurück. Die reine Haut, der neugierige Blick. Ihre Jugend und mein Alkoholkonsum machten sie zur Ikone. Aber wir kamen uns nicht näher.
»Ich habe leider nichts zu trinken hier.«
»Macht nichts.«

Ich setzte mich ungebeten auf das Bett und dachte, das sei schon einmal ein Anfang.
»Andy.« Sie kam immer noch nicht näher. »Ich kann nicht mit dir schlafen.«
Ich lachte.
»Probleme«, sagte ich und ließ offen, ob es als Feststellung oder Frage gemeint war. Ich wusste es selbst nicht.
»Also«, sie legte kurz ihren Kopf in den Nacken, sodass ihr kurzes T-Shirt den Bauchnabel freigab und die schlanken Hüften ahnen ließ. Der rote Lippenstift leuchtete nicht mehr, betonte aber unverändert die vollen Lippen. »Ich glaube an Gott. Ich schlafe mit niemandem, bevor ich verheiratet bin. Das bedeutet nicht, dass ich mir nicht sehr gut vorstellen könnte, dass wir uns, also, öfters sehen.«
Ich lachte entspannt. Kein Sex vor der Hochzeit. Nichts hatte solch eine befreiende Kraft wie ein Scherz, er musste nicht einmal originell sein, er musste nur zum rechten Zeitpunkt kommen. Ich wusste nicht, woran ich schließlich merkte, dass sie gar keinen Witz gemacht hatte.
»Du meinst – also, das war ernst gemeint?«
»Natürlich.«
»Oh, Entschuldigung, es ist nur, also, du weißt schon.« Aber es war mir partout nicht peinlich. Mein Lachen hatte mich aus der Verkrampfung gerissen. Ihr musste es ähnlich ergehen.
»Ich bin mir sicher, du triffst nicht viele Mädchen, die dir das in ihrem Bett gestehen.«
»Nein«, sagte ich und dachte: Viele Mädchen traf ich wirklich nicht.
»Es ist in Ordnung«, sagte ich und küsste sie, dankbar und erleichtert, weil es mir, aus ganz anderem Grund als ihr, genauso zu früh für Sex schien.
Wir krochen unter die Bettdecke. Sie schaltete das Licht aus.

Die Kälte hatte sich unter der Decke gespeichert, ich fröstelte, nur mit meiner Unterhose bekleidet, und schmiegte mich an sie. Ihre Haare rochen herb nach Rauch. Sie trug ihr graues langärmliges T-Shirt und Jeans. Die Schuhe hatte sie immerhin ausgezogen.
»Bist du katholisch oder protestantisch?«, fragte ich in die Dunkelheit.
»Warum wollen das alle wissen, nur weil ich aus Nordirland bin?«
Ich nahm das als Antwort. Auch wenn ich nicht aus politischen, sondern rein körperlichen Gründen neugierig auf ihren Gott gewesen wäre.
Ich hörte eine Weile ihrem Atem zu. Etwas, was mich an Violeta bezirzt hatte, war ihr Lachen gewesen. Wenn ich etwas sagte, hatte sie oft kurz aufgelacht, vor Erstaunen oder aus Zustimmung, immer aber mit grundsätzlichem Verständnis. Morgen früh, wenn Orla noch schlief, würde ich die Bettdecke in Zeitlupe zurückschlagen, nur so weit, dass ich geräuschlos aus dem Bett steigen konnte, ich hatte mich auf die Seite zum Zimmer gelegt, professionell nannte man das, ich würde ihr einen Kuss auf die Augenbrauen geben und einen Zettel schreiben: Schön war es. Dann wäre ich weg.

Ich schreckte auf und war sofort hellwach. Orla saß aufrecht im Bett. Ihre Hand fuhr über meine Wange, wie man ein Kaninchen streichelt.
»Oh«, sagte ich. »Ich habe geschlafen.«
Ihr reines Mädchenlachen ging auf.
»Das kann man wohl sagen. Es ist schon zwanzig vor zehn.«
Ich wollte mich aufrichten, andererseits nicht ihre Hand auf meiner Haut verlieren.
»Ich muss mich fertig machen. Ich arbeite samstags in einem Café, um zehn muss ich spätestens los.«

War das ein Rauswurf?
»Natürlich.«
Ich katapultierte mich aus dem Bett und war in wenigen Sekunden angezogen. Ich fuhr mir zweimal durch die Haare, einmal nach hinten, einmal nach vorn, und war bereit, sie zu verlassen.
»Du kannst schon noch duschen, wenn du willst.«
»Nicht nötig, danke.«
Der Morgen danach, wenn man es nicht geschafft hatte, in der Dunkelheit zu verschwinden, wie verabschiedete man sich, wie konnte ich sie noch einmal küssen, ohne dass es zu formal oder zu leidenschaftlich wirkte.
Sie stützte das Kinn auf ihre Faust.
»Gestern sahst du so unglücklich aus. Heute machst du schon einen besseren Eindruck, ich würde sagen: nur noch zerknautscht.«
»Danke für das Kompliment.«
War ich beleidigt? Beleidigt wollte ich nicht sagen, ich war nur – also, es war nicht so, dass ich mir besonders etwas darauf einbildete, dass früher so viele Frauen zu mir gesagt hatten, »du wirkst so glücklich«, aber – gut, ich war beleidigt.
So unglücklich. Hatte sie sich meiner etwa nur aus Mitleid angenommen?
Ich beugte mich zum Abschiedskuss hinunter. Sie saß noch auf dem Bett; dass ich zehn Minuten wartete und wir gemeinsam das Studentenheim verließen, schien keine Option für sie. Als ich ihre Lippen erreichte, machte sie eine kurze Drehung, mein Kuss landete auf ihrer Wange.
Der Regen der Nacht hatte eine dampfende Feuchtigkeit hinterlassen. Ich sah mich um, parkende Autos bildeten eine geschlossene Reihe am Straßenrand, eine Frau im Jogginganzug kam des Weges. Es war Samstag. Der Trai-

ningsanzug wirkte nicht schäbig, sondern wie eine Botschaft: Zeit zu tun und zu lassen, was man wollte. Ich hatte keine Ahnung, wo ich war.
Ein durch nichts zu begründendes Gefühl sagte mir, dass ich eine U-Bahn-Station am ehesten in nördlicher Richtung finden würde. Ich ging los und erkundigte mich auch nicht bei den drei, vier Passanten, die mir entgegenkamen. Ein Wochenende lag perspektivlos vor mir. Danach kam der Montag. Ich war abgeklärt genug vorauszusehen, dass ein Auftritt montagabends in einem beliebigen Pub nicht mehr als gewöhnlich werden konnte. Ich sträubte mich, noch irgendeinem Comedy-Auftritt eine besondere Bedeutung zuzugestehen. Und ich war trotzdem gespannt, was der Artikel im Evening Standard ausgelöst hatte, ob am Montag im Lamb Tavern – noch ehe ich den Gedanken zu Ende gedacht hatte, schämte ich mich schon für ihn.
Zweieinhalb Stunden später war ich in Fulham. Ich holte den Wohnungsschlüssel aus der Jackentasche. Das Handy fischte ich versehentlich mit heraus. Vor der offenen Wohnungstür blieb ich stehen und rief Orla an. Hatte sie Lust, am Sonntag mit mir nach Hampstead Heath zu gehen?

zehn

Dann kam der Montag. Wir hatten einen Auftrag in der Burlington Lane in Chiswick, nahe der Eisenbahnlinie, und Holger war angespannt. Das Rattern der Züge ließ die Fensterscheiben vibrieren. Er sprach es nicht aus, aber ich war überzeugt, seine Nervosität speiste sich aus der Angst, mir könnte eine Glasscheibe aus den unzuverlässig gewordenen Händen gleiten. Das Wackeln der Scheiben erinnerte ihn an das Zittern meiner Finger. Als wir dabei waren, das neue Küchenfenster einzuhängen, stieß ich einen kurzen Schrei aus und ließ die Scheibe für den kürzesten Moment absichtlich los.

Sie stürzte nicht lange genug, damit Holger seinen Schrecken artikulieren konnte, schon hatte ich sie wieder fest umklammert und tat, als hätte ich nichts bemerkt. Später, als das Glas makellos im Rahmen hing, sah er mich einen Moment mit offenem Mund und reglosen Augen an.

Ich konnte nicht festmachen, was es war, aber irgendetwas an Holger forderte mich jüngst heraus, ihm wehzutun. Er ignorierte meine Launen einfach. Beharrlich schüttete er seine Anteilnahme über mich aus.

Wir kannten uns seit über zwei Jahren. Eine Bekannte von Jims Freundin war mit Holgers Frau befreundet. Sie kenne auch einen Deutschen, hatte Jessica zu Holgers Frau gesagt. Engländer glaubten, für Fremde unter ihnen müsse es eine Erleichterung sein, einen Landsmann zu entdecken. Sie ahnten nicht einmal, dass es der Albtraum vieler Deut-

scher in London war, einem anderen Deutschen zu begegnen. Keinen Kontakt zu Landsleuten zu halten war ihr Gütesiegel, »richtig in England« zu leben. Deutsche in London antworteten auf Englisch, wenn ein Tourist mit unüberhörbar deutschem Akzent sie nach dem Weg fragte. Andere Einwanderer, Italiener oder Nigerianer oder Australier, dagegen schienen oft froh, ihresgleichen kennenzulernen. Vermutlich weil sie nicht nachvollziehen konnten, was daran erstrebenswert sein sollte, »richtig in England« zu leben. Ich betrachtete mich in dieser Hinsicht eher als Italiener, Nigerianer, Australier, musste aber nicht ohne Selbstzorn feststellen, dass mir die Idee, in London für einen Deutschen zu arbeiten, zunächst widerstrebte: Würde in Emden nun noch irgendjemand glauben, ich lebte richtig in England?
Mit einem Achselzucken sagte ich zu, als mir Holger erzählte, sein Mitarbeiter kehre nach Dresden zurück und ich hätte doch gerade meinen Master-Kurs abgeschlossen, das passe doch, zumindest bis ich etwas Richtiges gefunden hätte. Ich wusste, er wollte mir mit dem Angebot gnädig einen Gefallen tun, und brannte deshalb schon damals vor Wut auf ihn.

Ohne von seinem B.L.T.-Sandwich aufzusehen, sagte Holger während der Mittagspause, die Knie im Sitzen an die Brust gezogen: »Heute hast du den Auftritt, oder?«
»Was heißt, *den* Auftritt, ich habe jede Woche etliche Auftritte!«
Doch so sehr ich mich auch sperrte, natürlich betrachtete ich die Show als *den* Auftritt. Das war wenig überraschend. Für mich war jeder Auftritt *der* Auftritt. Zumindest war dies bislang so gewesen.
Von Chiswick Park fuhr die District Line direkt nach Mo-

nument, das gab mir am Ende des Arbeitstages die Gelegenheit, Holger anzukeifen, er müsse mich nicht mitnehmen.

In der U-Bahn roch es nach Bratfett und Essigsäure. Ich hatte schon länger einen Gag über die Unart der Londoner schreiben wollen, vom Hamburger bis Pommes frites alles Unmögliche in der U-Bahn zu essen. Das langsamste Fastfood-Restaurant der Welt: die Londoner U-Bahn, irgend so etwas. Mittlerweile erkannte ich den Moment, wenn die Inspiration kam: Plötzlich sah ich gestochen scharf. Es gab keine Erklärung, warum die Inspiration in einem Augenblick aufblitzte, unter der Dusche, in Jims Auto, bei Maggie May, und in einem anderen nicht. In meiner Anfangszeit als Komiker hatte ich geglaubt, ich müsste die Idee dann sofort niederschreiben, sonst würde sie mir wieder entfliehen, ich schaltete die Dusche aus, hektisch rieb ich mich mit dem Handtuch ab und saß nackt, triefend am Schreibtisch. Zwei-, dreimal seit dem Unfall hatte es in mir geblitzt. Ich hatte die Kreativität jedes Mal ungenutzt passieren lassen. Es war mir peinlich, wie normal mein Geist weiterfunktionieren wollte.

Ich nahm den Ablaufplan für meinen Auftritt heraus, den ich am Sonntagabend nach der Rückkehr aus Hampstead Heath grob und atemlos entworfen hatte. Die U-Bahn wackelte so, dass man nichts lesen konnte. So wie etliche andere im Abteil auf ihre Zeitungen und Bücher starrte ich unbeeindruckt auf meine Schmierblätter. Ich hatte den Ablaufplan nicht gemacht, um ihm zu folgen, sondern um mir beim Niederschreiben zu versichern, dass ich mich noch an meine Gags erinnerte. Seit zwei Wochen hatte ich weder einen Auftritt gehabt noch zu Hause vor dem Badezimmerspiegel trainiert.

Es erschien mir unerheblich, ob ich den Abend meistern

würde oder nicht. Aber gleichzeitig und ohne Widerspruch pochte der entgegengesetzte Gedanke, der ewige Gedanke in meinem Gehirn: Das ist der Auftritt. Ich war gleichsam angeödet und angespannt und wusste schon nicht mehr, was daran ungewöhnlich sein sollte.

Die Lamb Tavern befand sich im Leadenhall Market, wobei der Markt nicht leicht zu erkennen war. Er glich eher einem Palast. Zehn Meter hoch streckte sich die Halle, prunkvoll verzierte Säulen trugen das Dach, Glaskuppeln ließen an sonnigen Tagen das Licht hereinfluten. Nun brannten goldene Laternen. Die Geschäfte, ihre Fassaden allesamt weinrot gestrichen, waren bereits geschlossen. Vor der Lamb Tavern stand eine Kreidetafel. Karaoke im Keller, stand darauf, Comedy im Speisesaal. Um die Tafel herum, auf dem Kopfsteinpflaster der historischen Markthalle, standen Gäste in kleinen Gruppen beim Feierabendbier zusammen. Leicht, vermutete ich, konnten sie mir ansehen, dass ich einer der Komiker oder der Karaokeeinpeitscher sein musste. Ich war der Einzige, der keinen Anzug trug; mal abgesehen von dem einen Investmentbanker, der bereits das kanariengelbe Rennradjersey und den Fahrradhelm für den Nachhauseweg angezogen hatte. Wenige Frauen waren unter den Bankern. Sie sahen, was sie keineswegs unattraktiv machte, hart aus, mit ihren Nadelstreifen-Hosenanzügen und den kerzengerade geschnittenen Frisuren. Die Absätze ihrer Stiefel befanden sich im Wettkampf: Wer hatte die höchsten?
An dem Schaufenster des Modegeschäfts gegenüber lehnten, säuberlich aufgereiht, einzelne Banker. Sie arbeiteten noch. Für ihre Diensttelefonate am Handy hatten sie sich zurückgezogen. Ich trank niemals vor einem Auftritt, von der einen, fatalen Ausnahme abgesehen. Ich wusste aber

nicht, was ich sonst hätte tun sollen, 40 Minuten zu früh, redete mir ein, doch nicht abergläubisch zu sein, und bestellte ein Bier.

Ich war stolz darauf, ein Publikum im Bruchteil einer Sekunde einordnen zu können und mein Repertoire, meine Gesten, meine Stimme entsprechend anzupassen. Ich hatte bloß noch nie darüber nachgedacht, dass es ein Publikum nur aus Bankern geben könnte.

Mit meinem Bier stand ich, erkennbar nicht dazugehörend, unter ihnen vor der Lamb Tavern. Wenn ich sie in der U-Bahn spätabends aus dem Büro kommen sah, Jungen mit ernstem Männerblick, ihre eleganten Anzüge wie unzerstörbare Ritterrüstungen, hatte ich sie widerwillig immer für ihre Gnadenlosigkeit bewundert. Sie arbeiteten 18 Stunden am Tag und tranken zum Abschluss Bier nicht unter acht Litern. Wenn sie lustig sein wollten, zogen sie einfach im Pub die Hosen runter. Sie verkomplizierten sich das Leben nicht. Aber über was lachten sie, wenn ich nicht die Hosen runterlassen wollte?

Ich vermisste Jim. Wenn er mitgekommen wäre, hätte er mir Rat gegeben, welche Schwerpunkte ich setzen sollte, mit welchen Gags ich die Menge sofort auf meine Seite zerren würde. Er hätte Sätze gesagt wie, »du musst gleich zu Beginn ein Feuerwerk abbrennen, bei Bankern dreht sich alles um Gedankenschnelligkeit, bam, bam, bam, brenn das Feuerwerk ab, scharf und klug, bäng, bäng, bäng, egal, ob dir danach nur noch kleine Munition bleibt, die Stimmung, die du einmal kreiert hast, wird dich tragen, wenn du weißt, was ich meine«. Seine Ratschläge wären ganz und gar unbrauchbar gewesen. Und doch hätten sie mir geholfen. Auch ein Komiker benötigt nichts mehr als jemanden, der ihm das befreiende Lachen schenkt.

Es gab nichts dagegen einzuwenden, dass Jim Bernard bei

seinem Auftritt in Islington begleiten wollte, nachdem ihn das Freitagspublikum im Pravda Room traumatisiert hatte. Trotzdem konnte ich den Gedanken nicht abschütteln, dass Jim wegen meiner Flucht aus dem Phoenix beleidigt war. Am Sonntag am Handy in Hampstead Heath hatte ich ihm gesagt, ich hätte keine Zeit zu reden. Durch das Telefon musste er aus dem Hintergrund Orlas vorsichtiges Lachen gehört haben. Wie konnte er nicht beleidigt sein? Ich hatte Geheimnisse vor ihm.

Die Kreidetafel kam mir wieder in den Blick, Comedy im Speisesaal. Es war Zeit, dass ich mich mit dem Raum vertraut machte. Wenn ich irgendwo zum ersten Mal auftrat, maß ich den Saal nach Möglichkeit vorher aus allen Winkeln ab, um den Eindruck zu gewinnen, der Raum, die Stühle und die Bühne, das Scheinwerferlicht und die Dunkelheit, wären auf meiner Seite, wenigstens sie.

Alles, was zur Entstehung des Lachens nötig war, war ein gut temperierter Raum. Im Winter in unbeheizten Hinterzimmern mit englisch-zugigen Fenstern erfror der beste Gag, das war zumindest meine Erfahrung, ansonsten war unterhaltsame Comedy überall möglich. Wenngleich es erstaunlich war, mit welchen Räumen uns Veranstalter die Arbeit erschwerten. Der Speisesaal im zweiten Stock der Lamb Tavern war eine durchaus exquisite Wahl – für ein Geschäftsessen. Schwere Stühle mit kerzengerader Kunstlederlehne garantierten Formalität und Steifheit. An der Wand neben der schmucken Bar lagerten Magnumflaschen Champagner. Goldgerahmte Ölgemälde mit Porträts heroischer Generäle und Bankiers aus heldenhafteren englischen Jahrhunderten hingen an der Wand. Ein Mann mit Strandschuhen und zu kurzen Hosenbeinen rückte die steifen Stühle im aussichtslosen Versuch herum, mit ihnen eine lockere Ordnung zu kreieren. Zwei junge Männer, einer in

Lederjacke, der andere mit bauschigen Koteletten, saßen, ohne sich etwas zu sagen, nebeneinander an einem Fenster, unzweifelhaft, so etwas sah ich, als Komiker zu erkennen. Es war zehn Minuten vor 19 Uhr, zehn Minuten vor Showtime. Sonst war niemand im Speisesaal.

Mein Selbstvertrauen erhielt einen abrupten Schub. So jämmerlich, wie die anderen zwei im verlassenen Raum saßen, fühlte ich mich unmittelbar besser als sie. Dass ich genauso verloren in der großen Leere stand, wäre mir nicht in den Sinn gekommen. Der Stühlerücker kam strahlend auf mich zu. Er hatte das altersweiße Haar mit Hingabe so frisiert, dass es ungekämmt wirkte.

»Du musst Andy Merkel sein.«

»Und Sie Peter Hidden.«

Eine Legende zu seiner Zeit, hatte Jim gesagt. Seine Zeit war schon einige Jahre vorüber, hätte ich gesagt. Er hatte sich, komplettiert durch ein rot-weiß quer gestreiftes T-Shirt, für die Aufgabe des Zeremonienmeisters in die Schale eines Clowns geworfen. Nichts war unpassender für einen Komiker, hätte ich gesagt.

»Ich wusste, ich würde dich erkennen: Ich sah dein Foto in der Zeitung.«

Er musste meinen gehetzten Blick spüren. Vielleicht brauchte ich auch nur zu lange, um nach Worten zu ringen. Jedenfalls beeilte er sich hinzuzufügen:

»Neben der Kritik über deinen letzten Gig, meine ich.«

»Ganz sicher haben Sie es dort gesehen.«

Ich war der deutsche Komiker, der lustige Deutsche, dabei hatte ich ein Engländer werden müssen, um diese Rolle für sie erfolgreich spielen zu können: Ich hatte ihren Humor und ihre Klischees über die Deutschen übernommen und auch ihre Art, Missbilligung in Ironie oder zumindest Sarkasmus zu verpacken. *Ganz sicher haben Sie es dort gese-*

hen. Wo doch noch nie eine Kritik über mich veröffentlicht worden war.
Es tat mir augenblicklich leid, dass ich ihn, für englische Verhältnisse, so rüde angefahren hatte. Er sprach Englisch mit der ausgeprägten Betonung der Höhergebildeten, er war ein gütiger, älterer Mann. Bei den meisten Menschen fällte ich solche festen Urteile schon nach dem allerersten Eindruck. Bei manchen lag ich damit gar richtig.
Hidden tat – was in England als Konfliktlösung galt –, als habe er mich nicht gehört. Er legte mir die Hand auf die Schulter und wandte sich an das ganze nicht vorhandene Publikum: »Wir warten vielleicht noch ein paar Minuten, damit es ein bisschen voller wird, 19 Uhr ist eine schwierige Anfangszeit für alle Berufstätigen, da kommen einige sicher ein klein wenig später.« Die zwei in der Ecke nickten.
»Komm mal kurz hinter die Ecke«, flüsterte er mir zu.
Es gab zwar keine Ecke, hinter die man treten konnte, aber Hidden trat ein paar Meter zurück. Die Tische in diesem Drittel des Raums waren zur Seite geschoben, um eine Bühne anzudeuten.
»Der Promoter kommt heute nicht, was man«, Hidden hielt die flache Hand über die Augen und durchmaß den Raum, »bei dem Anklang, den die Veranstaltung findet, als gute Idee bezeichnen darf. Ich soll mich um den Ablauf kümmern.« Aus seinem Atem kroch das Fiepen eines Asthmatikers. »Es war nicht so vorgesehen, aber ich lasse dich den Hauptakt machen, Andy. Mir ist zu Ohren gekommen, dass du im Harvard vorletzte Woche das Dach eingerissen hast, und ehrlich gesagt«, er versuchte, sein Flüstern noch leiser zu trimmen, »ich halte nicht viel von den anderen hier.«
»Okay«, sagte ich und versuchte, mir keine Freude anmerken zu lassen.

»Schau, Andy, ich weiß, was passiert ist – es tut mir unendlich leid, Andy. Wenn ich irgendetwas für dich tun kann.«

»Das wird nicht nötig sein. Und jetzt entschuldigen Sie mich, ich brauche ein Bier.«

Ich stellte mich mit dem Rücken zum Raum an die Bar. Es war keine Bedienung da. Ich trat mit dem Fußballen gegen das massive Holz des Tresens, ich trat fester, sodass sich der Fuß bog, noch fester, aber es tat nicht wirklich weh, der Schuh milderte den Schmerz leider ab.

Jim musste es Hidden erzählt haben. Weißt du, Peter, Kumpel, er ist ein guter Junge, du musst ihm eine Chance geben, mehr denn je, nach dem, was ihm passiert ist, du weißt, was ich meine, er verdient eine Chance als Nummer eins, versetz dich nur in seine Situation, vielleicht hast du den Artikel im STANDARD gesehen – nicht? –, ich schicke ihn dir, es ist herzzerreißend, Pete, das Geringste, was er verdient, ist eine Chance, eine einzige verdammte Chance. Pete, Kumpel.

Mein Fuß ließ vom Tresen ab, der Schuh schlug klatschend auf den Boden.

Nüchtern gesehen sprach einiges dafür, dass ich der Hauptakt sein sollte. Ich hatte die Namen der anderen Komiker noch nie gehört, und wenn sie mir kein Begriff waren, konnte ihr Ruf nicht weit über das eigene Wohnzimmer hinausgekommen sein. Es gab wirklich ganz rationale Gründe, ehrenwerte Kriterien wie Qualität oder Bühnenerfahrung, die dafür sprachen, dass nur ich an diesem Abend im Lamb Tavern die *headline* sein durfte, wenn man es nüchtern betrachtete. Das war alles: Man musste es doch nur ganz nüchtern sehen.

Und nicht daran denken, was die anderen Komiker später in der Szene herumerzählen würden.

»Gibt es hier kein Bier oder was, verfluchte Hölle?!«

»Die Bar muss jeden Moment öffnen, Andy, aber wenn

dein Durst nicht warten kann, gehst du besser ein Stockwerk tiefer.« Er klang noch immer gütig, wohlerzogen. Er räusperte sich, um das stärker werdende Fiepen den Hals hinunterzuschicken.

Ich bezahlte abermals 2,80 Pfund für das Bier. Wenn ich die Fahrkarten für die U-Bahn hinzurechnete, hatte ich gut ein Viertel meines Honorars schon wieder ausgegeben. Als ich das Pint zwanghaft langsam ausgetrunken und die Treppe in den Speisesaal wieder hinaufgegangen war, hatte die Veranstaltung gegen meine Kalkulation noch immer nicht angefangen. Immerhin hatte sich die Anzahl der Anwesenden dramatisch gesteigert. Ein bleicher Junge mit aufstrebenden Locken, unzweifelhaft der vierte Komiker, saß stumm bei den anderen zwei. In der ersten Reihe, auf den steifen Stühlen am ungedeckten Esstisch, es sah aus wie in der Schule, saß ein sehr junger Banker mit zu breitem Anzug, fraglos sein erster, neben ihm eine reif wirkende junge Bankerin mit dünner Hornbrille, ich konnte mich nicht erinnern, sie vor dem Pub gesehen zu haben. Ich zählte durch: außerdem zwei, offensichtlich amerikanische Touristinnen, jung und aufgemacht wie für einen Galaabend. Vermutlich hatten sie im TIME OUT von der Veranstaltung gelesen und sich etwas anderes vorgestellt. Dann eine Frau im Hosenanzug, die trotzdem nicht recht wie eine Bankerin wirken wollte mit ihrem langen Haar, sie lehnte an der hinteren Wand, nahe der Tür, als wollte sie sich eine Fluchtmöglichkeit offenhalten. Ihr Haar kombinierte auf natürliche Weise von braun über rot bis blond alle Farbstufen. Insgesamt waren 13 Personen im Raum. Fünf davon traten auf, eine bediente an der Bar.

Hidden galoppierte nach vorn. Mit vor sich ausgestreckten Armen, die auf und nieder sausten, als schüttelte ihn der

Ritt eines Hengstes, erreichte er die angedeutete Bühne. Er flüsterte dramatisch, Ladies and Gentlemen, er blickte wirr, »es ist so weit«, und ich sah peinlich berührt weg. So gut konnte keine Anmoderation sein, dass sie in einem schreiend leeren Saal Wirkung erzielte. Aber Hidden bewies nur, dass sich auch eine schlechte Stimmung noch drücken ließ. »Ich weiß, wir sind wenige heute Abend.« Unbarmherzig zog Hidden seine Macbeth-Stimmenimitation durch. »Das ist normalerweise anders hier. Normalerweise kommt überhaupt niemand.«
Die blond gefärbte Amerikanerin stieß lachend auf. Ich schnaubte anerkennend durch die Nase. Die großen, zur Hälfte bereits geleerten Biergläser vor ihnen passten nicht zum Erscheinungsbild der Amerikanerinnen. Doch im Urlaub glaubten viele, genau das Gegenteil dessen machen zu müssen, was sie in ihrem sonstigen Leben taten. Ich ging quer durch den Raum zu einem der hinteren Fenster, es war eine Respektlosigkeit, eine Provokation gegenüber Hidden. Es war, der Gedanke erheiterte mich sogar, die erste Starallüre meiner Karriere. Eine heitere Ruhe kam und füllte mich aus.
Die Fenster waren aus Doppelglas, immerhin, wenngleich die Scheiben miserabel in den Holzrahmen eingelassen waren, Kondenswasser begann sich schon an den Rändern zu sammeln. Unter mir standen noch immer zahlreich die Banker auf dem Kopfsteinpflaster. Leere Pintgläser sammelten sich massenhaft auf den Tischen und machten fälschlicherweise den Eindruck einer Orgie. Es bedurfte keiner hellseherischen Fähigkeiten, um weiszusagen, dass auch der Karaokemeister im Keller an diesem Abend ein einsamer Mann bleiben würde.
Acht Zuschauer. So einer mageren Kulisse hatte ich mich noch nie stellen müssen. Irgendwann erwischte es jeden

einmal; irgendwann, spätestens nach ein paar Monaten, würde es auch nicht mehr als eine Anekdote am Tresen im Phoenix sein, wisst ihr, Jungs, damals in einem Bankerpub. Aber dies war kein Trost. Acht Zuschauer. Wie hatte ich mir von Jim weismachen lassen, irgendjemand würde sich eine Woche nach der flüchtigen Lektüre des EVENING STANDARDS in der überfüllten U-Bahn aufmachen, um einen deutschen Komiker im Speisesaal eines möchtegernedlen Pubs zu sehen?

Wieso freute ich mich nicht, dass der Zeitungsbericht so eine geringe Resonanz gefunden hatte?

Ich wanderte durch die nicht besetzten Reihen zurück zur mittlerweile immerhin geöffneten Bar und bestellte ein Bier.

Die blondierte Amerikanerin war entschlossen, sich zu amüsieren, geschehe, was geschehe. Ihr Bier neigte sich schon dem Ende zu. Ihre Freundin nahm so hektisch wie widerwillig Mäuseschlücke aus ihrem Pintglas, um nicht als Spielverderberin zu gelten. Bei Freundinnenpaaren wie diesem, die eine die Schönheit, offen und auf den ersten Blick selbstbewusst, gefiel mir in der Regel die andere. Eine Spange hielt ihre dünnen, natürlich mattblonden Haare zu einem kurzen Büschel zusammen. Zu einem eng anliegenden Rollkragenpullover trug sie eine nicht weniger enge, glitzernde blaue Hose, eine junge Frau, die in erster Linie ihrer Freundin gefallen wollte. Für eine Sekunde sah ich ihr Gesicht, rund wie ein beinahe voller Mond. Sie strich sich eine Haarsträhne hinter das Ohr. Als Orla am Sonntag in Hampstead Heath angehalten hatte, um ihre Haare zu einem praktischen Schwanz zu binden, waren etliche Locken sofort aus ihrem Griff entschlüpft und über die Ohren gefallen. Die Erinnerung wärmte mich.

Jessicas Idee, dass ich psychologische Hilfe suchen sollte,

Holgers Zettel über posttraumatischen Stress, Jims Bestreben, dass ich im Weitermachen Ablenkung finden würde, waren aller Ehren wert. Doch wurde in der modernen Welt die menschliche Seele klar überbewertet. Nach nichts hatte ich in den zurückliegenden zwei Wochen so sehr verlangt wie nach einem profanen, archaischen Körperkontakt. Noch einen Tag später spürte ich, warm und fest, Orlas Hand in meiner.

Auf der Bühne wechselten die Komiker, der mit den zu Berge stehenden Locken ging, Hidden sprang dazwischen, der mit den Koteletten kam. Ich ließ sie vorbeirauschen.

Angeödet durchsuchte ich mit meinem Blick den Raum und senkte ihn schuldbewusst, als ich bemerkte, dass mich die Besucherin an der hinteren Wand, die sich nicht setzen wollte, beobachtete. So hatte ich noch nie einen Auftritt erlebt; als ob er mich nichts anginge.

Gelegentlich registrierte ich einen Gag.

»Wer ist der berühmteste Mann in meinem Dorf? Ich. Nicht, weil ich Komiker bin. Sondern weil ich der Einzige bin, der schon mal eine U-Bahn gesehen hat.«

»Letzte Woche habe ich mir meinen Bart abrasiert. Meine Freundin sagte: ›Das steht dir besser.‹ Nun, das sollte es: Es war mein Gesicht, das da zum Vorschein kam.«

In diesem Ambiente konnte der feinste Witz lau erscheinen. Aber diese Gags hätten es anderswo nicht leichter gehabt. Sie waren schon nicht mehr misslungen, sondern nur noch traurig.

Die Zuschauer, alle acht, waren gelähmt vor Angst, der Komiker könnte sie für einen seiner Gags herauspicken und lächerlich machen. Nicht einmal die Lichter hatte Hidden ausschalten lassen, keine Dunkelheit schützte Komiker und Publikum voreinander. Die Veranstaltung führte sich selbst ad absurdum: Selbst wenn einer der acht gelegentlich über einen halb gelungenen Scherz gern lauthals gelacht hätte, so verbiss er es sich. Bloß nicht die Aufmerksamkeit auf sich ziehen.

Ein Komiker ohne Publikumsreaktionen jedoch war entstellt. Er brauchte das krasse, laute Lachen, das krankhafte, ansteckende Lachen, das die Menge wahllos werden ließ; sie dachten, sie lachten über deine Gags, dabei lachten sie längst ohne Anlass, das Lachen hatte sich selbstständig gemacht, es war nur noch ein mechanischer Reflex, aber er war unaufhaltsam, du brauchtest ihn nur mit einem beliebigen Wort, mit jeglicher Geste zu reizen, du konntest sie zappeln lassen wie verrückt gewordene Marionetten.

Der mit den hoch stehenden Locken ging mit hängendem Kopf von der Bühne, der mit den Koteletten ging militärisch stramm zurück in die vorletzte Reihe und trank sein abgestandenes Bier mit einem Zug aus. Der mit der Lederjacke ging direkt nach Hause. Es tat weh, wenn dich in einem Saal wie dem Pravda Room die Zwischenrufer zerfledderten, es ließ dich erkalten, wenn du danach ins Phoenix kamst und an den Blicken der anderen spürtest, sie redeten über deinen Auftritt im Pravda. Sie zerrissen dich noch einmal. Aber kein Scheitern konnte so grauenvoll, so definitiv sein wie dieses. Die acht erwarteten nichts mehr, außer dass die Show endlich vorüber war. Ihr unaufhörliches Schweigen schrie danach, sie endlich in die Nacht entfliehen zu lassen. »Und nun«, sagte Hidden, »es war ein ruhiger Abend, ihr hättet die Lamb Tavern mal in anderen Nächten erleben sollen – da war es hier ganz tot.« Das wurde es in jenem Moment dann auch. Also, sagte Hidden, das Beste stehe uns noch bevor, unser Lachen hätten wir uns nur aufgehoben für: Andy Merkel, den lustigen Deutschen. »Ja, es gibt ihn tatsächlich: einen lustigen Deutschen.«

Ich gab dem Tresen einen Stoß, um Schwung für den Gang

auf die Bühne zu gewinnen, und geriet aus dem Gleichgewicht. Ich griff zurück, um das Bier mitzunehmen.

Ich schob den Mikrofonständer nach vorn, bis ich zwischen den Zuschauern stand, das Bankerpaar am Tisch zu meiner Rechten, die Amerikanerinnen zu meiner Linken. Ich sah sie einen nach dem anderen an. Die Wangen, nicht die Augen der Amerikanerin mit den blond gefärbten Haaren strahlten, jetzt sah ich ihr Gesicht. Sie lächelten zurück, einer nach dem anderen, die Amerikanerin mehr als erwartungsvoll. Und ein Lachen entstand.

Es wuchs, es füllte den Raum, es geriet außer Kontrolle. Ich wusste nicht, warum, aber ich lachte; es schüttelte mich, ich wieherte krampfhaft, ich wollte, aber konnte nicht aufhören. Tränen, die weder Freude noch Trauer ausdrückten, flossen mir die Wangen hinunter.

Ich schüttelte den Kopf, ich hielt die flache Hand in die Luft, sie sollten nur kurz warten, dann ginge es vorbei, ich drehte mit dem Zeigefinger kleine Runden in der Luft, ein wenig würde es noch dauern, ich japste, ich drückte das Bierglas gegen den Bauch. Als mir bewusst wurde, dass sie den Anfall für einen Teil meiner Show hielten, gelang es mir, abrupt innezuhalten.

»So lacht«, sagte ich unvermittelt und wischte das Wasser nicht von meinen Wangen, »ein deutscher Zuschauer einer Comedy-Show – vorher, zu Hause, um sich auf den Abend vorzubereiten. Da verstehe ich nicht, warum die Engländer immer sagen, wir Deutschen würden alles zu ernst nehmen.«

Das Lachen kam lautlos zurück. Es lag schon auf den Gesichtern der ersten Reihe.

Unser Beruf hieß *Stand-up-Comedy,* spontane Komik, und manchmal tat ich nicht nur so, manchmal war ich wirklich spontan. Ich war dann jedes Mal gerührt von meiner eigenen Schlagfertigkeit. Pathos hatte einen schlechten Ruf in diesen coolen Zeiten, aber ich brauchte es doch niemandem zu verraten: Wenig fand ich schöner, als mich nach einem gelungenen Gag innerlich mit großen Worten an mir selbst zu berauschen, wie raffiniert ich war, wie gewinnend, der Inbegriff von Schlagfertigkeit und Brillanz, der Eroberer der Welt.

Wenn mich ein junger Komiker gefragt hätte, was natürlich niemals einer tat, hätte ich ihm gesagt, sieh dich vor, das ist die größte Gefahr, wenn du das Publikum mit einem Gag erobert hast und dich an der eigenen Großartigkeit berauschst – du bist schon dabei zu fallen, ohne es zu merken. Du lässt dich gehen, nur für einen Moment, aber eine Zehntelsekunde des Zögerns, eine verhaspelte Pointe reicht, damit das schwarze Nichts deine Schwäche riecht und über dich herfällt. Doch dieser theoretischen Vorsicht zum Trotz schwelgte ich nach jedem gelungenen Gag wieder. Ich konnte mich dann teilen: Innerlich sonnte ich mich in meinem Glanz, äußerlich zog ich mein Programm durch.

»Selbstverständlich will ich auch heute über die Attraktionen meines Landes reden, die in keiner britischen Tourismusbroschüre fehlen: Oktoberfest, Autobahnen und Holocaust-Gedenkstätten. Zuvor allerdings eine kleine Ode an die Stadt, die wir alle lieben: London. Die freundlichste Stadt der Welt. Hier sprechen dich die Leute noch auf der Straße an. Erst auf dem Weg hierher fragte mich wieder einer: ›Hast du mal ein bisschen Kleingeld für mich?‹«

Ich fühlte das Lachen mehr, als dass ich es hörte. Aber die Gewissheit, dass es schon nicht mehr aufzuhalten war, erfüllte mich. Ich hatte sie: Sie waren City-Banker, alles in ihrer Arbeit, in ihrem Leben war Schnelligkeit, war Rausch,

was sie liebten, waren die schnellen, wie ein Schlag vorbeirauschenden *one-liner,* noch zwei, drei davon, und ich würde einen leeren Saal zum Lachen bringen. Weiter, weiter.
»Yeah, London, freundlichste Stadt. In der U-Bahn erklingt neuerdings die süßeste Stimme vom Tonband: ›Nächste Station South Kensington. Bitte steigen Sie hier aus, wenn Sie die Museen besuchen wollen.‹ Wunderbar. Und vielleicht sollte jemand den Fahrer noch über die Museumsöffnungszeiten informieren. Dann würde er die Durchsage nicht ständig auch um 23 Uhr abspielen.«
Und nun, würde Jim sagen, das Feuerwerk.
»Also, im Vergleich zu London ist Berlin ein schrecklich unfreundlicher Ort. Wenn du dort zu jemandem ›Hallo!‹ sagst, ruft er: ›Vergewaltigung!‹«
Ich sah der Leitfreundin der zwei Amerikanerinnen direkt in die Augen. Ich wusste, sie zu beeindrucken, war die einfachste Art, ihre Freundin mit der Plastikhose zu erobern.
»Wobei wir hier ja Gäste aus Übersee haben. Ich hoffe, ich langweile euch nicht mit unserem kleinkarierten europäischen Nationengerangel, nein?«
»Woher weißt du, dass wir aus den Staaten sind?«, sagte sie, ernsthaft erstaunt, vielleicht gar entzückt, mit tiefem amerikanischem Akzent.
»Och.«
Ich hatte sie. Der ganze Saal, so man den Ausdruck bei einem mit acht Gästen besetzten Raum anwenden konnte, lachte.
»Nein, wirklich, sag, woran hast du erkannt, dass wir aus den Vereinigten Staaten sind?«
»Das bleibt unser kleines europäisches Geheimnis, woran wir euch erkennen.« Ich lächelte komplizenhaft ins Nichts.
»Egal. Ich muss sagen, die Vereinigten Staaten, toll, wie ihr euch um eure Bürger kümmert, Kompliment, wirklich,

da können wir hier noch etwas lernen. Auf Taschenlampen etwa findet man in den USA den Aufkleber: ›Nicht als Föhn zu verwenden.‹ Wie gut, dass einem das gesagt wird, das hatte ich gerade vor! Ich finde, ihr solltet aber auch auf Kinderwagen die Warnung anbringen: ›Baby entfernen, bevor der Wagen zusammengefaltet wird.‹«
Aus der allgemeinen, gemütlichen Erheiterung stieß das hysterische Lachen der blondierten Amerikanerin störend hervor. Ihre Freundin verzog die Stirn, als habe sie Zahnschmerzen.
Es war eine riskante Strategie. Mit den beiden Amerikanerinnen würde ich immerhin ein volles Viertel meines Publikums gegen mich aufbringen. Aber ich sah die Gefahr schon nicht mehr. Das Gefühl, glücklich zu sein, überschwemmte mich.
Kein passives Vergnügen, kein Kino, kein Buch, kein Konzert schenkte einem das Glück, das man fand, wenn man etwas tat; wenn man etwas vollbrachte.
Auftritte wie diese sollte ich als Trainingsstunden nutzen, neue Gags probieren, entwickeln, die Londoner U-Bahn, das langsamste Fast-Food-Restaurant der Welt. Stattdessen wiederholte ich immer nur meine besten Gags, Hitlers *Mein Kampf,* dachten, hast schon gelesen, London, europäische Stadt, wie Berlin 1939. Ich wollte ihnen sehnlichst gefallen, ich wollte sie unbedingt erobern, selbst wenn sie nur acht waren. Ich liebte das Gefühl, geliebt zu werden, zu sehr.
Ein Auftritt raubte das Zeitgefühl. Obwohl ich mittlerweile wusste, wie die Zeit fliegen würde, war ich erneut darüber erstaunt, als ich mein zwanzigminütiges Programm mit den üblichen Abweichungen durchgebracht hatte und ich nach meiner Schätzung doch kaum angefangen hatte.
In den hinteren Reihen fiel ein Bierglas zu Boden und split-

terte klirrend. »Eine Kontaktlinse!«, rief ich. Sogar die stille Amerikanerin lachte, die unterschwellig sicherlich aufgebracht war wegen der antiamerikanischen Gags. Die Getroffenheit blieb, auch wenn die Leute es sich nicht anmerken ließen, auch wenn sie sich einredeten, es seien doch nicht sie persönlich, sondern nur eine aus Klischees konstruierte Figur ihrer Landsleute gemeint. Nationalistisch veralbert zu werden schmerzte trotzdem. Wer wusste das besser als ein Deutscher in England?
»Und damit Schluss, danke, dass Sie so, ähm, zahlreich da waren«, rief ich, die Stimme rau vor Glück, »zur Bar geht es links, zur Toilette rechts, und bitte verwechseln Sie es nicht. Die Barbedienung ist ziemlich, nun, angepisst, weil das jedes Mal wieder passiert.«
Der Applaus von Einzelnen, zu wenige, um eine Menge zu bilden, wird nie enthusiastisch klingen. Aber ich wusste den ängstlichen Beifall als stürmisch zu interpretieren. Hidden blieb, die Hände ordentlich auf den Oberschenkeln platziert, einen Moment zu lange sitzen. Es ließ sich nicht übersehen, dass er die Show gedanklich abwesend verfolgt hatte. Er sprang auf, um zur Verabschiedung nach vorn zu kommen, doch Stühle, so wenig es auch waren, wurden schon vor ihm gerückt, versperrten ihm den Weg. Ich selbst eilte hinweg, ohne schon zu wissen, wohin.

Der Komiker mit dem misslungenen Gag vom abrasierten Schnurrbart, Michael, Michael Collins, oder Mike, Mike Colefield, von seinem Namen war mir nur der vage Klang geblieben, saß noch auf einem Barhocker. Das Gesetz des Clans verlangte es, dass Komiker und Komiker nach der Show zusammenstanden, sich gegenseitig ein Bier bezahlten und sich abwechselnd priesen. Ich lechzte danach, mir meinen Triumph von jemandem bestätigen zu lassen. Da-

zwischen blitzte der Gedanke auf, dass dieses Glück nicht sein dürfe. Ich tat ihn ab, aber eine Verwirrung blieb. Ich war erregt und erschöpft, träge glücklich und erschreckt. Ich sagte mir, ich sei betrunken, und bestellte ein Bier.
Collins-Colefield nickte mir zu. Sprich du mich an, ich tue es sicher nicht, hieß das. Aus den Augenwinkeln sah ich, wie die Amerikanerinnen in unsere Richtung kamen, und sicherte mir einen Moment Aufschub für jegliche Entscheidung, indem ich umständlich aus meinen Münzen die 2,80 für das Bier zusammensuchte.
Sie stellte sich so vor mich, dass ihr Rücken Collins-Colefield ausschloss.
»Mister Merkel?«
Hinter ihr verschwanden, ohne noch einen Blick auf mich zurückzuwerfen, die Amerikanerinnen im Ausgang. Vorsichtig und leise vorgetragen, verrieten ihre Worte doch eine trockene Ernsthaftigkeit, die mich davon abhielt, ihre bezirzende Haarfarbe aus der Nähe zu studieren.
»Hätten Sie kurz Zeit?«
In ihrem Alter, jenseits der 40, gab es nicht sehr viele Menschen, ob Männer oder Frauen, denen lange Haare noch standen wie ihr. Wie konnte ich, allein an der Bar mit einem unangetasteten Bier, keine Zeit für sie haben?
Frauen über 40 waren keine Verehrerinnen, mit denen sich Künstler oft brüsteten. Ich allerdings war sehr glücklich, nach der Show einmal nicht vom Hauptalkoholiker angesprochen zu werden, der glaubte, auch noch einen wirklich guten Naziwitz zu kennen.
Ich führte sie mit einem angedeuteten Nicken zu einem der gegenüberliegenden Tische unter den Fenstern und bedeutete ihr wortlos, Platz zu nehmen, als folgte sie meiner Einladung. Der leere Saal hatte sich geleert. Wer noch nicht gegangen war, schien auf mich zu warten. Hidden

hatte sich, da es nichts anderes zu tun gab, zu Collins-Colefield gesellt. Und ein Mann lehnte so am katzengoldenen äußeren Pfeiler der Bar, dass er mich beim Hinausgehen leicht abpassen konnte. Ich identifizierte ihn aus Erfahrung auf den ersten Blick als Verwirrten, denn nur ein Kauz ging alleine in Comedy-Shows. Er hatte den Reißverschluss seiner blauen Jacke bis zum Kragen zugezogen.
»Wollen Sie etwas trinken?«, erkundigte ich mich und fand die Frage keineswegs absurd, auch wenn wir uns gerade von der Bar entfernt hatten.
»Nein, danke.« Es ließ sich nicht sagen, welche Farbe ihr Haar hatte, es war rot, braun und blond, aber weder rostbraun noch erdbeerblond.
»Ich bin die Mutter von Sam.«
Ich dachte gar nichts. Ich war noch eingehüllt in die Glückseligkeit meines mitreißenden Auftritts.
»Ich bin Kate Mahon.« Statt mir die Hand zu geben, ließ sie sie auf dem Schoß ruhen und suchte mein Gesicht nach einer Reaktion ab. Ich lächelte sie ermutigend an. »Die Mutter«, sagte sie, »von, Sie wissen schon, dem Jungen.«
So viele Gedanken passen in eine Sekunde, so viele Sachen lassen sich gleichzeitig denken.
S. M. Sean Manus, Seymour Miller, Simon Mills. Nein, Sam Mahon. Hätte ich sie erkennen müssen, hatte er ihr geähnelt, ich hatte sein Haar nicht gesehen unter dem grünen Fahrradhelm, ich konnte ihre Hände nicht sehen unter dem Tisch, ob sie auch so zierlich waren, so dünn die Finger. Was will sie, dachte ich nicht. Sondern: Will sie mir etwas antun?
»Es –« Ich schluckte, um noch einmal anzusetzen, und wetzte meine Hände an meiner Jeans. »Es tut mir leid.«
»Danke.«
Der Mann in der blauen Jacke! War er der Vater, war er ein bezahlter Schläger?

Ich hatte wirklich gedacht, wenn du auf der Bühne stehst, wenn das schwarze Nichts dich fallen sehen will, das wäre Druck, das wäre Furcht. Jetzt wusste ich besser, was Angst war.
»Hören Sie, ich weiß selber nicht, wie es passiert ist, es gab nicht einmal einen Knall, bloß einen dumpfen Schlag, fast ohne Widerhall, und dann.«
Ich hatte ihn getötet. Ich würde die Strafe bekommen, die ich verdiente. Ich würde mich nicht wehren, wenn der Mann ein Klappmesser aus seiner blauen Jacke zog.
»Ich weiß.« Das Thema schien ihr unangenehm, als hätte ich das Gespräch in falsche Bahnen gelenkt. »Ich habe den Zeitungsartikel über Sie gelesen, im EVENING STANDARD.«
Das hatte Jim nun davon, mit seinem verfluchten Zeitungsbericht.
»Ich weiß selber nicht genau, aber als ich durch den Artikel von Ihren Schwierigkeiten erfuhr, wieder zu lachen, beruflich zu lachen, also, wissen Sie, es ist nur ein vages Gefühl, aber da dachte ich mir: Er leidet genauso wie ich. Und, wie gesagt, ich weiß nicht genau, warum, aber da dachte ich, ich schaue bei seinem nächsten Auftritt vorbei, und vielleicht können wir uns ein wenig unterhalten. Was«, sie bemühte ein Lächeln, »wir ja gerade tun.«
»Ja.«
Ich sah schnell zur Bar, es war nur die Andeutung eines Blicks. Der Mann in der blauen Jacke nahm den Augenkontakt sofort auf.
Sie versuchte, die Stille wegzulächeln. So künstlich ihr Lächeln auch war, es bewies die unerklärliche Schönheit des Schmerzes.
»So«, sagte sie. »Das ist alles.«
»Alles?«
»Alles, was ich Ihnen sagen wollte. Wie gesagt, es war nur

diffuses Gefühl. Wissen Sie, Sie werden es sich vorstellen können, ich bin sehr durcheinander, ich weiß auch nicht, was ich mir erhoffte, aber ich dachte eben, ich möchte ihn einmal sehen. Vermutlich dachte ich, es würde helfen.«
Ich fühlte, wie er auf mich zukam. Ich griff mit beiden Händen nach dem Stuhl, auf dem ich saß. Ich rückte nach hinten. Wenn er sein Messer zog, würde ich aufspringen und im selben Moment den Stuhl als Schutzschild hochreißen.
»Entschuldigen Sie, dass ich Sie störe.« Er wandte sich an sie, nicht an mich. Vielleicht war dies das Zeichen, das sie ausgemacht hatten: Bevor du zustichst, versichere dich ein letztes Mal bei mir, ob wir tatsächlich den Plan durchziehen. Und wenn es so war, welche Chance hatte ich gerade nicht genutzt, den Angriff doch noch zu verhindern?
»Nein, Sie stören nicht. Ich – ich wollte sowieso gerade gehen.« Sie verabschiedete sich nicht. Sie stand hastig auf, das Sakko ihres Hosenanzugs streifte den Tisch, schnell, mechanisch schlugen ihre Absätze auf das Parkett.
Natürlich. Sie wollte nicht Zeuge sein, sie wollte nichts davon mitbekommen.
Um ihr Ehemann zu sein, war er zu jung. Er musste ein Auftragskiller sein oder, noch schlimmer, der große Bruder des Jungen. Ich hob, in der Hoffnung, dass er es nicht merkte, bereits meinen Hintern leicht vom Stuhl und verharrte weiter in der Sitzhaltung. Jede Hundertstelsekunde konnte entscheidend sein. Das Klacken ihrer Schuhabsätze verhallte. Sie war auf und davon.
»Sie hätten ruhig weiterreden können.« Er hatte eine enthusiastische, freundliche Stimme. Seine Finger spielten mit dem Reißverschluss der blauen Jacke. »Ich wollte mich nur kurz vorstellen und sagen, dass, so traurig die Veranstaltung war, mir Ihr Auftritt absolut gelungen erschien.«

Meine Unterschenkel, zu lange bereits absprungbereit, zitterten. »Ich werde nur eine kurze Kritik über den Abend veröffentlichen, mehr gibt die Veranstaltung nicht her. Aber ich bin mir sicher, wir sehen uns wieder, denn Sie haben unzweifelhaft Talent. Gut gemacht! Mein Name ist Henry. Henry Winter. Comedy-Kritiker des DAILY TELEGRAPHS. Es war ein Vergnügen, Sie kennenzulernen, Andy.«

Falls er sich erschrak, wie glühend heiß, aber schlaff meine Hand beim Abschiedsgruß in seiner lag, so ließ er sich nichts anmerken.

elf

In dem indischen Krämerladen auf der Fulham Palace Road, der Nudeln mit abgelaufenem Verfallsdatum und Seife im Kühlfach anbot, kaufte ich mir für 50 Pence den Daily Telegraph. Der Krämer fragte: »Bist du auch auf einmal rechts?« Sein scheinheiliges Lachen entblößte ein Gebiss, in dem die Lücken markanter als die Zähne waren. Für einen Verkäufer, dem daran gelegen sein sollte, Kunden nicht vor den Kopf zu stoßen, begegnete er ihnen mit erstaunlicher Direktheit.

Ich konnte mich nicht entsinnen, ihm jemals meine politischen Ansichten verraten zu haben. Er schien auch nicht daran interessiert, sie zu erfahren; er hatte sich sein Bild bereits gemacht. »Es geht vielen so wie dir«, sagte er, »die Flitterwochen der Labour-Regierung sind vorüber. Die Menschen sind enttäuscht. Es ist alles nur Gerede, keine Substanz. Der Afghanistan-Krieg ist Blairs letzte Chance, mich zu überzeugen. Er muss die Taliban zerquetschen, zerquetschen muss er sie, und dann müssen er und die Amerikaner gleich in Pakistan weitermachen. Der Westen muss endlich verstehen, dass Pakistan der Kern allen Übels ist. Erinnere dich an meine Worte.«

»Werde ich tun«, sagte ich und deutete mit dem Kopf eine Verbeugung an.

»Es war mir ein Vergnügen.«

»Ganz meinerseits.«

Ich wollte in das Café Sugar & Sugar gehen, konnte es dann

allerdings doch nicht mehr erwarten. Auf dem Bürgersteig vor dem Krämerladen durchblätterte ich die Zeitung. Der kaum spürbare Wind schlug mir die großen Seiten ins Gesicht, Druckerschwärze hinterließ nach zweimaligem Umschlagen eine unangenehme Feuchtigkeit auf den Fingern. Ich überflog die Schlagzeilen. Taliban-Kriegsfürst Omar entkommt als Frau verkleidet aus belagertem Kandahar. Polizei zu sehr mit Betrunkenen beschäftigt, um Notrufe entgegenzunehmen. Obsthändler aus Sunderland bereit, vor Gericht gegen EU-Zwangseinführung von europäischen Maßeinheiten wie Meter und Kilogramm zu kämpfen. Hühnersuppe gut für Blutdruck. Und das war eine seriöse englische Zeitung.

Ich musste die Seiten noch einmal von vorn durchgehen, ehe ich den Kulturteil fand. Dann aber entdeckte ich, wie von einer Automatik gesteuert, den Artikel sofort, obwohl er klein und schmal ins untere Eck der Seite gedrückt worden war.

Bewiesen: Es gibt einen Deutschen, der lacht.

Ich vergaß, dass es eine Welt um mich herum gab. Ich flog die Zeilen entlang und registrierte doch jedes einzelne Wort mit einem Pochen in der Blutbahn.

Komiker vom Kontinent ist der neuste – und unwahrscheinlichste – Star der Londoner Szene. Von Henry Winter, Comedy-Kritiker. Die Mehrheit von uns wird es nicht glauben, bevor sie es nicht gesehen hat, doch das Publikum der Comedy-Nacht am Montag in der Lamb Tavern, East-Central London, brüllte es mit seinem frenetischen Applaus hinaus: Ja, es existiert ein Deutscher mit Humor … Fein, messerscharf und unerträglich lustig, sorgen seine Witze für mehr Entspannung in der deutsch-englischen Beziehung, als es den beim Fototermin um die Wette grinsenden Blair und Schröder jemals gelingen wird. … Seht

euch vor, Andy Merkel ist dazu prädestiniert zu schaffen, was Hitler versagt blieb: Großbritannien zu erobern.
Als ich den Text viermal gelesen hatte, senkte ich die Zeitung. Meine Oberschenkel, es schien von den Knien auszugehen, zitterten unkontrollierbar.
Hatte ich wirklich daran gezweifelt, dass der Mann in der blauen Jacke der Comedy-Kritiker des TELEGRAPHS gewesen war? Ich war mir nicht mehr sicher.
Noch immer stand ich regungslos dort, wo ich angehalten hatte. Ich nahm mir den Artikel erneut vor und las, was nicht dort stand. Er erwähnte den Unfall mit keinem Wort. Aber natürlich musste der Autor davon gewusst haben, natürlich war er erst durch die Notiz im EVENING STANDARD auf mich aufmerksam geworden. Vielleicht war der Kritiker des TELEGRAPHS zu taktvoll, es zu erwähnen, vielleicht ignorierte er den Fakt aus Neid auf den Kollegen vom STANDARD, der es vor ihm gemeldet hatte. Und wenn er einfach durch gute, ehrliche Recherche auf mich aufmerksam geworden war? Wenn er bei seinen Gesprächen mit Veranstaltern und Agenten nun schon öfters gehört hatte, es gebe da neuerdings übrigens auch einen Deutschen, sehr lustig, definitiv wert, ihn mal anzuschauen? Ich sollte mir keine Illusionen machen. Warum sollte der Kritiker eines der größten nationalen Blätter zu einer bekanntermaßen viertklassigen Show montagabends im Speisesaal eines Pubs kommen, wenn er nicht ganz konkret die große Story roch: ein Komiker, der nicht mehr lachen kann. Im besten Fall hatte mein Auftritt Henry Winter so imponiert, dass er glaubte, dies sei die bessere Geschichte: ein lustiger Deutscher; ein Talent, von ihm entdeckt. Oder ein Redakteur hatte befunden, ich sei nur 40 statt 80 Zeilen wert, und hatte den Teil mit dem Unfall aus Winters Text gekürzt.
Ich musste damit leben, dass der Tod des Jungen meine

Karriere förderte. Das würde Jim sagen. Ich konnte ihn schon hören: Andy, Mann, du konntest nichts für den Unfall, du hattest Albträume, du hast höllisch gelitten, es ist nur gerecht, dass der Unfall dir nun auch etwas Gutes schenkt, einen Ausgleich, wenn du weißt, was ich meine. Andy, Kumpel.

Aber ich konnte nicht damit leben.

Die Mutter würde den Artikel auch lesen. Sie sah nicht wie eine Telegraph-Leserin aus, eher kaufte sie die Times, vielleicht sogar den Guardian, Leute über 40, die sich gegen das Alter wehrten, hielten sich an progressiven Ideen fest. Aber dann würde ihr ein Nachbar oder ein Kollege den Telegraph zeigen. Ich las den Artikel noch einmal, als hätte ich ihn noch nie gesehen; mit ihren Augen.

Ein Satz traf mich wie ein Schlag auf die Lunge. *Ich dachte mir: Er leidet genauso wie ich.* Hatte sie in der Lamb Tavern zu mir gesagt. Sie musste nun denken: Er benutzt Sam, er benutzt unseren Schmerz für seine lächerliche Show. Er behauptet im Evening Standard, er könne nicht mehr lachen, und legt dann in der Lamb Tavern den fröhlichsten Auftritt hin. Sein Leiden ist nur Schau, nein, niederträchtiger, zynischer: Es ist eine gezielte Strategie. Wenn er auf der Bühne seine Scherze treibt, dann lacht er über mich und meinen Sam.

Ich bewegte mich endlich, zumindest ein paar Schritte, um mich an dem robusten schwarzen Eisenzaun hinter mir festzuhalten. Fußgänger eilten vorbei, viele elanvoll, ein jeder zielstrebig, etliche mit weißen Kaffeebechern aus Pappe in der Hand. Die Autos fuhren mit Scheinwerferlicht. Der Morgen hatte die Farbe der Nacht kampflos übernommen. Kein Passant beachtete mich. So schlimm war meine Atemlosigkeit also gar nicht. Gleich würde ich weitergehen.

Auf der anderen Seite der Fulham Palace Road, hin zum Bishop's Park und der Themse, waren die Bäume in den Alleen auch in ihrer winterlichen Kargheit mächtiger, majestätischer als auf meiner Seite. Die Linden waren für mich immer ein Ziel gewesen: es einmal dorthin, auf die andere Seite der Straße zu schaffen. Ich nahm an, dass mein vager Traum vom Leben in den wohlhabenden Backsteinhäusern des Admiralsviertels auch die Idee von einer Familie, von Kindern – von einem Sohn – umfasste. Wie würde das sein in fünf oder zehn Jahren, wie sollte das gehen, mit der Erinnerung an ihn, an den dumpfen Schlag fast ohne Widerhall im Hinterkopf?
Was hatte sie wirklich von mir gewollt? Sie war sicher nicht in die Lamb Tavern gekommen, um gleich wieder davonzulaufen. Das Auftauchen des TELEGRAPH-Kritikers hatte ihren Plan durchkreuzt. Nur er hatte mich gerettet.
Ich schloss meine Faust fester um den Eisenzaun, um mich von den Gedanken loszureißen. Fakten, mein Mantra, an die Fakten halten: Ich hatte ihn nicht getötet. Ich konnte nichts dafür. Es war, nach Holgers Informationsblättern, eine ganz normale Reaktion, dass ich unter Schuldgefühlen, Scham und extremen Stimmungsschwankungen litt. Ich hätte der Mutter so viel erklärt, aber sie war doch abrupt aus der Lamb Tavern gelaufen. Ich musste nur weitermachen, mich zusammenreißen, mir nichts anmerken lassen, weiter. Ich würde gegen das Trauma so entschlossen kämpfen wie für den Traum, es als Komiker zu schaffen. Fakten. Ich sollte schleunigst die U-Bahn in Putney Bridge nehmen, sonst kam ich zu spät.

Ich trug die Zeitung zweimal gefaltet, locker zwischen Oberarm und Rippen geklemmt. Ich kaufte mir eine Tagesfahrkarte für die Zonen 1 und 2. Ich trat an der U-Bahn-

Tür zur Seite, um die Passagiere erst aussteigen zu lassen, und vergewisserte mich mit einem Blick, ob tatsächlich alle von Bord gegangen waren, ehe ich einstieg. Ich versicherte mir innerlich bei jeder kleinen, alltäglichen Handlung, gut gemacht, richtig gemacht; normal gehandelt.
Der Neun-Uhr-Stoßverkehr war gerade vorüber. Im Waggon fand sich zwar immer noch kein freier Sitzplatz, aber immerhin verfügte man über den an einem Londoner Morgen durchaus großzügigen Komfort, in der U-Bahn stehen zu können, ohne dass sich fremde Körperteile an einem rieben. Ich versuchte, im GUARDIAN des Mannes mir gegenüber zu lesen.
Wer bringt das amerikanische Chaos in Ordnung? Neue Beweise über den Umgang der USA mit der Taliban legen nahe, dass es vor allem um Öl geht.
Seit dem 11. September fraßen sich die Leute zwanghaft mit solchen Nachrichtenschnipseln voll. Ich selbst hatte oft mitten im Gespräch mit einem Freund im Café nach einer beliebigen, zufällig auf dem Nebentisch liegenden Zeitung gegriffen; zu Hause, während ich ein Buch las, hatte ich reflexartig den Fernseher eingeschaltet, um zu sehen, ob es etwas Neues von Osama Bin Laden oder gar schon den nächsten Anschlag der Islamisten auf die westliche Welt gab. Zumindest von dieser Manie hatte mich der Unfall befreit.
Seit über zwei Jahren informierte ich mich einzig mit einem flüchtigen Blick in die Tagespresse über das politische Geschehen. Für jemanden, der als Student in Oldenburg seinen Freunden freitagabends kurz vor zehn sagte, ihm sei schlecht, er käme nicht mit ins Extrablatt, um dann in seinem Zimmer Martin Bell aus Bosnien im BBC World Service zu hören, war das eine erstaunliche Entwicklung. Ich hatte meine Magisterarbeit zum Thema »Nationalitä-

tenkonflikte am Beispiel des serbisch-albanischen Kosovo-Streits« mit einem Eifer geschrieben, als sei dieser gottvergessene Flecken das Zentrum des Universums, und als vier Jahre später der Kosovo-Krieg ausbrach, war ich glücklich und stolz: Ich hatte den Krieg in meiner Abschlussarbeit als einziges glaubwürdiges Szenario vorausgesagt. Später, als freier Mitarbeiter beim Südosteuropainstitut, neun deutsche Mark der Stundenlohn, verbrachte ich auch meine Freizeit mit Recherche in Bibliotheken, um mit Herrn Sachreferent Boysen eine Studie zum Namensstreit von Mazedonien zu erstellen. Ach, sagte Boysen, als er mir eines der ersten Druckexemplare überreichte, jetzt habe er doch glatt meinen Namen in der Autorenzeile vergessen, zu dumm. Ich nickte brav. Alle hatten sich erst einmal jahrelang hochzuarbeiten, noch ein Universitätstitel, noch ein Praktikum; leisten, ohne irgendetwas fordern zu dürfen. Ich hatte mich damals nicht an dem System gestört und es schon gar nicht infrage gestellt, sondern allenfalls mich selbst: Vielleicht war ich halt einfach auch nicht besonders talentiert. Vielleicht verdiente ich nur eine schlechte Behandlung.

Ich glaubte nicht, dass es in der Comedy wirklich besser, fairer, zuging. Ich wunderte mich nur über mich: Wie radikal, wie selbstverständlich ich eines Tages meinen gesamten Enthusiasmus der Politik entzogen und der Comedy gewidmet hatte. Waren meine Interessen im Grunde beliebig, jederzeit austauschbar?

Der Mann gegenüber, mit einer Pigmentstörung auf der Stirn, schaute über seinen GUARDIAN hinweg irritiert auf mich. Ich ließ den Blick schnell von seiner Zeitung ab und murmelte »Entschuldigung«. Ich musste noch viel überwinden, um wieder ein ganz normaler Londoner zu werden. Aber ich erfüllte weiterhin die Grundbedingung: die

Bereitschaft, sich so oft zu entschuldigen, wie es nötig war. Mir fiel ein, dass ich doch selbst eine Zeitung besaß. Matt Pritchett, der Karikaturist des TELEGRAPHS und ein besserer Komiker als wir alle auf Englands Bühnen, hatte sich diesmal dem Südfrüchtehändler von Sunderland gewidmet, der wie ein Märtyrer gegen die Europäische Union kämpfte, um seine Bananen und Äpfel weiterhin in Pounds, Ounces und Grains statt Kilos und Gramm abwiegen zu dürfen. Auf Matts Zeichnung schlichen sich zwei Polizisten an den Obststand des englischen Helden und EU-Gesetzesbrecher heran. Sagte der eine Polizist zum anderen: »Nein, Sergeant, diesmal sollen wir ihn wegen der falschen Verwendung des Apostrophs verhaften.«
Es war nur ein winziger Witz zwischen all den schreienden Zeitungsmeldungen. Und auf einen Schlag erschien der Tag ein herrlicher.
Mit gehörigem Überschwang wollte ich aus der Bahn hinausspringen, als sie ihre Türen in Embankment öffnete. Im letzten Moment erinnerte ich mich, was sich gehörte. »Bitte schön«, sagte ich, mehr mit einer ausladenden Handbewegung als mit Worten, und ließ der Frau neben mir den Vortritt. Als ich ihr Lächeln sah, das statt der angebrachten Dankbarkeit Sympathie ausdrückte, wusste ich, wie ich aussah. Meine Vorfreude hatte sich selbstständig gemacht und mir ein Lachen ins Gesicht gezeichnet. Mir blieb, wie erhofft, noch über eine halbe Stunde Zeit bis zu meiner Verabredung mit Orla, so konnte ich am südlichen Themseufer zur Tate Modern spazieren.

Sie saß auf der Balustrade der Themse, eine Meeresjungfrauenstatue, die Arme durchgestreckt, die Schultern regungslos, ich erkannte sie schon von Weitem und war mir sicher, jeder sah sie. Der träge Fluss, die wachsenden

Türme der City und das Aschgrau des Morgenhimmels als Hintergrund waren einzig dafür geschaffen, sie herauszuheben. Ich gab ein Zeichen, dass ich sie gesehen hatte, sie starrte in meine Richtung, ohne sich zu regen. 150 Meter lagen noch zwischen uns, und ich konnte mich nicht mehr auf sie freuen. Wie unmittelbar vor jeder Prüfung packte mich Druck, gemischt mit ein wenig Furcht.
In ihrer Atemnähe blieb ich stehen. Sie war, dank ihres Hochsitzes auf der Balustrade, größer als ich geworden. Unser Lächeln verweilte schon zu lange. Keiner von uns sagte ein Wort, zu konzentriert warteten wir, was der andere sagen, tun würde. Mehr fragend als suchend schob sich mein Mund nach vorn, als mir ihrer allerdings nicht entgegenkam, hielt ich inne. Nur eine Sekunde danach, aber eine Ewigkeit zu spät, realisierte sie, was ich gewollt hatte, ihre Augen, glaubte ich, baten meinen Mund, noch einmal zurückzukommen. Aber wir hatten den Moment schon verpasst.
Weder ausgesprochen noch stillschweigend hatten wir bislang geklärt, was wir waren, Liebhaber, Freunde oder Kummerkasten und Pflegefall. Als sie am Sonntag in Hampstead Heath beim Abschied einen Augenblick länger als nötig in meinen Armen gelegen war, hatte ich geglaubt: Wir waren auf dem Weg. Der verpasste Begrüßungskuss warf uns wieder an den Anfang zurück. Es blieb uns nichts anderes übrig, als erneut wie zwei Schüler anzufangen, die sich gerade kennenlernten.
»Hallo.«
»Hi.«
»Ganz schön frisch heute.«
»Die außergewöhnlichen Sonnentage sind wohl endgültig vorüber.«
Ich bemerkte, dass ich meine Hände in den Taschen des

Parkas versteckt hielt, zum Alibi, dass ich sie gar nicht anfassen konnte. Ich zwang mich, die Hände herauszunehmen. Ich dachte, was, wenn sie dich zurückstößt, ich dachte, das ist ein lächerlicher Gedanke, warum sollte sie mich zurückweisen, und griff zögernd nach ihrer Hand. Sie trug Fingerhandschuhe aus grauer Wolle. Fest, sicher umschlossen ihre Finger meine. Galant ließ sie sich von mir von der Balustrade ziehen. Schweigend, zu erschöpft von dem Kraftakt, uns anzufassen, gingen wir in das Museum.

Die Uhr zeigte fünf nach zehn. Die Wärter waren noch beschäftigt, die schweren Glastüren für den Tag zu öffnen, aber Massen warteten schon ungeduldig auf Einlass, was weniger an ihrem Hunger nach Kunst als an ihrer Sehnsucht nach einem warmen Raum lag. Schulklassen lärmten, Touristengruppen bewahrten die Haltung. Sie alle waren hier, weil sie mussten, die Jugendlichen von ihren Lehrern, die Touristen von ihrem schlechten Gewissen verpflichtet. Orla und ich hatten die Tate Modern gewählt, weil sie die meisten Voraussetzungen eines Treffpunktes erfüllte. Sie war beheizt und ein neutraler Ort. Sie machte uns voreinander interessanter.

Wenn mich jemand gefragt hätte, interessierst du dich für Kunst, hätte ich, ohne zu zögern, Ja gesagt und dabei nicht das Gefühl bekommen zu heucheln. Ich sah mir die Werke mit ernsthafter Neugierde an, fand manche schön, andere langweilig und wäre nicht darauf gekommen, dass mir das Wissen fehlte, Kunst einzuschätzen. Ich ging davon aus, dass Orlas Interesse an der Ausstellung meinem glich. Denn ich kannte nur Leute, die sich als Museumsbesucher betrachteten (auch wenn nicht alle tatsächlich hingingen), und ich kannte niemanden, der wirklich etwas von Kunst verstand.

»Katharina Fritsch«, sagte Orla vor dem Plakat für die Sonderausstellung. »Das klingt nach einer deutschen Künstlerin.«
»Ja«, antwortete ich und war mir bewusst, dass ich mehr hätte sagen sollen. Panisch suchte ich das Plakat ab. »Die Kuratorin, Susanne Bieber, ist auch Deutsche«, sagte ich. »Oder Österreicherin, Schweizerin, Tochter einer deutschen Emigrantenfamilie in irgendeinem erdenklichen Land«, dachte ich.
Wir nahmen die Rolltreppe nach oben, ich fest entschlossen, ihre Hand festzuhalten, wenigstens das, auch wenn sie langsam schwitzen musste in ihrem Handschuh. Orla sah sich die Kunstwerke an, ich sah mir die Touristen und Schüler an, die Orla betrachteten. Ich hatte nicht viele, aber genug Frauen nackt gesehen, um mir ihren Körper unbekleidet vorzustellen, die glatte Haut und die zarten Rundungen, nicht nur an den Oberschenkeln, sondern auch an den Schultern, nur an den Hüften würden die Knochen leicht und erregend herausstehen. Ihr Busen war weder klein noch groß, sondern vor allem fest.
Die Gemälde und Skulpturen waren eine gute Ausrede, im Schweigen zu verharren. Nur gelegentlich, etwa vor Claude Monets *Seerosen,* wenn wir einen Künstlernamen wiedererkannten und sicher waren, uns mit einem Urteil nicht zu blamieren, sagten wir: »Schön, nicht.«
Es war nicht einfach, ein Gespräch fortzusetzen, das zu lange aus Stille bestanden hatte. Orla bemühte sich.
»Dass du an einem Mittwochmorgen nicht arbeiten musst.«
»Natürlich gäbe es genug zu tun, oh ja«, ich lachte zu hektisch, »zu tun gäbe es genug im Labor. Aber nicht wirklich Wichtiges. Deshalb habe ich mir«, ich verschluckte mich, »heute selbst freigegeben; sozusagen.«
Sie sah mich, ich fand, merkwürdig an.

»Also, weißt du, wir warten gerade auf eine Frachtsendung Großer Leierfische aus dem Mittelmeer, die wir nach Mutationen untersuchen sollen, und, also, die Fracht ist noch nicht angekommen.«
Ich erkaltete vor Enttäuschung über mich selbst. Ich musste endlich aus meiner unsäglichen Parallelexistenz als Meeresbiologe herauskommen. Wenn ich nur endlich den richtigen Augenblick erhaschte, würde ich sofort alles auflösen. Aber es war einfach richtig schwer, den besten Moment dafür zu finden.
»Und ihr? Ich meine, behandelt ihr beim Studium auch Mutationen, also, von Kartoffeln zum Beispiel oder Schweinen.«
Sie brauchte mir nicht zu sagen, wie hilflos ich klang. Sie sah wieder mit diesen zusammengezogenen Augen zu mir herüber, nur erschien mir ihr Blick diesmal nicht merkwürdig, eher grimmig.
»Wir werden derzeit in die Agrarmetrologie und die Milchtechnologie eingeführt, wenn du es genau wissen willst: Wärmebehandlung, Homogenisierung und Rückkühlung von Joghurt, Herstellung von fermentierten Milchmischerzeugnissen und so weiter.«
Ich hätte gern gefragt, was fermentiert bedeutete, nicht, weil es mich interessierte, sondern um ein Gespräch in Gang zu halten. Ihr Blick allerdings riet mir zu schweigen.
»Warum stellst du bloß immer so viele Fragen?«
–
»Ich komme mir ja vor wie bei einem Verhör.«
Ich blieb stehen und betrachtete, als hätte ich den ganzen Morgen nur darauf gewartet, ein Foto, das einen Jungen im grünen Strickpullover zeigte, den die anderen Kinder nicht beim Fußballspiel mitmachen ließen. *Den Pullover strickte seine Mutter* hieß das Bild. Es gefiel mir, es ergriff

mich sofort, die Andeutung des Titels, dass die anderen ihn wegen des Pullovers nicht mitspielen ließen, dass seine Mutter ihm etwas Gutes tun wollte und etwas Grausames angetan hatte, ich suchte den Namen der Künstlerin, Tracey Moffatt, ich nahm mir fest vor, ihn nicht wie all die anderen sofort zu vergessen. Das Bild lenkte mich so weit ab, dass ich wenigstens meine Sprache wiederfand, auch wenn ich nicht wusste, was sagen.
»Entschuldigung«, sagte ich. »Ich dachte nur, also, es tut mir leid. Ich möchte einfach gerne viel von dir wissen. Deshalb frage ich.«
»Aber was wirst du denn über mich erfahren durch Fragen, ob wir an der Universität mutierte Kartoffeln behandeln, oder wie am Sonntag, ob wir in Nordirland auch die Dubliner Radiomorgenschau hörten, die du im Urlaub in Irland immer eingeschaltet hattest?«
»Entschuldigung.«
Es waren noch mehr Fotos von Tracey Moffatt ausgestellt. Doch ich traute mich nicht, Orla zu bitten, einen Moment zu verweilen. Ich marschierte ihr hinterher, das Haar fiel, sanft gelockt, über ihren gesamten Rücken. Im siebten Stockwerk hielt sie endlich an. Es ging nicht mehr weiter. Wir waren in der Cafeteria gelandet. Wir taten, als ob wir etwas essen wollten.
Eine Fassade aus Glas gab den Blick über London frei. Nüchtern betrachtet war nicht viel zu sehen. Die Stadt hatte kein Panorama, nicht einmal einen Horizont, flach und braun wie eine matschige Pfütze floss sie in alle Richtungen endlos aus, keine Hügel und nur wenige Türme ragten aus der backsteinernen Masse heraus. Und doch wäre ich nie auf die Idee gekommen zu behaupten, London sei hässlich. Die Stadt war das schönste Wunder. Es existierte keine Meldepflicht, Polizisten trugen prinzipiell keine Schusswaffen,

und die Stadt widerstand, lebte, swingte, getragen von dem grundlegenden Übereinkommen ihrer grundverschiedenen Bürger, dass der gesunde Menschenverstand noch immer die wichtigste Ordnungsmacht sei.
Das Beste, was mir im Leben geschah, war, als Londoner geboren zu werden.
Hatte Michael Caine gesagt.
Ich musste mich nur wieder daran erinnern, dass ich vor drei Wochen noch ganz genau gewusst hatte, was er meinte.
Wir bestellten Preiselbeersaft und Schokoladenkuchen zum Teilen, und ich sagte: »Schau, Orla, es tut mir wirklich leid. Ich meinte es doch nur gut.«
Sie brach mit der Gabel ein Stück vom Kuchen ab, führte es zu ihrem Mund, überlegte es sich dann aber anders. Ich ließ mich bereitwillig von ihr füttern. Ich ahnte, ich würde nie mit Orla zusammen sein können, uns verband schon zu wenig, um ein inspiriertes oder auch nur angenehmes Gespräch zu führen. Aber ich liebte ihre Jugend und Nähe. Ich war ohne Zweifel bereit, mich von ihr wie ein in erster Liebe entflammter Teenager mit Schokoladenkuchen füttern zu lassen.
»Kann es eigentlich sein, dass du vor Kurzem von deiner Freundin verlassen wurdest?« Sie lachte, nicht einmal verschämt. »Wenn ich auch einmal eine Verhörfrage stellen darf.«
»Also, was, ich meine: Wie meinst du das?«
»Es ist nur so eine Intuition. Du wirkst so; so angeschlagen. Angeschlagen und auf der Suche.«
»Angeschlagen und auf der Suche.«
»Du weißt schon, was ich meine.«
»Ich weiß schon, was du meinst.«
»Hey, hast du dich in einen Papagei verwandelt?«

»Nein«, *so angeschlagen und auf der Suche,* hatte sie gesagt, »es ist nur so, dass –« er wieder den Berg hinunterkommt, ich kann ihn doch gar nicht sehen, ich habe die Augen auf das Nummernschild des Wagens vor mir gerichtet – und wenn er jetzt, nur kurz, aufschaut, kann er noch vom Fahrrad abspringen, er ist jung, ein Athlet, er springt aus voller Fahrt vom Rad, rollt sich zweimal über die Schulter ab und kann es selbst gar nicht glauben, er ist unverletzt – in genau dem Moment jedoch, als er aufschaut, beschleunige ich, von Maggie May aufgeputscht, er ist bereits beim Absprung vom Rad, als ihn der Schlag trifft, es ist das Letzte, was er wahrnimmt, dumpf, ohne Widerhall.
Ich verschränkte die Arme vor der Brust und sagte: »Es ist nichts. Ich bin in letzter Zeit nur ein wenig überfordert; mit allem.«
Sie drückte das Plastik ihrer Wasserflasche ein, wartete auf das Schnalzen, wenn sich das Plastik wieder ausdehnte, und drückte die Flasche abermals ein.
»Nun, vielleicht wirst du mir später einmal alles erzählen, wenn wir, also, wenn wir uns besser kennen.«
»Natürlich.«
»Ich hoffe, du nimmst es mir nicht übel, dass ich dich so direkt wegen einer Freundin fragte.«
»Natürlich nicht.«
»Aber ich weiß einfach nicht, woran ich bei dir bin.«
Sie erwartete nur ein Wort, wenigstens eine Andeutung: Sah ich für uns eine Zukunft? So oft maßen wir den Wert unseres Handelns daran, was es für die Zukunft bringen würde. Wir arbeiteten, um irgendwann einmal etwas zu erreichen, wir sparten, um irgendwann einmal genießen zu können, und wenn wir einen Partner suchten, lautete das entscheidende Kriterium, ob wir uns mit ihm auf Jahre hinaus sahen. Unser Handeln ganz einem fernen, nicht sel-

ten utopischen Ziel unterzuordnen, schenkte uns oft die schönsten Momente: die Träume, wie es sein würde, wenn ich erst einmal mit ihr Kinder hätte, wenn ich als *headline* im Comedy Store oder gar bei *Have I got news for you* im Fernsehen auftrat. Aber wie viele schöne Momente stahlen wir uns, weil wir zu beschäftigt waren, den Augenblick auf seine Zukunftskompatibilität zu überprüfen?

»Ich habe keine Freundin, Orla.«

»Du meinst, dass –«

»– ich dich sehr gerne sehe.«

Zunächst nahmen wir das helle Kinderkichern nur als Hintergrundgeräusch wahr, ein Rauschen in der See, auf die uns unser Kuss entführte. Als das Kichern zu einem vielstimmigen, hysterischen Kanon anschwoll, zuckte in der Schönheit des Augenblicks kurz ein Nerv: Mein Gott, gibt es da keinen Lehrer? Erst als aus Meerestiefen einzelne Sätze in mein Gehirn drangen, »Schau dir die an«, »Gleich reißt er ihr die Bluse auf«, »Seine Zunge ist schon in ihrem Dickdarm«, löste ich mich von Orlas Lippen. Sie behielt die Augen geschlossen. Ich starrte in fünf, sechs überlegen grinsende Kindergesichter und fürchtete, sie konnten nicht übersehen, wie mir das Blut in die Ohren schoss. Sie mussten 12 oder 13 sein, nicht älter als 14.

»Es gibt hier eine Menge Bilder, die ihr anschauen könntet, statt uns anzugaffen. Die wären sicher auch ein attraktiverer Anblick.«

»Oho, der Typ glaubt, er sei auch noch witzig: Die wären sicher auch ein attraktiverer Anblick.« Er gab sich eine piepsige, lallende Stimme, um mich nachzuäffen. Es spielte keine Rolle, dass ich mir sagte, es sei doch nur ein pubertierender, ignoranter Teenager. Ich war verletzt und, schlimmer, mir selbst peinlich.

Zu der Gruppe gehörten auch zwei Mädchen. Der Junge

mit einer grobmaschigen Halskette und einem übergroßen, bunt bedruckten Sport-T-Shirt gab unverkennbar den Anführer. »Wir warten, Mister«, sagte er, »hol sie raus aus der Bluse.«
Gehetzt sah ich mich um. Das ältere Ehepaar, das am Tisch zwischen uns und den Tyrannen saß, trank seinen Tee mit gespreizten Fingern und gesenktem Kopf, entschlossen zu demonstrieren, dass es doch gar nichts bemerkte. In der Schlange an der Kasse, das Tablett in der Hand, zehn Meter entfernt, beobachtete uns mit emotionslosem, unverhohlenem Interesse ein Tourist, der Drahtbrille nach ein Deutscher. Das Nächste, was ich sah, war Orla, ihre Nase im Gesicht des Anführers, ihre Faust um die Halskette.
»Wer glaubst du, wer du bist? Ein pickliger, hässlicher Rotzbalg, der genau weiß, dass deine beiden Mädels hier dich eklig finden, auch wenn sie es nicht aussprechen. Und ich sage dir, was du jetzt machst: Du entschuldigst dich, und dann verschwindest du mit deiner gesamten lächerlichen Bande aus der Cafeteria. Sofort.«
Ich dachte gar nicht daran, aufzustehen und ihr zur Seite zu springen. Ich sah in alle Richtungen, nur nicht auf Orla. Als könnte ich so den Letzten im Saal und vor allem mich selbst überzeugen: Ich war schon gar nicht mehr hier.
»Entschuldigung, Miss.« Es war nur ein Murmeln.
»Und nun: Verpiss dich!«
Sie standen tatsächlich auf, ihr Anführer zuletzt, als er die Ausweglosigkeit nicht mehr übersehen konnte. Eine Frau vom Sicherheitsdienst, die graue Uniform betonte ihren körperlichen Verfall, kam auf sie zu. Ohne das Schritttempo zu erhöhen, schlugen die Kinder einen Haken um zwei Tische, die Sicherheitsfrau ließ sich dankbar ausmanövrieren, und dann marschierten sie, eine geschlagene Armee, an der Glasfassade entlang zur Rolltreppe, beglei-

tet vom Grau des Tages, wer London nicht kannte, würde glauben, es müsste gleich regnen, aber wir Londoner wussten, es konnte jetzt auch tagelang so dunkel bleiben, ohne dass ein Tropfen fiel. Der Anführer ließ sich zurückfallen. Sein Stolz rebellierte. Er drehte sich um, auf seiner Kinderstirn hatte sich eine Altersfalte gebildet.
»Du dicke Kuh!«
Seine Stimme betrog ihn. Sie überschlug sich. Seine Truppen flohen schon, er hastete hinterher. Als sie, die Rolltreppe hinunter, außer Sicht waren, begann wie auf Befehl in der Cafeteria wieder das Leben. Eine Tasse klirrte auf dem Unterteller, der Ehemann am Nachbartisch tätschelte den Unterarm seiner Frau, die Kassiererin rief zu schrill, »3,20 Pfund, meine Liebe«. Ich bewegte mich noch immer nicht. Orla setzte sich, als sei sie kurz auf Toilette gewesen.
»Auf einem Bauernhof mit zwei Brüdern lernst du, die Dinge zu regeln.«
Ihre Wangen waren gerötet, ich hätte gesagt: Sie war glücklich. Wenn ich sie nicht gleich lobte, würde sie mein Schweigen missverstehen. Aber ich konnte nicht. Ich war zu erschrocken von dem, was ich gesehen hatte. Eine zeternde und drohende Frau.
»Die Wahrheit ist, dass ich es auf unserem Bauernhof gehasst habe. Überall war dieser feuchte Gestank aus Kuhmist, dreckigem Stroh und was weiß ich, er verfolgt mich bis heute, was meinst du, wie oft ich mir hier mitten in London, mitten am Tag die Haare wasche, weil ich glaube, den Gestank in meinen Haaren zu riechen.«
Sie schüttelte sich.
»Ich weiß, es ist ein Irrsinn, dass ich Agrarwissenschaften studiere. Ich will nie mehr auf den Hof zurück. Aber ich dachte, es sei der einzige Ausweg wegzukommen, nach London zu kommen: Wenn ich sagen würde, ich muss

dorthin, um Agrarwissenschaften zu studieren. Dabei hätte mich mein Vater wohl auch gehen lassen, wenn ich gesagt hätte: Ich studiere Archäologie. Meine Mutter hätte protestiert, aber mein Vater, er hätte sie sicher überstimmt: Lass sie. Doch ich konnte es vor mir selbst nur rechtfertigen, nach London zu gehen, wenn ich hier Agrarwissenschaften studierte. Verrückt, nicht?«
Sie erwartete gar nicht, dass ich etwas sagte. War das eine Erkenntnis? Die Leute erzählten, wenn ich keine Fragen stellte.
»Du hast es gut, Andy, du hast eine Leidenschaft, deine Fische. Weißt du, wie sehr ich mich danach sehne, irgendeinen Beruf zu entdecken, der mich wirklich interessiert? Interessant finde ich mehr oder weniger alles, Medizin, Biologie, Archäologie – aber ich möchte so gerne etwas haben und habe nichts, bei dem ich spüre: Ja, das ist es. Ja, das kann ich. Soll ich dir was verraten: Ich hatte am Sonntag Zweifel, ob ich dich wiedersehen wollte, denn du wirktest bei unserem Kennenlernen so verdammt unglücklich, und einen Depri kann ich wirklich nicht gebrauchen, dazu bin ich alleine schon deprimiert genug. Aber als du dann in Hampstead Heath von den Fischen erzählt hast, sahst du aus wie der glücklichste Mensch der Welt. Ehrlich gesagt, interessieren mich dein Kabeljau und Leierfisch herzlich wenig, aber ich wünschte mir, du würdest mir jeden Tag von ihnen berichten.«
»Orla, was die Fische betrifft, muss ich dir noch etwas sagen, nämlich –«
Sie fiel mir ins Wort. »Dich dabei anzuschauen, wenn du von den Fischen erzählst, das Leuchten in deinen Augen zu sehen, das ist einfach das Größte.«
–
»Du musst nicht gleich verlegen werden, Andy.«

Sie küsste mich. Ich versuchte, mit ihrer Leidenschaft mitzuhalten.

»Dein Handy.«

»Was?«

»Dein Handy klingelt.«

»Egal.«

»Nein, nein, geh nur ran.« Sie lachte. »Oder hast du Angst, dass es deine Freundin ist?«

Da musste ich doch den Anruf entgegennehmen.

»Andy!«

»Jim.«

»Wie geht es dir, Star des Kontinents, Eroberer Großbritanniens?«

»Jim, es ist –«

»Hör zu, Rob Moore vom Comedy Store rief mich gerade an.«

»Jim, es ist gerade kein guter –«

»Er sagte mir, im TELEGRAPH sei heute ein großer Artikel über dich, wusste gar nicht, dass jemand fern von Wald und Wiesen den TELEGRAPH liest, na ja, vielleicht hat Moore Vorfahren unter dem Landadel, hi-ho, päng, päng, und auf zur Fuchsjagd!, ich habe natürlich gleich so getan, als ob ich voll im Bilde wäre, ›Ja, Rob, sie schreiben jetzt alle über Andy‹, und rate mal, was Moore wollte: Sie haben dich gebucht, Andy. Du bist dabei! Donnerstag, 17. Januar, Comedy Store, die Türen öffnen um 19 Uhr für *The Best in Stand-Up* mit Aaaandy Meeerkel, dem lustigen Deutschen!«

»Das ist großartig, aber –«

»Das ist nicht nur großartig, Andy, das ist es. Das ist der Durchbruch. Du hast es geschafft. Ich habe es dir immer prophezeit, Andy Merkel, Londons kommender Comedy-Star.«

»Bitte, Jim, lass uns später darüber reden.«
»Wie, was? Was ist los?!«
Orlas Hand knetete wieder die Wasserflasche. Unzweifelhaft konnte sie Jims überdrehte Stimme aus dem Telefon hören. Konnte sie auch verstehen, was er sagte?
»Nichts, Jim, ich erkläre dir alles später. Ich habe heute meinen freien Tag, und den will ich genießen.«
»Was redest du?«
Für einen Moment, nur für einen Moment, ging der Übermut mit mir durch.
»Die Fracht mit den Leierfischen aus der Nordsee ist noch nicht eingetroffen, Jim, wir können nichts tun außer zu warten.«
»Andy, was zur Hölle ist das für ein Scherz – nun, du wirst es mir sicher später erklären.«
»Ich melde mich wieder.«
»Ich hoffe es.«
Ich verstaute das Handy in der Brusttasche des Parkas.
»Entschuldigung. Ein Freund.«
»Ein ziemlich aufgeregter Freund.«
»Ja, wenn er glücklich ist, spürt er den Drang, die ganze Welt teilhaben zu lassen.«
»Na, dann hoffe ich, dass er dich oft derart anbrüllt.«
Ich benötigte einen Moment, bis ich den Satz verstand. Dann beugte ich mich über den Tisch, um sie zu küssen.

zwölf

Ich hatte keinen konkreten Termin, aber das Gefühl, es eilig zu haben, als ich mich auf einer U-Bahn-Treppe von Orla verabschiedete. Die Mittagszeit ging langsam zu Ende. Ich musste noch etwas essen und entschied: später. Das letzte Stück, die Fulham Palace Road hinauf, ging ich zu Fuß. Der 74er, den ich hätte nehmen können, überholte mich, doch das änderte nichts an meiner Meinung, dass ich schnell unterwegs war. Nachdrücklich, fordernd drückte ich den Klingelknopf.

Die Tür schrammte über den Fußboden und gab ein jämmerliches Quietschen von sich. Breitbeinig, tief liegend saß Jim auf einem der aufgeschlitzten Kunstledersessel. Er trug seinen Mantel. Es gab keine Heizung in der Zentrale von Seven Seas Mini-Cabs. An der Wand hing das Plakat eines VW Käfers, schätzungsweise aus dem Jahr 1975, daneben eine London-Karte, restlos verblichen wie zum Zeichen, dass es diese Fahrer nicht nötig hatten, einen Stadtplan zurate zu ziehen. Jim streckte mir den Daumen entgegen. Das Mobiliar wurde durch einen Softdrinkautomaten komplettiert. Auf einem Plateau, durch Glasscheiben vom Rest des Raums abgetrennt, machte Mister Jayaraman mit Kopfhörern und Mikrofon den Eindruck, er müsse einen hoch komplizierten Großeinsatz oder wenigstens den Afghanistan-Krieg koordinieren. Jeder Fahrer zahlte ihm pauschal 50 Pfund pro Woche, um unter seiner Taxilizenz arbeiten zu dürfen.

Außer Jim hing noch Sumon auf einem der Sessel herum, ein dünner Mann aus Bangladesch, ich grüßte ihn, indem ich mit zwei Fingern eine Pistole nachstellte, auf ihn zeigte und abdrückte. Jim zu Füßen ruhte eine leere Take-away-Schachtel. Auf seiner Armlehne lag, säuberlich ausgebreitet, die Kulturrückseite des DAILY TELEGRAPHS.
»Vier Auftritte an einem Morgen eingetütet«, sagte er, als wäre dies eine alltägliche Begrüßung. »Vier verdammte Auftritte auf einen Schlag!« Ich sagte gar nichts, weil ich ihm seinen Auftritt lassen wollte.
»The Funny Side of Covent Garden am 15. Januar. Comedy Store am 17., Queen's Head Inn am 18. und Wam Bam Club am 22. Ich habe ein bisschen herumtelefoniert, nachdem Rob Moore dich buchte, du wirst es nicht glauben, es war, als hieße ich plötzlich Alibaba: Ich brauchte nur sagen, der Comedy Store hat ihn gebucht und schau mal in den TELEGRAPH, die preisen ihn als das nächste große Ding, und: Simsalabim! Wollten sie dich alle auf ihren Bühnen, die Parasiten, die Kröten, wo waren sie drei Jahre lang, als ich der Einzige war, der an dich glaubte, der die Klinken putzte für dich, aber egal, vergessen. Du bist im Geschäft, Mister Andy Merkel, und es ist erst der Anfang. Was sagst du nun?!«
Ich musste wegschauen. Seine Euphorie machte mich, ich wusste auch nicht, warum, nur traurig. Sumons linkisches Lachen brachte seine gelben Zähne zum Blitzen.
»Ich hoffe, du wirst bescheidene Gesellen wie uns im Januar überhaupt noch grüßen, Andy. Jim hat mir den Zeitungsartikel gezeigt. Sehr beeindruckend.«
Ich griff nach dem TELEGRAPH. Fettige Fingerabdrücke hatten die Seite gezeichnet. Es strengte mich nicht einmal an, den Text Wort für Wort zu lesen, als hätte ich ihn nie gesehen.

»Er hat nur wegen des Unfalls über mich geschrieben, Jim.« Er strahlte mich unverändert an. Erst mit Zeitverzögerung packte das Erstaunen seine Gesichtsmuskeln. Er nahm mir die Zeitung aus der Hand und legte sie bedächtig wie ein Ausstellungsstück wieder auf die Armlehne. Ich sah ihn – mir kam es vor: zum ersten Mal seit ewigen Zeiten – an. Bekam er etwa ein Doppelkinn?
»Er erwähnt den Unfall mit keinem einzigen Wort, Andy.«
»Das weiß ich auch. Er wird am Ende Gewissensbisse bekommen und es herausgestrichen haben. Oder sein Ressortleiter hat den Absatz gelöscht, weil es schon im Evening Standard stand und sie nicht als Abschreiber dastehen wollten. Aber machen wir uns doch nichts vor: Der Telegraph schickt normalerweise keinen Kritiker in die Lamb Tavern. Es sei denn, es tritt dort der Komiker auf, der nicht mehr lachen kann.«
»Ich verstehe dich nicht, Andy.« Sein Daumen streichelte die Zeitung. »Du bist besessen davon, dich selbst schlecht zu machen. Du folterst dich mit einer Schuld, die du nicht hast.«
»Ich sehe die Dinge nur realistisch.«
»Realistisch? Realistisch. Soll ich dir mal die Realität erklären? Du bist etwas Besonderes in der Comedy-Szene, du bist der lustige Deutsche, die Gags sind originell, lebendig, bösartig, du tourst seit über zwei Jahren, du gehst den harten Weg, das Wort spricht sich herum: ›Da ist ein echtes Talent‹, du bist nicht mehr die Nummer vier, sondern die Nummer drei oder zwei an den Abenden, dann kommt ein Unfall, dich trifft keine Schuld, auch das spricht sich herum, natürlich: ›Andy Merkel hat eine harte Zeit‹, und das – das gebe ich zu – schadet dir nichts, so zynisch es klingt, es macht dich interessanter –«
»Interessanter! Er ist zwar kein guter Komiker, aber er ist

wirklich interessant, weil er einen Jungen totgefahren hat. Wunderbar.«
»Lass mich ausreden.«
»Weißt du, was sie in der Szene erzählen, Jim? Andy Merkel hat der Presse eine erfundene Geschichte von einem tragischen Verkehrsunfall verkauft, um sich – da hast du es wieder – interessanter zu machen.«
»Wer erzählt das?«
»Alle.«
»Das stimmt doch nicht. Wenn es wirklich herumerzählt würde, hätte ich davon gehört. Außerdem weißt du, wie es ist, Komiker sind die Waschweiber von heute: schnattern, tratschen und dreckige Wäsche waschen. Wenn dies das schlimmste Gerücht ist, das sie über dich verbreitet haben, heißt das nur, dass du noch einen weiten Weg vor dir hast, um dir ihren ganzen furiosen Neid zuzuziehen.«
Sumon hörte ungeniert zu und lachte genauso linkisch wie zuvor, als er Bewunderung ausdrücken wollte.
»Andy, schau: Der Unfall mag die Aufmerksamkeit ein klein wenig gesteigert, sagen wir: beschleunigt haben. Akzeptiert.«
»Ein klein wenig!«
»Aber niemand – niemand –, weder du noch ich, hat den Tod des Jungen benutzt. Rede dir doch keinen Blödsinn ein: Du wärst auch ohne den Unfall im Comedy Store angekommen, vielleicht nicht im Januar, vielleicht erst im Sommer, vielleicht aber auch schon jetzt im Dezember, das kann niemand wissen.«
Wenn Sumon nicht sofort aufhörte, so idiotisch zu grinsen, konnte es gut sein, dass ihm eine Faust das Nasenbein zertrümmerte.
»Und was meinst du, wie sich die Mutter fühlt, wenn ihr Sohn stirbt und der Unfallfahrer stellt im EVENING STAN-

DARD sein Selbstmitleid öffentlich aus; als ob es ihn, nicht sie, hart getroffen hätte.« Doch ich spürte schon, wie mich die Angriffskraft verließ.
»Die Mutter? Andy«, er kratzte sich am Ohr und brachte eine andere Stimme hervor, »die Mutter hat andere Sorgen, als den EVENING STANDARD zu lesen und sich zu fragen, wie es dem armen Mann geht, in dessen Auto ihr Sohn raste.«
Ich hatte ihn. Mit einem Satz konnte ich ihn zum Verstummen bringen; besiegen: Die Mutter, Jim, kam am Montag in die Lamb Tavern, um mit mir abzurechnen.
Aber ich schaffte es nicht. Der Satz hämmerte in meinem Kopf, und ich brachte ihn nicht über die Lippen. Ich konnte Jim nicht von der Mutter erzählen. Ich spürte die wie immer überfallartig einsetzende Erschöpfung, wie sie meinen Kopf leer saugte, wie sie meine Füße taub schlug und mich mit der Sehnsucht zurückließ, mich einfach fallen zu lassen und stumm liegen zu bleiben. Ich hatte der Mutter gar nichts und Jim seit Wochen schon nicht mehr das wirklich Wichtige gesagt. Ich hatte Orla den Schwachsinn vom Meeresbiologen erzählt und seit drei Wochen jedes Telefonat mit meinen Eltern und Schwestern sorgfältig vermieden, um ihnen nichts von dem Unfall sagen zu müssen. Die Sätze, die ich nicht aussprach, ballten sich in mir zu einem Tumor. Ich sah nicht, wie ich die Distanz jemals wieder wettmachen konnte, die ich durch meine Sprachlosigkeit aufgebaut hatte.
»Hey, Andy, hörst du mir noch zu?«
Ich schüttelte den Kopf.
Ein monströses Knacken und Raspeln erschütterte den Raum. Eine mechanische Stimme schepperte. Mister Jayaraman redete durch eine Lautsprecheranlage zu Jim und Sumon.

»Eine Person ist in 11 Harbord Street abzuholen. Der Name: Misses Perryman. Reiseziel: Chelsea and Westminster Hospital. Ich wiederhole die Adresse: 11 Harbord Street. Ich glaube, Jim ist an der Reihe.«
»Ich kann auch fahren, wenn du noch mit Andy reden musst.«
Die erlösende Wut kam zurück: Wer sagte, dass man mit Andy *reden musste.* Ich blickte Sumon ins Gesicht und ballte die Fäuste.
»Nein, danke, Sumon. Ich fahre. Andy kommt einfach mit. Gehen wir.«
Ich öffnete den Mund. Mehr Widerstand leistete ich nicht.

Sein roter Ford Escort parkte auf der anderen Straßenseite im eingeschränkten Halteverbot.
»Ich schaffe das nicht, Jim.«
Er stand bereits auf dem Mittelstreifen, konzentriert, um von keinem Auto gestreift zu werden, und hörte mich nicht.
»Worauf wartest du?«
»Ich schaffe das nicht.«
»Was?!«
»Das Auto. Ich steige nicht in dieses Auto.«
Ein weißer Rover hupte lang gezogen, jagte aber mit unveränderter Geschwindigkeit auf Jim zu. Als sie auf gleicher Höhe waren, zog Jim den Bauch ein und zeigte dem schon vorbeirasenden Fahrer die zwei Finger. Dann eilte er vom Mittelstreifen zurück auf den Bürgersteig. Ohne ein Wort zu sagen, packte er mich am Ärmel, er bekam nur meinen Parka, nichts von meinem Arm zu fassen, und schleifte mich über die Straße.
Laut und aggressiv ging Jims Atem. Der Ford parkte unmittelbar vor uns. Am Kotflügel war Lack abgesplittert.
»Schau das Auto an.«

»Au! Was machst du, du tust mir weh!«
Er hatte mich mit einer Hand im Nacken gepackt und drückte nun zu.
»So geht es nicht weiter, Andy, du musst lernen weiterzuleben. Schau das Auto an.«
Bewegungsunfähig steckte mein Kopf in seinem Schwitzkasten.
»Was soll das?«
»Schau es an!«
»Ich schau es ja an, Mann, Jim, bist du verrückt geworden?«
»So, und jetzt schaust du noch einmal hin: Das ist ein ganz normales Auto, okay, es war in einen Unfall verwickelt, es trägt noch die Beule, es erinnert dich an jene Nacht. In Ordnung. Aber es bringt nichts, wenn du vor der Erinnerung wegläufst, hast du das verstanden. Schau dir das Auto an. Stell dich der Erinnerung und lerne endlich, dir helfen zu lassen. Du glaubst, du bist stark, der harte Deutsche, wenn du alles mit dir selbst ausmachst. Dabei bist du nur zu feige, deinen Schmerz zuzulassen.«
Er hatte meinen Nacken freigelassen. Ich merkte es nur nicht. Ein gelber Wagen hielt neben uns, das Fahrerfenster ging elektronisch auf, »ihr steht hier mitten auf der Straße, das ist keine Picknickwiese, ist euch das bewusst?«
Jim sagte etwas zu dem Mann, es entging mir, das gelbe Auto rollte wieder an, »verdammte Idioten«.
Mit steifem Hals starrte ich den Ford Escort an und sah tatsächlich nichts anderes. Eine Hand legte sich auf meine Schulter, und wieder drückte er zu, diesmal fest und warm.
»Komm«, sagte er.
Mit der Zündung sprang das Autoradio an. Das Lied brachte uns auf denselben Gedanken.
»Die Schweine von der Polizei haben mir bei der Spurensuche die Rod-Stewart-CD geklaut.«

Glaubte er, einfach weitermachen zu können, als sei nichts geschehen? Mein Nacken brannte.
»Hast du gehört?«
In dem Wagen herrschte eine unerträgliche Hitze, das konnte eigentlich nicht sein, Autoheizungen brauchten eine Weile, bis sie ansprangen, aber es war so, ich zerfloss vor Hitze.
»Andy? Jetzt schmoll doch nicht.«
»Was du eben getan hast, war nicht in Ordnung, Jim.«
Ich war beschäftigt, den Sicherheitsgurt einzustecken, und konnte damit so lange zu tun haben, bis er sich entschuldigte.
»Schönes Lied«, sagte er und drehte das Radio auf. *Feel the rain like an English summer,* er sang lauthals mit, *hear the notes from a distant song, stepping out from a back shop poster, wishing life would not be so long.*
Ich sah aus dem Fenster.
Dann redete er eben ohne mich.
»Wie eine Mülltonne haben die Bullen mir das Auto zurückgegeben. Schokoladenpapier lag herum, unter dem Beifahrersitz ein Korken, ja, haben die hier Champagner gesoffen, oder was?! Und als Höhepunkt drei Familienpackungen aufgetaute Tiefkühlerbsen auf der Rückbank. Auf so einen kruden Scherz können nur Polizisten kommen.«
Am Friedhof bog er, ohne darauf achten zu müssen, links in die Harbord Street ein.
»Aber mach dir jetzt deswegen nicht auch noch Vorwürfe, Andy. Das Auto fährt, und zwar so schlecht wie eh und je. Und eine neue Rod-Stewart-CD«, er drücke auf einen Knopf am Autoradio, »habe ich mir auch gekauft.« Das Gitarrensolo von Maggie May begann.
»Ich habe einen Kunden in der Cloncurry Street, schon im Rentenalter«, Jim behielt den Blick geradeaus gerichtet.

Er setzte den Blinker und rollte vor dem Haus Nummer 11 langsam auf den Bürgersteig. »Jeden Dienstag um 16.30 Uhr muss ich ihn abholen und an den Weiher in Barnes fahren; mit der Bedingung, dass wir Maggie May hören, immer wieder, dreimal, wenn der Verkehr stockt, auch viermal hintereinander Maggie May.« Er stellte den Motor ab, Rod Stewart verstummte zu meiner Erleichterung. Jim schnallte sich ab und war schon dabei auszusteigen. »Zunächst dachte ich, er geht zu einer Prostituierten und versucht, sich verzweifelt mit Maggie May aufzugeilen. Aber es ist schlimmer.« Er schlug seine Tür von außen zu, ging um den Wagen herum, öffnete die Beifahrertür und beugte sich zu mir herunter: »Er füttert nur die Enten am Weiher. Dann fahre ich ihn wieder nach Hause, wieder mit Maggie May, dreimal, wenn es schlecht läuft, auch viermal. Jeden Dienstag um 16.30 Uhr.«
Ich saß weiterhin festgeschnallt im Auto, die Beifahrertür stand offen. Jim hatte mich bereits verlassen und das Gartentor geöffnet. Die Haustür war leuchtend blau gestrichen. Als er geklingelt hatte, drehte er sich zu mir um. »Nur um dir zu sagen, es gibt genug Verrückte in dieser Stadt. Also bleibe du bitte ruhig bei gesundem Verstand.«
Eine Frau von gut 70 Jahren mit roten Lackschuhen öffnete ihm die Tür, Jim fragte, wie es ihr gehe, schade, die schönen Tage seien vorbei, aber es konnte ja nicht ewig währen im November, Dezember. Ich nutzte die Gelegenheit, um davonzulaufen.

Ich rannte am Fußballstadion vorbei, ohne mich umzudrehen, und ging, als ich erschöpft war, in den Bishop's Park hinein. Spaziergänger kreuzten und ignorierten sich, am Brunnen waren Kinderwagen mit dem Ernst einer Autofahrernation in Reihe und Glied geparkt. Im Gestrüpp unter den Ahornbäumen versuchte ein Vater, vier Kinder zu kontrollieren, von denen drei ganz offensichtlich nicht seine waren. »Nun, Kinder, ich weiß, es ist lustig, aber wenn ihr bitte jetzt aufhören könntet, ihr seid schon ganz nass, Robin, bitte, sag du auch deinen Freunden, es reicht, Robin! Robin, es reicht! Es reicht jetzt!« Seine Hilflosigkeit war ihr Ansporn. Sie rannten wieder in die Pfützen, dass das braune Wasser ihnen bis zur Nase spritzte.

Wie leicht es war, diejenigen, die es gut mit uns meinten, am schlechtesten zu behandeln.

Am Themseufer setzte ich mich auf eine der Bänke, das feuchte Holz ließ mich frösteln. Sie hatten die Schleusen geöffnet, auf der anderen Seite flutete der Fluss den Trampelpfad. Ich suchte mein Handy und rief ihn an.

Er redete noch mit seiner Kundin, entspannt, heiter, als er bereits den Gesprächsannahmeknopf gedrückt hatte.

»Ich schwöre auf Milch mit Honig, Misses Perryman, natürlich, eine Darmentzündung ist etwas anderes als eine Grippe, aber schaden wird Milch mit Honig da auch nicht – hallo?«

»Ich bin's.«

»Oh, hallo, Andy.«

Keinen Ton senkte sich seine Stimme. Er hatte bei unserem Treffen in der Taxizentrale nicht nachgefragt, warum ich zuvor am Telefon den Unsinn von der Leierfischfracht erzählt hatte, und er würde auch jetzt nicht klagen, warum ich mich einfach davongestohlen hatte. Nachtragend zu sein hielt Jim für Zeitverschwendung. Er ging davon aus, dass Menschen für ihr sonderliches Benehmen schon Gründe haben würden; beziehungsweise dass Menschen einfach sonderbar waren.

»Ich wollte mich nur kurz für mein Benehmen entschuldigen.«

»Aber das ist doch nicht nötig, Andy. Wenn jemand Grund hat, sich zu – Entschuldigen Sie, Misses Perryman, dies ist ein extrem wichtiger Kunde. So, bin wieder da, Andy.«
Er war nie weg gewesen.
»Alles in Ordnung bei dir?«
»Ich wollte es dir nur kurz sagen, Jim. Ich habe mich ja noch nicht einmal für deine exzellente Arbeit heute bedankt. Das sind vier richtig gute Auftritte, die du da an Land gezogen hast. Danke.«
»Eine Selbstverständlichkeit. Ich sage dir, Andy, bald werden wir so viele Anfragen bekommen, dass wir auswählen müssen.«
Aus dem Hintergrund hörte ich eine hohe Frauenstimme und unzusammenhängend ein paar Wörter – ruhig auf der gegenüberliegenden Straßenseite … gibt einen Zebrastreifen, ich werde … behalten … Honig –, und ich merkte, dass dies Jims Traum von Erfolg war: auswählen zu müssen; endlich auch einmal absagen zu können und nicht nur abgesagt zu bekommen. Ich hielt das Handy noch einen Moment in der Hand, nachdem wir aufgelegt hatten.
Die Tagesdunkelheit wurde bereits langsam von der Abenddunkelheit abgelöst. Ich überlegte, ob ich noch etwas einkaufen musste, und konnte mich nicht erinnern, welche Lebensmittel noch im Kühlschrank lagerten; ob ich noch welche zu Hause hatte. Ich brach auf. Aus der Ferne hörte ich noch die vier Kinder, aber nicht mehr die Stimme des Vaters. Was immer das heißen mochte.
Ich wusste nicht, wie viel Geld Jim mit mir verdiente, wir hatten nie darüber gesprochen. Aber wenn, was man hörte, die Agentenhonorare gut zwölf Prozent des Künstlerlohns betrugen, war seiner ein eindeutiger Fall von Selbstausbeutung. Er hatte mir auch jetzt nicht gesagt, wie viel mir die vier Auftritte einbringen würden. Mit Diskre-

tion hatte das nichts zu tun. Für einen Agenten besaß Jim die noble und beängstigende Eigenschaft, dass ihn Geld recht wenig scherte.
Ich konnte es mir selbst ausrechnen: Garantiert 200 Pfund im Comedy Store, jeweils 100 oder 150 im Wam Bam und der Funny Side, und wenn ich Glück hatte im Queen's Head noch einmal 100, es war ein Wochenendauftritt. Dies alles in einer Woche, in der vielleicht noch ein oder zwei Auftritte hinzukommen würden. Davon konnte man leben. Ich hatte mir diesen Moment immer als den ultimativen vorgestellt: wenn ich davon leben konnte. Ich hatte nicht weiter darüber nachgedacht, sonst wäre mir natürlich klar geworden, dass es solch einen konkreten Augenblick gar nicht geben konnte, sondern dass es ein langsamer Übergang vom Hobbykomiker zum Profi war.
Ich nahm einen Stein und warf ihn auf die Straße, er sprang gegen ein Auto. Es war, wenn auch kein ultimativer, so doch ein erhebender Moment. Er musste gefeiert werden. Ich sollte in den Supermarkt gehen, um mir ein Dosenbier und ein Überraschungsei zu kaufen, für den Fall, dass ich wirklich nichts zu Hause hatte.

Die zwei Einkaufstüten, eine in jeder Hand, zogen mich nach unten, als ich in meine Straße einbog. Sie sah mich sofort. Die ersten schwarzen Mülltüten lagen bereits auf dem Bürgersteig, mehr als fünf Stunden, bevor die Müllabfuhr erwartet wurde. Außer uns war die Straße menschenleer.
Sie stand vor der falschen Haustür, 45 Colehill Lane. Ich realisierte gar nicht, dass ich stehen blieb und die Tüten abstellte. Die Fahrbahn lag zwischen uns. Sie sah kleiner aus, als ich sie in Erinnerung hatte, vielleicht täuschte aber auch nur die Distanz. Ich versuchte mich an einem Lächeln

und deutete über meine Schulter, wo sich mehr oder weniger meine Wohnung befand. Sie zupfte an ihrem Mantel, vergewisserte sich, dass von der Hauptstraße kein Auto abbog, und kam herüber. Ihre Haare waren in der Halbdunkelheit weder rot noch blond, einfach braun.
»Guten Abend.«
Obwohl meine Worte eine Begrüßung herausforderten, nahm sie die Hände nicht aus dem Mantel. Es durchfuhr mich. Falls sie ein Messer hervorzog, traute ich mir zu, sie geistesgegenwärtig am Gelenk zu packen und die Waffe aus ihrer Hand zu ringen.
»Sie müssen denken, ich verfolge Sie.«
»Aber ich bitte Sie.«
»Ich bin mir bewusst, dass ich mich wie ein Eindringling verhalte, und möchte mich vorab dafür entschuldigen.«
Mir schien, als stünde sie kurz davor zu weinen. Die Vorstellung ließ meine Augen wässrig werden. Ich wusste nicht, was ich sonst hätte tun sollen, und hob die Einkaufstüten wieder vom Boden auf.
»Ich wollte Ihnen nur noch etwas sagen, ich wollte es schon nach Ihrer Show tun, aber dann kam dieser Mann an unseren Tisch, und ich wollte plötzlich nur noch weg.«
Ich ließ ihre Manteltaschen nicht aus dem Blick. Ich war bereit zu empfangen, was ich verdiente, und doch war mir übel vom Gedanken an ein spitzes, blitzendes Messer. Ihr Kopf machte eine zwanghafte, hektische Bewegung. Als ob ihr abrupt etwas einfiel, was sie vergessen hatte. »Übrigens denke ich, dass den anderen Zuschauern Ihre Show sehr gut gefallen hat.«
Sie sog hektisch mit der Nase Luft ein.
»Sie schauen mich so skeptisch an.« Sie lachte, es war nicht vorgesehen, aber es klang bitter. »Sie glauben mir nicht? Vielleicht kann man mir auch nicht glauben, so verwirrt,

wie ich derzeit bin. Aber im Ernst: Ich denke, Ihr Auftritt ist sehr originell. In anderen Zeiten«, ihre Stimme franste fast bis zur Unkenntlichkeit aus, »hätte vermutlich auch ich lachen können.«

»Hören Sie, es tut mir leid, dass Sie sich das ansehen mussten, es muss Folter für Sie gewesen sein.«

»Ich bin doch freiwillig hingegangen. Auch wenn ich mich zugegebenermaßen selbst frage: Warum?«

»Es tut mir leid.«

Ich erkannte meine Stimme nicht wieder. Das Würgen im Hals dagegen nur zu gut.

»Egal. Jetzt bin ich hier. Denn da ist etwas, was Sie, finde ich, wissen sollten als, also, Beteiligter.«

Meine Unterschenkelmuskeln spannten sich. Ich stellte die Tüten wieder ab. Meine Hände blieben halb geöffnet; bereit.

Ihr rechter Ellenbogen bewegte sich. Sie zog ihre Hand aus der Manteltasche.

Ich tänzelte, vorgeblich auf der Stelle, wich aber tatsächlich einen Schritt zurück.

»Die Polizei rief am Montagmorgen an.« Ihre rechte Hand wischte über das linke Augenlid. Dann verschwand sie wieder im Mantel. »Sie haben die Untersuchung des Fahrrads abgeschlossen.«

»Die des Autos auch.«

»Jemand hatte Sam die Bremsseile durchgeschnitten.«

Ein Schlag, aber nicht mehr dumpf, ohne Widerhall, sondern explosiv in meinem Gehirn. Von dort breitete sich der Alarm im gesamten Körper aus. Ich sagte: »Wollen Sie nicht kurz hereinkommen?«

dreizehn

Ich öffnete die Tür und schloss die Augen. Für einen Moment versuchte ich, mich zu erinnern, in welchem Zustand sich die Wohnung befand.
Ich trat zur Seite, um ihr den Vortritt zu lassen. Sie wich einen Schritt zurück. Aus der Entfernung starrten wir in den Flur, als müsste erst etwas aus der Wohnung entweichen.
»Bitte.« Ich wusste nicht, ob ich es sagte oder nur dachte.
Innerlich nahm sie Anlauf. In meinem Wohnzimmer blieb sie stehen, die Hände schon wieder in den Manteltaschen. Es lag nicht an ihr, dass sie verloren aussah. Die Kargheit meines Zimmers hätte auch jeden anderen unvorteilhaft in Szene gesetzt.
Der Teppich war für eine englische Mietwohnung außergewöhnlich neu und unbefleckt, zudem dunkel, von daher, glaubte ich, fiel es nicht auf, dass ich seit einigen Wochen nicht mehr gesaugt hatte.
»Bitte. Setzen Sie sich.«
Ihr Blick wanderte vom giftgrünen Sofa zu dem Holzstuhl am Schreibtisch unter dem Fenster. Es war gleichzeitig auch mein Esstisch. Vor dem Ausstellungsposter mit der Riesenspinne blieb sie stehen. Mir fielen die Supermarkttüten in meinen Händen ein.
»Ich bringe das nur schnell in die Küche. Wollen Sie einen Tee? Wollen Sie etwas essen?«
»Nein, danke.«
»Aber doch einen Tee?«

»Wie Sie meinen.«
Die Anspannung ließ ein wenig nach, als ich in der Küche stand und unter dem Vorwand, sonst nicht den Kühlschrank öffnen zu können, die Tür zum Wohnzimmer zur Hälfte schloss. Verwundert starrte ich ins Kühlschranklicht. Salat, Tomaten, Zucchini, Käse, Joghurt; alles, was ich gerade besorgt hatte, lag bereits in den Fächern. Dem Zustand des Gemüses und Obsts nach zu schließen, musste ich es erst vor ein oder zwei Tagen eingekauft haben. Ich konnte mich nicht daran erinnern.
Ich stellte den Wasserkocher an, stopfte die Unterwäsche und Handtücher, die auf dem Boden vor der Waschmaschine lagen, in das nächstbeste Fach des Geschirrschranks, überprüfte, ob das Toastbrot nicht schimmlig war, und zauberte aus ungetoastetem Toastbrot, Schnittkäse, Gurke und Paprika das, was Engländer Sandwich nennen.
Der gute alte englische Tee würde mich retten. Ihn zu trinken würde uns einige Minuten beschäftigen, und wenn er seine Wärme erst einmal auf uns übertragen hatte, ließ sich, vielleicht, auch über Bremsseile sprechen.
Sie hatte sich für das Sofa als kleineres Übel entschieden.
»Den Tee mit Milch und Zucker?«
»Nur Milch, bitte.«
Ich wartete. Sie war doch gekommen, mir etwas zu sagen. Sie rührte in ihrem Tee, schräg auf dem Sofa sitzend, den freien linken Arm auf der Kopflehne, die Beine übereinandergeschlagen. Ich hielt es nicht mehr aus zu warten.
Ich sprang von meinem Holzstuhl auf, um den Ess- und Schreibtisch mit den Sandwichdreiecken näher an sie heranzurücken, ich zog den Tisch grob, als wäre er ein Karren, der im Dreck steckte, ich merkte es selbst, aber ich war machtlos gegen meinen plötzlichen Energieschub. Sie trug noch immer ihren Mantel.

»Entschuldigen Sie, ich war in der Küche so beschäftigt, dass ich es nicht früher bemerkt habe, wie peinlich, aber kann ich Ihnen doch bitte wenigstens jetzt den Mantel abnehmen?«

Etwas, vielleicht die Langsamkeit, mit der sie ihn aufknöpfte, ließ mich glauben, dass sie ihn nur aus Höflichkeit auszog. Es war doch nicht so kalt in meiner Wohnung? Vielleicht fror sie aus Trauer. Oder hatte sie doch etwas in ihrer Manteltasche?

Ich verfluchte mich für diesen Gedanken, während ich den Mantel in den Vorraum trug. Ich würde jetzt sofort aufhören zu fantasieren, das war doch schon paranoid, wie ich mich aufführte. Vorsichtig hängte ich den Mantel auf den Garderobenhaken. Verstohlen tastete ich, nur zur Sicherheit, seine Taschen ab.

»Noch Tee?«, fragte ich, als ich zurück ins Wohnzimmer kam, obwohl ich sah, dass sie noch keinen Schluck getrunken hatte.

Ich bemerkte ein Paar benutzte Socken neben dem Sofa. Sie konnte sie eigentlich nicht gesehen haben, sie lagen zu dicht am Sofa, sie müsste sich schon über die Lehne beugen, um sie zu entdecken, um sich zu ekeln, aber sie würde sich doch niemals über das Sofa lehnen, wenn sie allerdings aufstand und dann zurückblickte, dann; ich durfte nicht so auf die Socken glotzen, sonst würde ich ihren Blick dorthin lenken.

»Es ist sehr nett von Ihnen, dass Sie mich hereingebeten haben. Ich will Sie auch nicht länger aufhalten.«

Ich füllte meine halb leere Teetasse bis zum Rand mit Milch auf. Je weniger ich sagte, desto schneller würde es vorüber sein. Was nebenbei den Vorteil hatte, dass ich weniger Falsches sagen würde.

»Ja, wie gesagt«, sagte sie und sah mit aufrechtem Kopf,

das feine Kinn vorgeschoben, aus dem Fenster, den Kragen ihrer weißen Bluse trug sie über dem Revers des Hosenanzugs. »Jemand hatte ihm vor der Fahrt die Bremsseile durchgeschnitten, die Bowdenzüge, wie die Polizei sagte. Dazu brauche man noch nicht einmal viel Kraft, wenn man mit einem Bolzenschneider arbeite, sagte der Polizist. Das sei in einer Sekunde erledigt, ein Schnitt und – aus.«

Das letzte Wort hallte. Es schlug gegen die Wände und kam mit erhöhter Schnelligkeit zurück in den Raum, ausausaus. Im unbewussten wie vergeblichen Versuch, eine lockere Gesprächsatmosphäre zu kreieren, hatte auch ich auf meinem Holzstuhl die Beine übereinandergeschlagen. Ich quetschte mir dabei die Hoden ein, wagte es aber nicht, mich zu bewegen.

»Und wer könnte so etwas –«

»Jeder. Alle.« Sie lachte, es klang wie ein Heulen. »Theoretisch sogar Sam selbst, sagte der Polizist.«

»Das glaube ich nicht.«

Sie nahm kurz zur Kenntnis, dass ich auch noch anwesend war. Dann verschwand sie wieder im Nebel.

»Wissen Sie, was am schlimmsten ist? Ich weiß nicht mehr, ob ich meinen eigenen Sohn überhaupt kannte. Was wusste ich alles nicht von ihm? War er Teil eines Bandenkriegs? Haben ihn andere Kinder in der Schule schikaniert, hat er andere drangsaliert und bekam nun die Rache zu spüren? Oder gab es irgendetwas, was ihn bedrückte, hat er versucht, mit Ian und mir darüber zu reden, und wir verstanden die Signale nicht – wäre er wirklich in der Lage gewesen, Selbstmord zu begehen?«

Oder war es alles nur eine schreckliche Verwechslung, solch ein rotes Mountainbike hatten doch viele Jungen, sollten einem anderen die Bremsen durchgeschnitten werden? War es überhaupt nur ein kindischer Streich im Vorbeigehen, ein paar Jungen hatten beim Vater einen Bolzenschneider gefunden und schnitten nun alles durch, was ihnen in den Weg kam? Die Fragen liefen weiter, als sie sie schon nicht mehr stellte.

Oder glaubte sie etwa, ich hätte den Tod verhindern können? Ich hätte Sam hören müssen, als er die Vicarage Gardens herunterkam, als er merkte, Scheiße, die Bremsen gehen nicht, und schrie: Achtung! Achtung!

Ich wusste, sie wartete darauf, dass ich etwas sagte.

»Ich kann Ihnen nicht sagen, wie leid es mir tut, Misses Mahon.«

Vielleicht hätte *ich* früher bremsen können, obwohl ich ihn nicht kommen sah, obwohl ich nichts außer der Musik hörte, vielleicht hätte ich einfach früher bremsen müssen, auf jeden Fall hätte ich die verdammte Musik nicht so laut drehen dürfen.

»Die Fragen fahren im Kopf Karussell, mein Psychologe sagt, mit der Zeit werde es besser, aber es wird nicht besser, im Gegenteil, jeden Tag werden die Fragen mehr. Warum mussten wir ihm überhaupt ein Fahrrad kaufen, in einer Stadt mit dem Verkehr von London? Warum habe ich nicht darauf bestanden, dass er um 18 Uhr zu Hause ist, so alt war er doch noch nicht, 13. 13 Jahre. Warum habe ich ihn nicht um halb fünf von der Schule abgeholt, ich habe sogar noch daran gedacht an jenem Montag: Meine Gerichtsverhandlung war schon mittags abgeschlossen, und ich dachte, statt in die Kanzlei zu fahren, könntest du dir einfach einmal kurzfristig einen halben freien Tag genehmigen, Sam abholen und mit ihm von der Schule zu Fuß nach Hause laufen, so wie das andere Mütter doch auch machen. Warum habe ich es nicht getan? Warum? Warum, warum, warum.« Sie redete noch weiter, aber ich verstand sie nicht mehr. Ihre

Worte wurden immer leiser, bis sie schließlich verstummten.
Ich beugte mich nach vorn. Stuhl und Sofa trennte noch immer ein Meter, doch mein Gesicht kam ihrem nahe, ich brauchte meine Finger nur ausstrecken und hätte ihr Knie berührt.
»Ich weiß, es hilft Ihnen nicht, wenn ich Ihnen versichere: Sie trifft keine Schuld, Kate. Obwohl es die Wahrheit ist. Doch selbst wenn Sie rational begreifen, ich bin nicht schuldig, fühlen Sie sich schuldig. Ich weiß.«
Ich musste sie anfassen, ihre Hand halten, zumindest meine auf ihr Knie legen. Auf die Schnelle sah ich nur einen Ersatz. Ich streichelte meine Teetasse. Es war unmöglich zu sagen, ob sie mir zuhörte.
»Wissen Sie was, Kate«, sagte ich, weil ich nicht mehr wusste, was sagen. »Irgendwann wird es aufhören.« Wie konnte ich jemanden überzeugen, wovon ich selbst nicht überzeugt war?
Aus der Küche hörte man den Wasserhahn tropfen. Es drängte mich, aufzustehen und ihn zuzudrehen. Ich sah die Sandwichdreiecke, wollte schon zugreifen und hinderte mich gerade noch daran. Ich fuhr mir mit der freien Hand über die Oberschenkel, auf und nieder.
»Ich denke, unbewusst bin ich deshalb zu Ihnen gekommen«, sagte sie schließlich.
»Was meinen Sie?«
»Schon als ich den Zeitungsartikel über Sie las, fühlte ich, und ich weiß auch nicht, warum, dass Sie ein großes Einfühlungsvermögen besitzen; dass Sie mich verstehen würden. Und als ich Ihnen nach Ihrer Show in diesem Pub in der City gegenübersaß, auch wenn es nur wenige Minuten waren, fühlte ich mich von Ihnen so … so angezogen, verstehen Sie mich nicht falsch, aber Sie wirkten, als ob Sie

den Unfall sehr gut verarbeitet haben, ohne Sam zu vergessen. Ich bin sehr froh, dass ich mich überwunden habe, Sie heute aufzusuchen.«

Etwas würgte mich.

»Wissen Sie, ich habe weder Ian noch dem Psychologen gesagt, dass ich Sie sehe. Als ob ich Ehebruch begehen würde.«

Mein Mund war ausgetrocknet.

»Und als ich aus Ihrer Show herauslief, fühlte es sich tatsächlich so an: Als hätte ich Ian hintergangen. Vielleicht wird das Gefühl wiederkehren, wenn ich Sie heute Abend verlasse. Wir werden sehen. Wissen Sie, man denkt immer, solch ein Verlust bringe Vater und Mutter zusammen. Aber die Wahrheit ist, dass Ian und ich – doch ich will Sie nicht mit solchen privaten Dingen belästigen.« Ihre Augen hatten sich verengt. »Wissen Sie, was für ein wunderbarer Junge Sam war?« Der Satz war unverkennbar an die Welt, nicht an mich gerichtet. Ich musste ihn dennoch als Anklage verstehen.

»Noch zwei Tage bevor … bevor es passierte, gingen wir zusammen in die Kew Gardens. Welcher 13-jährige Junge geht noch mit seinen Eltern in einen botanischen Garten? Sam stand, ich weiß nicht, wie lange, vor der Selbstzerstörerischen Palme aus Madagaskar – sie heißt wirklich so! –, die nur einmal im Leben, nach gut fünfzig Jahren, blüht und sich dadurch selbst tötet, ich habe den Mechanismus nicht verstanden, aber Sam hat es mir so enthusiastisch und so fundiert erklärt, dass ich ihm zuliebe so tat, als würde ich alles ganz genau kapieren. Ich hätte mich viel öfter bemühen müssen, ihm wirklich zuzuhören, wirklich mit ihm zu reden. Immer war ich so … so halb abwesend, mit dem Gedanken bei irgendeinem blöden Verfahren. Immer habe ich so schnell die Geduld verloren mit ihm.«

»Misses Mahon. Misses Mahon.« Ich legte, vorsichtig, als

berühre ich ein zerbrechliches Kunstwerk, meine flache Hand auf ihr Knie. Die Finger ausgestreckt, ließ ich sie dort liegen. Nur der Hauch meines Handballens berührte sie. Ihr Schluchzen verlor nichts von seiner Intensität.
»Entschuldigung«, sagte sie irgendwann. »Entschuldigung«, und nahm mein Papiertaschentuch. »Gott, ich bin so peinlich. Ich denke, es ist besser, wenn ich gehe.«
Leute sagten, es sei besser, sie gingen, wenn sie bleiben wollten.
»Sind Sie sicher?«
»Ja.«
Sie strengte sich an zu lächeln, sodass ihre Augen vor Tränen glänzten.
Ich ging voraus und sah auch nicht zurück, als ich die Wohnungstür geöffnet hatte, sie mir aber nicht folgte. Ich hörte den Wasserhahn in der Küche, es durchfuhr mich: wenigstens das Badezimmer hätte ich ihr anbieten müssen – und die Socken lagen immer noch neben dem Sofa, sie mussten ihr geradewegs ins Auge stechen, wenn sie zur Tür ging.
Die Handtasche hing über ihrer Schulter, der Knopf war geöffnet, nur das ließ auf einen kleinen Moment der Verwirrung schließen. Sie nahm mir den Mantel aus der Hand, ohne ihn anzuziehen. Ihre Hand kam mir entgegen, ich spürte die Knochen unter dem kalten Fleisch.
»Machen Sie es gut.«
Sie wartete nicht mehr auf meine Entgegnung, sie sah nicht mehr auf. Nieselregen fiel. Als ich von der Straße nur noch das Schlürfen von nassen Autoreifen hörte, schloss ich die Tür. Ich warf die unberührten Sandwichdreiecke in den Mülleimer.

Das Sofa war noch warm von ihrem Körper. Ich ertrug das Gefühl nicht und legte mich stattdessen rücklings auf den

Teppich. Wenn ich die Zimmerdecke anstarrte, musste sich die Welt doch zu drehen beginnen und mir den angenehmen warmen Schwindel verschaffen, der alle Gedanken hinwegpustete. Die Zimmerdecke jedoch blieb weiß und reglos. Ich ließ den Kopf zur Seite fallen. Die Socken lagen unmittelbar vor meiner Nase. Normalerweise war ich sehr ordentlich, das musste ich sie bei Gelegenheit beiläufig wissen lassen, normalerweise putzte ich die Wohnung geflissentlich einmal pro Woche, jeden Samstagmorgen. Aber musste ich denn davon ausgehen, dass ich sie wiedersehen würde? Die Schläfen verspannten sich.
Der Moment, als er, ohne darauf zu achten, die Bremsen drückt. Die rasende Panik, als er dann den gewohnten Widerstand ihrer Drahtseile nicht in den Händen spürt. Ein kurzes Gefühl der Ohnmacht, das letzte Gefühl seines Lebens. Ich hob den rechten Arm, nur um ihn schlaff auf den Teppich knallen zu lassen.
Ich war auf einem guten Weg gewesen, bevor sie gekommen war.
Ich wollte ihr ja helfen, wenn ihr meine Nähe tatsächlich half, auch wenn ich nicht verstand, wie. Aber ich war der Falsche dafür, warum begriff sie es nicht? Jim hatte gut reden, *du musst endlich lernen, dir helfen zu lassen,* für andere, für sie, mochte das durchaus gelten, dass Nähe, dass Reden half, aber ich war eben anders, ich fand, mein Unfall, meine Schmach, mein Schmerz gingen niemanden etwas an, mit seinen Problemen kam man am besten selbst zurecht, wobei ich mir jetzt nichts sehnlicher gewünscht hätte, als Orlas Körper auf meinem zu spüren, aber das war doch kein Widerspruch, natürlich, ein bisschen Geborgenheit brauchte jeder, vielleicht sollte ich Orla jetzt anrufen und ihr die ganze Wahrheit sagen, der Farce von den Fischen endlich ein Ende bereiten, aber wie konnte ich sie ausge-

rechnet jetzt anrufen, was würde ich empfinden, wenn ich erfuhr, dass ich mich einer Person hingegeben hatte, die gar nicht existierte, und auf einmal, nur weil es ihr mies ging, nur weil es nun in ihren egozentrischen Kram passte, ein bisschen geliebt zu werden, rief sie mich, also jetzt war wirklich der denkbar schlechteste Augenblick, sie anzurufen oder ihr gar die Wahrheit zu gestehen.
Dieses verdammte Schuldbewusstsein war wahrscheinlich eine dieser biologischen Urfunktionen, die uns die Natur eingebaut hatte und die niemand mehr brauchte, so wie das Essen, wie herrlich wäre es, wenn man einfach nicht mehr essen müsste, es schmeckte doch sowieso nichts mehr.
Gedanken, unaufhörlich kreisend – aber Fakten, ich durfte, ich musste nur die Fakten sehen: Ich hatte Konflikte, Konfrontationen, schwierige Begegnungen wie diese mit der Mutter noch nie ausgehalten, auch vor dem Unfall nicht, ich hatte sie immer schon dadurch gelöst, dass ich ihnen aus dem Weg ging, dass ich die Zeit die Konflikte oder Konfrontationen für mich aus der Welt schaffen ließ. Doch ich hatte immer einen immensen Willen besessen, wenn es darum ging, etwas zu schaffen; wenngleich ich ihn in Auseinandersetzungen mit anderen Menschen schlagartig verlor. Fakt: Diesen Willen besaß ich noch immer.
Meine linke Hand strich über den Teppich, bekam etwas Weiches zu fassen und hielt sich daran fest. Ich legte die schwarze Socke über meine Augen und blieb regungslos am Boden liegen.
Zwei sanfte, melodische Töne rissen mich aus dem Kreis der Gedanken. Ich brauchte einen Augenblick, um mich zu erinnern, woher ich die Laute kannte. Mir war, als hätte schon Monate niemand mehr an meiner Tür geklingelt.
Das letzte Mal, dass ich jemanden in meiner Wohnung

erwartet hatte, musste im Sommer gewesen sein, Alicia, vermutete ich. Wobei danach noch einige Male eine breitschultrige Theaterzuschauerin aus dem Phoenix hier gewesen war, oder war das vor Alicia gewesen?
Ich hatte keine Pizza bestellt, es war nicht die Stunde des Postboten, Jim kam seit der Erfindung des Handys nicht einmal mehr auf die Idee, an Türen von Freunden zu klingeln. Es konnte nur eine sein.
Ich blieb liegen, die Augen unter der Socke geöffnet, und wartete, ob es noch einmal klingeln würde. Es hatte keinen Sinn, ich musste öffnen, sie wusste, dass ich hier war, vermutlich konnte ich nicht einmal behaupten, ich sei schnell zum Supermarkt gelaufen, ich hätte etwas vergessen, Paprika, denn wahrscheinlich hatte sie die ganze Zeit unschlüssig oder überwältigt vor meiner Wohnung gestanden.
Ich öffnete die Tür und schloss die Augen.
»Entschuldigung«, sagte sie.
Der Nieselregen fiel, aber die Stille übertönte ihn.
»Ich weiß, ich bin so peinlich. Aber ich dachte, also, wir haben uns heute doch so gut unterhalten, ehrlich gesagt, habe ich mich von Ihnen heute besser verstanden gefühlt als von irgendwem, seit … seit es passiert ist. Und deshalb dachte ich, also, Gott, ich bin so peinlich, aber ich dachte, damit ich Ihnen das nächste Mal nicht wieder auflauern muss – könnten Sie mir vielleicht Ihre Telefonnummer geben?«
»Meine Telefonnummer?«
»Nun, ich würde Sie, also, auch nicht oft anrufen, also, nicht weinend mitten in der Nacht, wenn Sie das meinen. Ich würde mich nur einmal kurz melden, um ein Treffen auszumachen, also, vielleicht. Was meinen Sie?«
»Natürlich.«

Sie hielt Zettel und Stift bereit.
»Ach so, Sie wollen sich die Nummer aufschreiben? Klar. Okay. 07940«, die abrupte Kälte des Vorhofs ließ mich schaudern, »715«, sie zeichnete die Nummern regelrecht, »951«.
959 wären die richtigen letzten drei Ziffern gewesen.

vierzehn

Eine Korrektur: Das herrlichste Gefühl war doch nicht, etwas vollbracht zu haben. Das wirklich Schönste war die Erleichterung, etwas hinter sich gebracht zu haben.

Freitagnachts im Banana Cabaret applaudierte das schwarze Nichts, ohne in die Hände zu klatschen. Es johlte, es pfiff, es stieß spitze Schreie aus. Ein Stuhl fiel um, jemand stolperte. Bierbecher rollten, Schimpfwörter flogen, »Nazifotze!«, und sollten witzig sein, »deutsche Frauen rasieren sich nicht die Achseln!«, »zwei Weltkriegssiege und ein Weltmeistertitel!«, außer Kontrolle geratener Überschwang verwandelte sich in grundlose Wut, »das war Schrott, das ist alles Schrott hier!«. Ich warf eine Kusshand ins Publikum und trat ab.

Ich nahm an, dass auch in England die Adventszeit früher einmal als besinnliche Zeit gegolten hatte. Daraus war ein vierwöchiger Rausch geworden. Kam der Dezember, konnte man allein oder zu zweit nicht mehr in Restaurants, Bars oder Comedy Clubs gehen, ohne sich für einen Ausgestoßenen zu halten. Überall stiegen Firmenweihnachtsfeiern, Vereinsweihnachtsfeiern, Freundesweihnachtsfeiern, deren einzige Regel war, in hysterischer Euphorie alle Regeln anständigen menschlichen Umgangs zu ignorieren. Das Ziel war, am nächsten Morgen sagen zu können, ich kann mich an nichts mehr erinnern, oder zumindest: Der Besen eines Müllmanns weckte mich.

Theoretisch war die englische Weihnachtszeit für einen Komiker ein vorzügliches Geschäft. Alle wollten lustig sein, und weil sich viele dies nicht zutrauten, luden sie ihre Firmen oder Vereine zur Comedy ein. Die Clubs buchten mehr Auftritte, einige zahlten sogar großzügiger.

Praktisch allerdings war es ein übles Geschäft. Fünf- oder sechsmal die Woche vor einer Meute aufzutreten, die schlechtes Benehmen für Humor hielt und sich selbst für den Hauptdarsteller, gab mir eine Ahnung, wovon Kriegsveteranen sprachen.

Ich konnte die tobende Masse im Banana Cabaret noch nicht einmal nach dem Auftritt hinter mir lassen. Der Saal besaß keinen Hinterausgang. Angesichts der Aussicht, mich durch die Meute nach draußen kämpfen zu müssen, blieb ich mit den drei Komikern, die vor mir aufgetreten waren, noch einen Moment zurück. An die Hinterwand geduckt, bemüht, unsichtbar zu werden, betrachteten wir den Abzug des schwarzen Nichts. Der größte Teil strömte nach unten in den Pub. Manche allerdings, die wohl wussten, dass der Mehrzwecksaal sich gleich in eine Diskothek verwandeln würde, blieben stehen, plötzlich begannen sie zu tanzen, obwohl noch keine Musik spielte, Bier aus hochgehaltenen Plastikbechern spritzte durch die Luft, auf ihre Haare, die Tropfen liefen ihre Schläfen hinunter und befeuerten sie zu schreien, einfach wie wahnsinnig zu schreien. Ein Junge aus der Masse nahm einen Eiswürfel aus seinem Trinkbecher, schob ihn in den Mund und dann dem Mädchen neben ihm in die Unterhose.

»Frohe Weihnachten«, sagte ich, ohne jemanden anzusprechen, und bemerkte, dass sich etwas Grundlegendes verändert hatte. Die anderen drei Komiker lachten. Wenn ich als Nummer drei oder vier der Schau in derselben Situation denselben Spruch gemacht hätte, hätten sie darüber bestenfalls still gelächelt. Der Nummer eins dagegen zollten sie Anerkennung.

Der Saal hatte sich so weit geleert, dass man sich bewegen konnte, ohne einen Schlag auf den Hinterkopf oder die nicht viel weniger schmerzhafte stürmische Umarmung eines Berauschten fürchten zu müssen. Kellner ließen mit verlässlichen, eingespielten Griffen die Klappstühle verschwinden. Wir versicherten uns mit einem Nicken, dass wir bereit waren. Automatisch setzte ich mich an die Spitze der Komikerkarawane, wie es meine Verantwortung als Nummer eins verlangte, und kaufte an der Bar ein Bier für jeden. Ich behauptete, ich müsse kurz auf Toilette. Ich drängelte mich auf der Treppe vor, sagte Entschuldigung, Entschuldigung, Entschuldigung im Stakkato, ein Zuschauer erkannte mich, »der Deutsche, der denkt, er wäre lustig!«, das warme Licht des gigantischen Pubs nahm mich freundlich auf. Es weilten gut und gerne 200 Gäste in einem Raum für vielleicht 120 Besucher. Ich ließ von der zweituntersten Treppenstufe den Blick über die Menge gleiten. Unmöglich konnte ich jeden Einzelnen erkennen und war mir trotzdem bald sicher, dass sie nicht hier war. Sie hätte ich sofort entdeckt.
Erlöst machte ich kehrt.
In einem Moment der Show war ich plötzlich überzeugt gewesen, die Anwesenheit der Mutter zu spüren. Und eine ungekannte Regung hatte mich gepackt: Ich glaubte, sie beschützen zu müssen, wovor genau, hätte ich nicht erklären können, vor der Aggressivität und Derbheit der Meute; vor der Ungerechtigkeit, dass die Masse ihrer dumpfen Freude frönen durfte, während Sam nicht mehr da war.
Als ich zu meinen Kollegen im Obergeschoss zurückkehrte, stand eine Frau ohne Bier bei ihnen. Der Gedanke

ließ sich nicht aufhalten: Ich hatte eigentlich genug von gut aussehenden Frauen in mittleren Jahren.
»Da ist er ja.« Jason Clarke, plötzlich zu beflissen, beeilte sich, mir mein Glas zu reichen. »Das ist Andy Merkel. Aber das wissen Sie ja natürlich.«
In blindem Einverständnis rückten die drei anderen Komiker von uns ab.
»Andy. Erfreut, Sie kennenzulernen. Ich bin Jennifer Jones.« Sie sagte es mit der gespielten Beiläufigkeit von Leuten, die sich gewiss sind, mit ihrem Namen bereits alles erklärt zu haben.
»Okay«, sagte ich. Ich war ratlos. Es war angenehmer, als nervös zu sein.
»Gratulation zu Ihrem Auftritt. Ich las die Kritik im TELEGRAPH vor einigen Tagen und dachte, ich schaue einmal vorbei. Und, es kommt selten genug vor, aber zur Abwechslung hat der TELEGRAPH einmal recht: Ihr Talent ist nicht zu übersehen. Ihr Witz mit Berlin 1939 hätte mich fast umgebracht, so sehr musste ich lachen. Und Sie haben recht! Sie haben so recht, unsere absurde Insularität auf die Schippe zu nehmen.«
»Ihr Kompliment freut mich sehr.« Aber wer zur Hölle sind Sie?
»Ich muss gestehen: In 25 Jahren Comedy habe ich selten einen Komiker mit solch einer genialen Rolle gesehen: der lustige Deutsche. Wenn es Sie nicht gäbe, müsste man Sie erfinden!«
»Besser nicht.«
Außerhalb einer Show war ich das Gegenteil von humorvoll, selbst in Momenten, in denen ich es gern sein wollte. Es gab Komiker, die auf der Bühne einfach die Rolle ihres Lebens aufführten, und es gab andere, die nie aus der Rolle herauskamen und glaubten, sie müssten 24 Stunden

am Tag den Komiker spielen. Ich war der lustige Deutsche, der England mit seinem Humor eroberte. Aber vor allem war ich alles andere als witzig. Was ich konnte, war analysieren, was andere lustig fanden, und daraufhin mich selbst für einen Auftritt als Kunstfigur konstruieren. Für Leute, die mich von der Bühne kannten und danach trafen, musste ich eine Enttäuschung sein. Für Leute, die mich nur fernab der Bühne kannten, sowieso.

»Sie sollten sich überlegen, ob Sie nicht professioneller arbeiten wollen.«

»Wie meinen Sie das?«

»Nun, das Talent ist eine Sache. Aber um es zu schaffen – und Sie haben unzweifelhaft das Zeug dazu –, braucht es eine Menge Hilfe und Kontakt.«

»Das heißt?«

»Sie bräuchten einen Agenten.«

»Oh, danke. Aber ich habe bereits einen.«

»Nein, ich meine, einen richtig professionellen Agenten. Ich weiß, dass ein Freund sich hobbymäßig um Sie kümmert, und ich finde diese Leidenschaft durchaus bewundernswert. Aber er wird Sie nie in den Topclubs unterbringen, wo Comedy eine Kunst ist und nicht«, sie warf mit einem Nicken ihre gesamte Verachtung über dem Saal ab, »eine Lachmuskelanimation für Lallbrüder.« An ihren Ohrringen baumelten kleine Porzellanelefanten. Die einzigen Falten, die in ihrem Gesicht auffielen, waren die an den Augen. »Was ich sagen will, ist dies: Ich würde Sie unter Vertrag nehmen.«

»Das ist, also, das ist sehr freundlich von Ihnen. Aber wer – ich meine: Aber das muss ich mir erst einmal durch den Kopf gehen lassen. Schon aus Loyalität zu meinem jetzigen Agenten.«

»Das ehrt Sie. Doch, unter uns gesagt, am Ende ist es Ihre

Karriere.« Ihr Parfüm, süßlich dezent, kam näher. »Ich würde Sie sofort – sofort – auf die nationale Jongleurs-Tour bekommen, Coventry, Manchester, Bath, zwei Auftritte pro Woche garantiert. 99 Club, Cosmic Comedy, Up the Creek: Ich kriege Sie da rein.«
Im Gefühl, uns alles gesagt zu haben, unterhielten wir uns noch über eine halbe Stunde lang. Als die Lichter ausgingen und ohne Vorwarnung mit vollem Volumen *Wake Me Up Before You Go Go* erklang, sagte sie mit spürbarer Erleichterung, Disko sei nun wirklich nicht mehr ihre Sache. »Auf Wiedersehen, Andy, und rufen Sie mich an.« Die Kanten einer Visitenkarte stachen, nicht unangenehm, in meine Hand. Diskolichter sprangen durch den Saal, der enorme Kunstpelzkragen ihres Mantels leuchtete in ihnen noch einmal grell auf, dann war sie verschwunden. »Andy Merkel, du bist auf der Leiter nach oben«, rief Jason Clarke und hielt mir seine Hand zum Einschlagen hin. Ich sagte, es sei besser, wenn ich jetzt ginge.

Mit dem Pendlerzug von Balham erreichte ich Victoria Station. Ich musste nicht lange suchen, bis ich im Kellergeschoss unter einem arabischen Schnellrestaurant ein Internetcafé fand.
»Jennifer Jones«, tippte ich ein, COMET COMEDY MANAGEMENT. Ist seit den Achtzigern eine lebende Legende der Londoner Stand-up-Comedy-Szene. 1987 gründete sie in Kentish Town die legendäre Green Tea Lounge, in der schon bald Jack Lee, Lee Evans oder ein junger, unbekannter Künstler namens Eddie Izzard ein kleines, eingeweihtes Publikum unterhielten und nach offiziellem Showende noch bis in die frühen Morgenstunden die Getreuen an der Bar mit spontanen Gags zum Totlachen brachten. Als Mietspekulanten der Tea Lounge das Leben unmöglich machten, zog Jen-

nifer weiter nach Highbury, wo ihr neu gegründeter Comet Club noch einige Jahr der wahren Comedy-Szene eine emotionale Heimat bot. Wie so viele vor ihr, verkaufte allerdings auch Jennifer in den jüngsten Jahren ihre Ideale. Sie gründete mit COMET COMEDY MANAGEMENT eine der wirtschaftlich erfolgreichsten Comedy-Agenturen Großbritanniens, die solch kommerzielle Mainstream-Kreaturen wie Punky Edwards oder James Daniel repräsentiert.
Mainstream-Kreaturen. Vermutlich würde ich zumindest in den Augen der Verfasserin dieses Interneteintrags bestens in Jennifer Jones' Portfolio passen.
In den Pfützen der Victoria Street schwammen die Häuserfassaden. Die Köpfe eingezogen, als hätten sie eine Niederlage erlitten, hasteten bereits die ersten Nachtschwärmer zum Bahnhof, um die letzten Züge in die Vororte zu erreichen. Sie gingen mit verschränkten Armen vor der Brust, um sich selbst gegen die feuchte Kälte zu wärmen. Die Stadt triefte.
Ein Taxi kam näher, die Reifen glitten durch die Pfützen. Spontan hob ich den Arm. Die Begegnung mit Misses Jones hatte mir das Gefühl verschafft, mir etwas leisten zu können.
»Ein bisschen frostig heute«, sagte der Fahrer.
»Ja.«
Er interpretierte meine knappe Antwort richtig und ließ uns schweigen. Whitehall und seine Ministerien zogen vorbei. Ich wischte mit dem Handrücken das Kondenswasser von der Fensterscheibe, ohne dass der Blick klarer wurde.
Und wenn ich, um nach ganz oben zu gelangen, tatsächlich eine Agentin brauchte, die dort zu Hause war? Wobei mich Jim doch auch gerade erst im Comedy Store untergebracht hatte. Aber wenn es ein Glückstreffer war? Wenn Jim die Veranstalter anrief, musste er erst einmal erklären,

wer er war, da baute sich bei den meisten schon Skepsis auf. Wenn Jennifer Jones anrief, gingen die Promoter unbewusst davon aus, dass ihr Komiker eine Nummer war.
So oft las man davon, dass ein Agent und ein Schauspieler, Künstler, Sportler sich gemeinsam hocharbeiteten, und kaum erzielte der Schauspieler, Künstler, Sportler erste Erfolge, lief er über zu einem etablierten Manager. Die öffentliche Sympathie war immer aufseiten des Zurückgelassenen. Doch wenn der vermeintlich arme, kleine Agent einfach nicht die Kontakte, nicht die Fähigkeiten besaß, das Maximale aus dem Talent des Schauspielers, Künstlers, Sportlers zu machen? Wenn der Schauspieler, Künstler, Sportler bei seinem Agentenwechsel nicht undankbar, sondern schweren Herzens logisch handelte?
Statt großzügig Trinkgeld zu geben, rundete ich wie gewohnt den Fahrpreis von 9,55 Pfund nur auf und ging die Treppen hinunter ins Phoenix.
An Abenden wie diesem war es ein Genuss, spät zu kommen. Das dicht gedrängte Publikum, durch das ich mich schlängeln musste, der Schrei »Andy!« von links, die erhobene Hand von der Bar, die mich herbeiwinkte, verschafften mir die Vorstellung, einen triumphalen Einmarsch zu nehmen. Ich musste doch einmal mit Orla hierherkommen; so wie ich noch so einige Vorhaben mit Orla umsetzen musste.
»Hey, Andy, wie läuft's? Du kommst spät.«
»Ich war in Balham, Banana Cabaret. Und du?«
»Ich bin heute im Comedy Café aufgetreten, es lief wirklich richtig gut. Aber geh erst mal an die Bar, wir reden später, ihr Deutschen seid schon wieder die Letzten an der Bar, ihr seid nur schnell, wenn es darum geht, einen Krieg zu starten. Und das war mein Witz! Nicht dass du ihn noch bei deinen Auftritten benutzt. Das war mein Witz!«

Billy Humphrey zog mich an sich, ich spürte sein nasses Gesicht und sein kaltes Bierglas an meiner Wange. Hinter uns wollten zwei geduldige Gäste durch, wir verursachten einen Stau, Musik und Gelächter mischten sich zum Klang der Ausgelassenheit. In der orgiastischen Weihnachtsstimmung rundherum bildete das Phoenix standhaft eine Insel der wohlgesitteten Fröhlichkeit. Ich entdeckte Fairholme plötzlich an der Tür zum kleinen Barraum, die weißen Hemdsärmel hochgekrempelt, die linke Hand gegen die Wand gestützt, teilnahmslos in ein Gespräch mit zwei Männern verwickelt, die ich nicht kannte.
Er schien meinen Blick zu spüren.
Aus der Distanz von zehn Metern fixierte er mich. Jäh stieß er sich von der Wand ab. Unterbewusst spürte ich, wie ich mit den Schultern und Händen Körper aus der Bahn schob, wie von fern drangen Proteste an mein Ohr, »hey, pass doch auf«, »sag was, wenn du durchwillst«, »sag wenigstens Entschuldigung«. In meiner Wahrnehmung jedoch waren die Barbesucher in meinem Weg nur Schilf, das brach, während ich vorwärtsmarschierte. Er kam mir direkt entgegen. Er hielt meinem Blick stand, in seinem Gesicht bewegte sich nichts, er war jünger, nicht älter als 27, drahtig. An seinen freigelegten Unterarmen traten die Adern hervor.
Den ersten Schlag mit der Rechten in die Hoden, dann unmittelbar ein linker Haken in den Magen, nahm ich mir vor.
Noch zwei Meter, ein Schritt, seine Augen hatten sich zusammengezogen, ich würde auf keinen Fall als Erster stehen bleiben. Wir standen zwischen zwei voll besetzten Tischen, es war bereits zu laut, um noch einzelne Sätze aufzuschnappen, von der Musik erreichte einzig das Hämmern des Basses mein Gehirn. Er machte den letz-

ten Schritt schneller und zwang mich so, stehen zu bleiben. Ich ballte die rechte Faust und hielt sie eng am Körper, am Oberschenkel, damit er sie nicht sofort sah. Die obersten zwei Knöpfe seines Hemds waren offen, aus der Nähe wirkte seine Brust geradezu breit. Wichtig war, den ersten Schlag überraschend zu setzen, das war die halbe Miete, und während er sich noch krümmte, den zweiten in den Magen.

Wir warteten; jeder auf ein Zeichen des anderen, ein Signal, dass es losging. Seine braunen Augen waren ausdruckslos. Meine mussten funkeln vor Hass.

»Ich möchte mich entschuldigen«, sagte er.

Er sei extrem betrunken gewesen an jenem Freitag vor einem Monat, er wusste, das entschuldigte nicht, was er damals zu mir sagte, aber er habe es nicht so gemeint, er habe einen schlechten Abend gehabt, weil seine Show abgesagt worden war; er habe sich gehen lassen und einfach Unsinn geredet. Natürlich wusste er, dass der Unfall, also, wie sagte man, stattgefunden hatte. »Ich hoffe, du verzeihst mir.«

Ich nickte stumm und schüttelte seine ausgestreckte Hand mit gesenktem knallrotem Kopf.

Ich bemühte mich zu lächeln, als ich Jim an der Bar fand.

»Also, ich denke, er ist darüber hinweg – hey, Andy, schön, dich zu sehen!« Er schlug mir auf die Schulter. Er stand mit Rod Gilbert und Lawrie Eaden zusammen.

»Wer ist über was hinweg?«

»Ach, wir reden nur ein bisschen. Ich habe Rod und Lawrie gerade von Bernard erzählt, du weißt doch, ich war heute mit ihm im Pearshaped. Ich habe das Gefühl, er ist endlich wieder der Alte. Wenn das Publikum ihn aufzog, hat er absolut trocken gekontert. Sein Humor hat sich an den Zwischenrufen nur geschärft, wie früher. Wunderbar. Lasst

mich überlegen, was war der eine neue, absolut bösartige Witz von Bernard, der mich umwarf?«
Wie es die Selbstachtung von Komikern verlangte, die sich selbst für besser als die anderen hielten, es aber nie aussprechen würden, stand in den Gesichtern von Gilbert und Eaden statt Neugierde nur versteinerte Zurückhaltung. Ihr Anblick vertrieb meine Benommenheit wieder.
»Ach ja. Also, der Gag ging so: Ich habe harte Zeiten hinter mir. Ich war unendlich in ein Mädchen verliebt, und als ich ihr meine Liebe gestand, stieß ich auf Ablehnung: ›Ach, Bernard, ich mag dich zwar, aber ich bin nicht verliebt. Ich liebe dich wie einen Bruder.‹ Sie liebt mich wie einen Bruder? Hey, in Cornwall ist das keine Ablehnung, sondern ein Heiratsantrag!«
Jim röhrte, Gilbert und Eaden grinsten.
»Aber das ist Bernards Witz, schreibt es auf, das ist Bernards Witz. Nicht dass einer von euch ihn noch klaut!«
Bernard kam nie ins Phoenix. Er sagte, die Bar sei nichts für Schwule. Was er wohl meinte, war: Er redete lieber über Ästhetik, Architektur, Afghanistan als darüber, wer wo supererfolgreich aufgetreten und welche Witze gemacht hatte.
Nicht wenige aus dem Phoenix machten furiose Gags über die Regierung und den Afghanistan-Krieg, aber war es für uns wirklich mehr als ein zufällig aktuelles Thema wie David Beckhams Tätowierungen, Posh Spices Magersucht oder die tief hängenden Jeans der Teenager? Wenn es darauf ankam, war der Afghanistan-Krieg für uns nicht schrecklich, sondern eine Jobmöglichkeit. Die Regierung flog Komiker aus, um die britischen Kampftruppen dort bei Laune zu halten. Zumindest die Gewissensfrage, ob ich das machen würde, würde sich mir nicht stellen; ein deutscher Komiker für die britische Armee – so weit war der Fortschritt doch noch nicht.

Aber wie war es im Banana Cabaret, wollte Jim wissen, hatten sie mich als Nummer eins auftreten lassen, der Promoter hatte es ihm vorher per Fax bestätigen müssen, im Pearshaped hatte er mich auch gleich untergebracht, für den 8. Januar. Er habe den Artikel im Telegraph gesehen, sagte Rod Gilbert, normalerweise lese er den Telegraph nicht, aber er lag in einem Café herum, nicht schlecht, sagte Lawrie Eaden, er erinnere sich, als vor zweieinhalb Jahren die Times über ihn die erste große Kritik brachte, die Mädchen standen danach vor seiner Tür Schlange; leider war nur seine Frau zu Hause. Das war dein Witz, rief Rod, schreibt es auf, rief Jim, das war Lawries Witz. Darren Anderson habe ihn heute angerufen, sagte Jim ohne erkennbaren Zusammenhang, denn dieses Gespräch brauchte schon keine logischen Übergänge mehr. Vom Building Site. Der plötzliche Ernst in Jims Stimme ließ Gilbert und Eaden unauffällig zurückweichen.

»Anderson wollte etwas mit mir, nun, besprechen.« Schon das eingeschobene ›nun‹ ließ mich aufhorchen. »Und rate mal, was er wollte, du wirst nie darauf kommen.«

Ich hob und senkte die Schultern.

»Er wollte deinen Auftritt nächsten Montag stornieren, das heißt verschieben auf Ende Januar. Er findet, dein Programm könnte – wie er es ausdrückte – in der Weihnachtszeit Probleme machen.«

»Bitte?«

Aus der Entfernung drohte mir Billy Humphrey lachend mit einem Finger.

»Er meint, Witze eines Deutschen über England könnten die Weihnachtsbesoffenen aufstacheln, und sie würden ihm den Laden kurz und klein schlagen.«

»Macht er Witze?«

»Das habe ich ihn auch gefragt. Er wurde sehr kleinlaut,

hat sich tausendmal entschuldigt, aber immer wieder gemurmelt: ›Ich glaube, es ist besser so, Jim.‹«

»Nun, wenn er meint, dann trete ich eben Ende Januar bei ihm auf.«

»Quatsch, Andy.«

»Was?«

»Du trittst gar nicht bei ihm auf. Ich habe ihm abgesagt.«

»Jim.«

»Ich habe ihm gesagt, dass dies das lächerlichste Argument sei, das ich jemals gehört habe, und dass ich eine Warteliste von Veranstaltern habe, die dich buchen wollen. Ich habe ihm bis morgen Zeit gegeben, es sich anders zu überlegen, und dann aufgelegt.«

Er lauschte dem Nachklang seiner eigenen Wörter. Der Menschenstrom hatte Gilbert und Eaden aufgenommen und sie fünf Meter entfernt an einen Tisch mit Kollegen gespült. Fairholme saß darunter. Er streckte mir den erhobenen Daumen entgegen. Ich grüßte mit einem gehetzten Halblächeln zurück. Die Lautsprecher knackten unter dem zu tiefen Bass. Ich griff nach Jims Arm, um nicht selbst davonzutreiben.

»Ich weiß nicht, ob das so eine gute Idee war, Jim.«

»Also bitte, Andy. Wir sind über das Stadium hinweg, dass wir uns von diesen Ausbeutern für 40 Pfund am Abend auch noch alles gefallen lassen.«

»Ich wünschte, du hättest recht, Jim. Ich bin mir nur nicht sicher, ob wir wirklich schon so weit sind. Das Ziel ist in Sichtweite. Aber wir können noch immer stolpern, auch einen Meter davor.«

»Was? Willst du sagen, ich hätte einen Fehler gemacht? Und selbst wenn – bei alldem, was ich in den letzten Tagen für dich erreicht habe, könnte ich mir doch einen Fehler erlauben, oder nicht?«

»Jim, ich habe dir überhaupt keinen Vorwurf gemacht.«
»Es klang aber so.«
»Dann tut es mir leid. Komm, ich hole uns eine Runde, was willst du, Gin Tonic?«
»Ist mir egal.«
Wie ein Kanuruder in die Wellen fuhren meine Hände über Schultern, um mich zum Tresen vorzukämpfen. *And through it all she offers me protection,* ich sang das Lied ungewollt mit, *a lot of love and affection,* ich war nur der kleinste Teil eines von niemandem dirigierten Chors, der sich über die gesamte Bar verstreute.
Alle meine Tagträume liefen auf das eine Mal, irgendwann, hinaus, wenn ich es nach ganz oben geschafft hätte. Dabei hatte ich nie einen brennenden Ehrgeiz gespürt, irgendwann wirklich ganz oben anzukommen. Ich bildete mir ein zu wissen, dass ein Ziel zu erreichen nie so schön sein konnte, wie davon zu träumen. Und ich hatte in Jim einen Freund, mit dem sich das Niemals-ganz-oben-Ankommen täglich wunderbar in ein Fast-schon-am-Ziel-Sein umdeuten ließ.
Was aber, wenn ich, statt zu träumen, einmal die Fakten sah, wie Jim doch selbst immer sagte? Irgendwann würde ich 40 oder 50 sein, und wenn ich dann mit Jim noch immer nicht ganz oben angekommen war, wäre das kein Stoff für einen Traum mehr, sondern eine bittere Erkenntnis. Jennifer Jones bot mir die Möglichkeit, Comedy erfolgreich als Beruf zu betreiben. Das hieße doch nur, handfester zu träumen.
Der Gin Tonic schwankte auf dem Weg durch die drängelnde Menge. Jim streckte mir die Hand entgegen, um sein Glas zu retten. Als wir nebeneinanderstanden, prosteten wir uns schweigend zu, als hätten Wörter in dem Lärm ihren Sinn verloren. Schließlich überwand ich die innere Blockade und sagte: »Ich muss dir etwas sagen.«

Er wartete, mir schien, unschuldig neugierig. Nach meinem ersten Satz explodierte er.
»Was meinst du damit: Du hast die Mutter getroffen? Andy, was soll das bringen, wo soll das hinführen?«
»Vielleicht habe ich mich nicht ganz korrekt ausgedrückt, Jim: Die Mutter hat mich getroffen. Sie hat mich gesucht, zweimal. Am Montag erschien sie in der Lamb Tavern. Vorgestern stand sie vor meiner Wohnungstür.«
Um uns herum verschwanden die Musik, die Kollegen, das Summen und Brummen der Bar. Es existierten nur noch meine Erzählung und sein vor Erstaunen regungsloses Gesicht.
»Mir ist schlecht, Andy«, sagte er, als ich nichts mehr zu erzählen hatte. »Die Bremsen durchgeschnitten.«
Ich schnallte meinen Gürtel los und zog ihn postwendend stramm wieder zu.
»Ich sage dir was, Andy«, sein ausgestreckter Zeigefinger tanzte vor meiner Brust, wer uns sah, musste denken: anklagend. »Es laufen Jugendgangs durch London, die haben jedes Maß verloren, die wissen nicht mehr, wo der Spaß aufhört und der Horror anfängt.« Er hielt sein leeres Glas lange an den Mund, um ein wenig Eiswürfelwasser daraus zu trinken. »Sollen wir gehen?«, fragte er abrupt, als halte er es nicht aus, seinen eigenen Gedanken zu Ende zu formulieren.
Die Treppe zum Ausgang nahmen wir im Gleichschritt. Er legte seine Hand auf meine Schulter, und ich fühlte ein Gewicht an mir ziehen, als müsste ich seinen ganzen, schweren Körper nach oben schleppen.

fünfzehn

Der Gedanke, dass es viel zu tun gab, weckte mich am nächsten Morgen um kurz nach sechs. Ich kochte einen Tee, trank ihn im Stehen in der Küche und schlüpfte in ein verwaschenes T-Shirt und Jogginghose. Angriffslustig jagte ich den Staubsauger über den Teppich. In anderthalb Stunden hatte ich die Wohnung wieder in Ordnung gebracht. Ich sah mich zufrieden um, das zusammengeknüllte Zeitungspapier vom Fensterabreiben noch in der Hand, und war auf die Enttäuschung nicht vorbereitet. Die Wohnung sah so kümmerlich wie zuvor aus.

Ich holte meine wenigen Bücher von der Schlafzimmerkommode ins Wohnzimmer, sie wurden ein Farbtupfer inmitten des billigen Mietmobiliars. Aber nun war das Schlafzimmer kahl. Für jemanden, der aus einem Studentenwohnheim hier zu Besuch erschien, würde die Wohnung immer noch etwas hermachen, versuchte ich mich zu beruhigen.

Mit dem Fahrrad fuhr ich zur North End Road, kalt drang die Luft in die Lungen, aber auch unverbraucht, voller Sauerstoff. Bis um neun Uhr der Fischhändler öffnete, blieb mir noch reichlich Zeit, ins Café zu gehen. Doch allein die Vorstellung, ruhig zu sitzen, hielt ich nicht aus. Am Zeitungskiosk an der Mündung zur Dawes Road erstand ich aus neu gewonnener Sympathie den TELEGRAPH. Irgendwo im Obergeschoss der Reihenhäuser öffnete sich mit Quietschen ein Fenster dem neuen Tag. Dann kehrte die Dorfes-

ruhe zurück. Ich wartete vor dem Fischladen und las die Leserbriefe. Als ich, wieder zu Hause, die Einkäufe verstaute, läutete das Telefon.
Anrufe samstagmorgens vor zehn konnten nur von meinen Eltern oder nichts Gutes sein. Erstarrt kauerte ich vor dem offenen Kühlschrank, den kalten Kabeljau in der Hand, und wartete, dass das Klingeln verstummte. Zwei Minuten später läutete es erneut. Und wenn sie anrief? Es würde zu ihr passen, dass sie in Zeiten der Handydiktatur die Festnetznummer wählte. Ich machte eine kurze Atemübung und hob ab.
»Jim! Was ist passiert?«
»Wie, was soll passiert sein?«
»Na, weil du anrufst.«
»Darf ich nicht anrufen?«
»Ich bin entzückt, dass du anrufst – aber ich hätte, ehrlich gesagt, nicht erwartet, jemals samstagmorgens vor zehn einen Anruf von dir zu erhalten.«
Er hatte keine Lust auf Neckereien.
»Ich habe kaum geschlafen, Andy.« Ein schlechtes Gewissen packte mich. »Ich habe mich die ganze Zeit im Bett gewälzt und an die verfluchten Bremsen gedacht. Ich meine, wer ist in der Lage, so etwas zu tun?«
»Ich weiß, Jim.«
»Was weißt du?«
»Ich weiß, was du meinst.«
Ich wollte nicht ungerecht sein, ich wehrte mich gegen das aufkommende Gefühl. Aber es war schon da. Ich fand ihn abstoßend. Was glaubte er: dass er wirklich nachempfinden konnte, wie es den Jungen getroffen hatte, wie es alle, die an dem Unfall direkt beteiligt waren, mitgenommen hatte?
»Ich habe gerade Kozluk angerufen, Andy.«

Ich wurde misstrauisch.
»Was soll das bringen?«
»Er soll herausfinden, was bei den Ermittlungen läuft, ich möchte wissen, was für Ghettobastarde das getan haben, und wenn ich das Gefühl habe«, seine Wut schrie, »die Bullen tun nicht alles Erdenkliche, dann werde ich eine Kampagne starten.«
»Ich weiß nicht, Jim –«
»Wir hängen da mit drinnen, Andy, wir haben eine moralische Verpflichtung.«
»*Wir* hängen da mit drinnen.« Aber wie sollte er meinen Zynismus hören? Er war gar nicht aufnahmefähig. »Jim, alles, was ich von dir verlange, ist, es diesmal nicht an die Presse zu geben. Das sind vertrauliche Informationen.«
»Was heißt, diesmal nicht an die Presse geben? Natürlich gebe ich es nicht an die Presse, ich habe nie etwas an die Presse gegeben, Andy, ich habe dir das geschworen, warum willst du mir nicht glauben?«
»Ich glaube dir ja. Ich wollte nur –«
»Warum sagst du dann: diesmal nicht an die Presse geben? Andy?«
»Lassen wir es gut sein, Jim.«
Nirgendwo hörte sich Stille so schrecklich an wie am Telefon.
»Tut mir leid, Andy. Ich weiß, dass das noch immer ein hartes Thema für dich ist. Es ist nur – okay, Entschuldigung, ich höre schon auf. Wie geht es, Andy, was machst du heute, du hast heute Abend keinen Auftritt, nicht wahr?«
»Ja, es wird ein rarer freier Samstagabend. Ich sollte etwas Besonderes tun. Vielleicht fahre ich mit dem Rad in den Richmond Park. Und die Wohnung müsste auch mal wieder geputzt werden. Auf den Markt muss ich. Das Übliche, Jim.«

»Ich begleite heute Abend Aisha ins Improvisor, danach gehe ich mit Jessica und ein paar Freunden hier in Fulham aus, ins Havanna. Wenn du vorbeikommen möchtest.«
»Mal schauen, Jim.«
Ich hörte, wie er etwas suchte, ein Poet hätte gesagt: die alte Vertrautheit.
»Andy, ich glaube, ich muss Aisha sagen, dass es vorbei ist.«
»Warum, Jim?«
»Ich kriege kaum noch Auftritte für sie. Die Idee war gut, eine Muslimin nach dem 11. September, aber eine Idee alleine ist immer nur eine Illusion. Ihr Witz ist einfach nicht scharf genug. So einfach ist das.«
»Sag ihr die Wahrheit, Jim, aber gib ihr noch eine Chance. Vielleicht arbeitet sie an sich. Die Leute denken, komisch zu sein, sei ein Talent. In Wirklichkeit ist Humor auch nur Arbeit.«
»Du hast keine Ahnung, wie viele Chancen ich ihr seit Wochen gebe. Aber lassen wir es. Genieß du deinen freien Samstag. Denn viele wirst du in nächster Zeit nicht mehr bekommen, Andy. Du bist im Geschäft.«
Und ich dachte nur: Wenn er es nicht einmal schafft, mir an allen Samstagen in der Weihnachtszeit Auftritte zu besorgen, kann er doch kein kompetenter Agent sein.

Kurz nach 16 Uhr klingelte es an der Tür. Ich strich meinen Rollkragenpullover glatt.
Sie trug eine graue Wollmütze und einen gleichfarbigen kurzen Mantel. Ich küsste sie, ohne zu zögern.
»Neuer Mantel?«
»Er ist noch aus dem Winterschlussverkauf vom letzten Jahr. Ich habe ihn bislang nur nie angezogen. Meistens, wenn ich mir neue Kleidung kaufe, traue ich mich lange

Zeit nicht, sie zu tragen. Ich denke, ich sollte sie für die besonderen Anlässe aufheben.«
»Er steht dir wunderbar.«
Getroffen von meinem Lob, glitt ihr Blick zu Boden. Als ich 21 gewesen war, hatte ich mich nie als jung betrachtet, im Gegenteil. Ich sollte also endlich aufhören, ständig zu denken: Sie ist so jung.
Während ich ihr aus dem Mantel half, sah sie sich im Wohnzimmer um. Sie sagte nichts.
Ich brachte Tee mit Milch aus der Küche, an den verschiedenen Enden des Sofas nahmen wir Platz, unsere Gesichter in den aufsteigenden Dampf des Tees gebeugt. Wie war ihr Samstagsjob im Café gewesen, sie musste müde sein, denn war sie gestern Nacht nicht mit Lucy in den Studentenklub gegangen? Während sie viel zu detailliert antwortete, hob ich langsam einen Fuß auf das Sofa und begann, den großen Raum zwischen uns langsam mit dem Bein zu füllen. Sie imitierte meine Bewegung. Ein Brennen loderte in meinem Unterschenkel auf. Unsere Beine hatten sich versehentlich gestreift. Ich tat, als ob ich es gar nicht merkte. Prüfend betrachtete ich die Wand schräg hinter ihr. Das Poster mit dem roten Steinmann aus der Katharina-Fritsch-Ausstellung hing doch ein klein wenig schief. Ich war mehr erstaunt als erregt. Ihr Fuß tastete sich meinen Körper hinauf. Ich stellte die Teetasse ab.
Mit Violeta oder Alicia wäre der Verlauf des Nachmittags an diesem Punkt bereits vorhersehbar gewesen. Bei Orla musste ich weiterhin darüber nachdenken, was wir unternehmen könnten.
Der Fuß streichelte die Innenseite meiner Oberschenkel. Ich hatte daran gedacht, mit ihr zu den Hirschen im Richmond Park zu gehen oder an die Themse und dann eventuell die Nachmittagsvorstellung in den Riverside Studios zu

besuchen, Chungking Express von Wong Kar-Wai wurde wiederholt. Ich spreizte die Beine, um ihrem Fuß mehr Platz zu gewähren.
Sie wollte wissen, was ich am Vormittag gemacht hatte. Die Keckheit in ihrer Frage allerdings ließ mich vermuten, dass sie einfach meine Stimme hören wollte und wie sich diese unter dem Einfluss ihres streichelnden Fußes veränderte.
»Nicht viel, außer auf dich zu warten.«
Ihre Hände kamen geflogen. Ihr Körper landete auf mir, ohne dass ich ein Gewicht spürte, nur eine überwältigende Wärme.
Als ihre rechte Hand mühsam gegen die Schnalle meines Gürtels und die Knöpfe meiner Jeans ankämpfte, gefror ich vor Schreck, und es lag nicht an der verblüffenden Kälte ihrer Finger. Musste ich sie nicht vor etwas für sie Verbotenem bewahren? Doch die Zweifel lösten sich schon in angenehmer Verwirrung auf. Wo hatte eine Frau, die an die Ehe als einzigen Ort körperlicher Liebe glaubte, solch sichere Handbewegungen erlernt?
Obwohl ich begann, auch sie auszuziehen, behielt ich das Gefühl, nur zu reagieren. Ich lag unter ihr, sie richtete sich auf, ihre Hand suchte zwischen meinen Beinen, ich spürte die plötzliche Hitze, als ich in ihren Körper gelangte, und bemerkte mit Erleichterung, dass sie die Augen geschlossen hielt. Ungeniert studierte ich ihren Körper, die, von der Kleidung befreit, erstaunlich kräftigen Schultern, die aufgerichteten Brustwarzen, der leicht gewölbte Bauch, ihre Augen öffneten sich einen Spalt, schnell schloss ich meine. Wir sprachen kein Wort.
Danach lag sie regungslos auf mir, das Gesicht auf meiner Brust versteckt. Mein Kopf ruhte auf der Armlehne des Sofas, die Hände lagen besitzergreifend auf ihrem Po. Ich

wünschte mir, so würde es ewig bleiben; vor allem, weil es uns die Verlegenheit erspart hätte, jemals wieder miteinander zu sprechen. Kein Wort schien noch passend, kein Satz mehr angemessen. Ich war der Ältere, der – welch hässliches Wort – Erfahrenere, der lustige Deutsche; ein einziger spielerischer Satz von mir hätte uns aus der Verkrampfung befreit. Ich schaffte es nicht.
Mein linker Fuß schlief unter ihrem Gewicht ein. Ich bewegte die Zehen und biss die Zähne zusammen, um das Kitzeln zu verdrängen. Irgendwann hob sie den Kopf. Ihre Haare hingen kreuz und quer über der Stirn. Ein dünner Film überzog meine Brust. Sie blinzelte, als sie die Augen öffnete, und sagte »Hallo«.
»Wie geht es dir?«
Sie stützte den linken Ellenbogen auf das Sofa und den Kopf auf die Hand. Ein verwischtes Lächeln huschte über ihr Gesicht. Ihr rechter Zeigefinger fuhr durch den Film auf meiner Brust.
»Das. Das war sehr schön«, beantwortete ich angesichts ihres Schweigens meine eigene Frage. Das Blut strömte in mein Gesicht. Der Zeigefinger malte weiter. Ich schloss die Augen wieder. Ich konnte beim besten Willen nicht sagen, ob ich wirklich einschlief oder es mir nur einbildete.
»Ich müsste kurz aufstehen«, brachte ich schließlich jämmerlich hervor. »Mein Fuß ist eingeschlafen.«
»Ich muss auch auf Toilette«, sagte sie erleichtert und sprang mit einem kräftigen Satz von mir ab.

Ich saß nackt auf dem Sofa, hörte dem Prasseln des Duschwassers zu und dachte an Fischrezepte. Die Kartoffeln hatte ich bereits geschält, ich wollte Kabeljau auf Paprikagemüse machen. Oder doch auf die indische Art? Die Kartoffeln konnte ich auch morgen essen.

Sie hielt den Kopf schräg und bürstete sich die Haare, während sie hereinkam. Es war nicht meine Haarbürste. Sie musste ihren Kulturbeutel mitgebracht haben, hatte sie das etwa alles so geplant? Vom Busen bis zu den Oberschenkeln steckte sie in einem Hotelhandtuch. Ihre zarten Füße hinterließen kleine, feuchte Flecken auf dem Teppich.
»Nicht das Handtuch! Ich habe doch bessere.«
»Das lag ganz oben auf dem Stapel. Ist doch in Ordnung.«
Sie suchte ihre Kleidung auf dem Sofa zusammen.
»Hast du Hunger?«
»Nicht wirklich.«
Sex macht Hunger. Irgend so etwas hätte ich gern gesagt, auch wenn es nur ein blöder Spruch war, irgendetwas, was den Ernst vertrieb.
»Ich könnte uns etwas kochen.«
»Ach, das ist nicht nötig.«
»Wie wäre es mit Fisch?«
»Ich mag Fisch nicht besonders.«
»Ach so.«
Sie hatte gefunden, was sie suchte. Mit der Kleidung in der Hand, ging sie zurück ins Bad. Ich hörte es zweimal klicken. Sie hatte abgeschlossen.
Ich stellte mich vor die Tür und rief hindurch, ich würde einen Kartoffelauflauf im Ofen machen. Zum Glück fand ich noch eine Tomate und auch einen Rest Zwiebel im Kühlschrank, rote Paprika passte vermutlich auch nicht so schlecht dazu. Den Kabeljau verfrachtete ich vom Kühlschrank ins Gefrierfach.
Wenig später standen wir nebeneinander an der Küchenanrichte und schnitten konzentriert, als erfordere es unsere gesamte Aufmerksamkeit, ich Kartoffeln und Zwiebel, sie Tomate und Paprika. Ihre Anwesenheit verwandelte meine Küche. Sie war nicht mehr eng, sondern heimelig.

»Was machst du an Weihnachten, fährst du nach Nordirland?«
»Ja, willst du mitkommen?«
Mein Messer fuhr durch die Kartoffel und tief in das Plastikschneidebrett.
»War nur ein Witz. Wobei meine Mutter nicht unzufrieden wäre, wenn sie dich sähe; vermute ich.«
»Und dein Vater?«
»Wird die Männer, die ich mitbringe, immer mit Missbilligung betrachten.«
Ich hatte gelernt: nicht zu viele Fragen stellen. Auch wenn ich die selbst auferlegte Zurückhaltung in diesem Moment gern aufgegeben hätte.
»Und du?«
»Was?«
»Fährst du an Weihnachten auch nach Hause?«
»Ja. Ja, klar, immer.« Ich spürte ein Ziehen im Hals. »So, das müsste genügen.« Wir legten die Kartoffeln in die Ofenform, dazwischen meines Erachtens zu viel Paprika, aber allein farblich musste angesichts der wenigen Tomatenscheiben ein Ausgleich geschaffen werden.
Wir deckten meinen Schreibtisch für das Essen, ich legte orangefarbene Papierservietten dazu. Die Hitze des Ofens schenkte Orla rote Wangen. Es gab nichts, was ihr nicht stand. Ich bat sie, Platz zu nehmen, bevor ich das Essen zum Tisch brachte. Im warmen Dampf der Kartoffeln kratzte mein Rollkragen am Hals. Wenn der Auflauf, golden, mit einem Hauch brauner Kruste, nur halb so gut schmeckte, wie er aussah, war das Mahl gelungen. Ich holte den Weißwein aus dem Kühlschrank und fand keinen Korkenzieher.
»Lass doch, dann trinken wir eben Wasser.«
»Aber irgendwo muss er doch sein.«

Ich schaute sogar in der Werkzeugtasche nach.
»Bitte, Andy, der Kartoffelauflauf wird doch kalt.«
Es hätte lustig sein können: der teure Weißwein vor unserer Nase und keine Möglichkeit, ihn zu öffnen. Verbissen wühlte ich in der Werkzeugtasche weiter, Schraubenzieher und Nägel, Hammer und Zange flogen auf den Wohnzimmerboden, Schrauben rollten unter das Sofa. »Okay«, sagte ich schließlich und füllte unsere Gläser mit Leitungswasser.
Ich aß mit großem Appetit, schon um zu übertünchen, dass die Überdosis Paprika dem Auflauf einen sauren Stich gegeben hatte. Orla aß, schien mir, zumindest ohne Ekel. Es brannte ein einziges Licht, die Schreibtischlampe.
Ich wartete darauf, dass sie fragte, und, wie läuft es mit den Leierfischen, damit ich, so wie ich es mir zurechtgelegt hatte, sagen konnte: Orla. Ich muss dir etwas erklären. Aber sie fragte nicht.
Zum Nachtisch hatte ich Vanilleeis gekauft, ich dachte, ich könnte Banana Split machen. Sie wollte Joghurt.
Um neun Uhr gingen wir ins Bett.

Sogar ihren Schlafanzug hatte sie mitgebracht. Sie schmiegte ihren Kopf an meine Rippen, ich hielt sie, wie man wohl ein Kind hält. Um die Stille zu besiegen, sagte ich: »Was denkst du?«
»An einen Mann, der heute Morgen bei uns im Café war.«
Ein französischer Tourist, er redete Englisch in Drei-Wörter-Sätzen, war gestolpert, als er seinen Orangensaft vom Tresen zum Tisch tragen wollte. Der Tourist stieß gegen den Mann hinter ihm in der Schlange, das Saftglas zerbrach und schnitt dem Mann die Hand auf. Der Tourist entschuldigte sich unaufhörlich, der Mann mit der Schnittwunde schüttelte mit schmerzverzerrtem Gesicht die Hand des

Franzosen genervt ab. Orla reichte dem Verletzten ein Geschirrtuch über den Tresen, um die Blutung zu stillen. Sie kannte ihn vom Sehen, der dunkelgraue Bart, die abgenutzte Wildlederjacke, er kam regelmäßig samstagmorgens. Der Tourist wollte den neuen Orangensaft nicht, den Orla ihm anbot, sondern verabschiedete sich hektisch, nicht ohne sich noch einmal umständlich zu entschuldigen. Der Verletzte bat Orla, mit Papiertüchern kurz über die gröbsten Orangensaftflecken auf seiner Wildlederjacke zu schrubben, er konnte es nicht selbst erledigen, da er seine gesunde Hand benötigte, um das Geschirrtuch auf die Wunde zu pressen. Dann ging auch er eilig, nicht ohne zu bemerken, er bringe das Geschirrtuch nächsten Samstag gewaschen zurück. Orla winkte entrüstet ab.
Drei Stunden später kehrte der Mann zurück. Sein Daumen steckte in einem Verband. Ob Orla zufällig wisse, wie der Franzose heiße, ob er im Viertel wohne. Er bräuchte die Daten für die Versicherung. Leider nein, Laufkundschaft, sagte Orla, war es schlimmer als gedacht? Er hatte das Krankenhaus aufgesucht. Eine Sehne war durchtrennt. Er würde den Daumen nie wieder bewegen können.
Ich hielt den Arm unverändert um sie. Meine Hand hatte nur aufgehört, sie zu streicheln.
»Es ist so ungerecht«, sagte sie. »Verstehst du, der Tourist hat den Vorfall vermutlich schon vergessen, er wird weiterleben, ohne je zu wissen, was er getan hat, während der Mann, der nichts dafür konnte, für immer gezeichnet ist.«
Ich drehte den Kopf auf die andere Seite, weg von ihr. »Ich weiß, was du meinst«, murmelte ich schließlich. Dann knipste ich das Licht aus.
»Entschuldigung, ich wollte dich nicht traurig stimmen, ich wollte dir nur erzählen, an was ich gerade dachte.« Ich drückte ihre Hand, Sätze sammelten sich in meinem Kopf,

einer schob sich nach vorn, *Weißt du, ich hatte ein ähnliches Erlebnis,* andere Sätze, die ewig wiederkehrenden Sätze, überrollten ihn, bis es mir endlich gelang, die Wörter, jedes einzelne, zu zerdrücken. »Au, du tust mir weh.« Sie zog ihre Hand aus meiner.

Wir belauschten uns gegenseitig in der Dunkelheit. Aber es war nicht sonderlich schwer, den Atem eines müden Mannes vorzutäuschen. Ich wartete. Als sie sich weiterhin nicht bewegte, legte ich mein linkes Bein über ihr rechtes und begann, mit dem Fuß ihren Körper abzusuchen. Sie wich zurück. Ich hielt inne und ließ meinen Fuß regungslos, wo er war, auf ihrem Knie.

»War es heute das erste Mal, dass du mit jemandem geschlafen hast?«

Kein Lichtstreifen einer Straßenlaterne, kein vorbeihuschender Autoscheinwerfer erreichte mein Fenster, selbst der Mondschein störte nicht die reine Dunkelheit des Schlafzimmers. Es roch noch nach Zwiebeln.

»Nicht dass du mich falsch verstehst, ich frage nicht, weil ich – also, ich frage nur, weil du mir doch in der ersten Nacht sagtest, du wolltest aus religiösen Gründen mit niemandem vor der Ehe schlafen – aber warum lachst du denn jetzt?«

»Nur so.«

»Nein, sag mir bitte, was ist auf einmal so lustig?«

»Dein Gesicht heute war lustig.«

Ich zog die Bettdecke bis über meine Nase.

»Ich habe keine Ahnung, wovon du redest.«

»Als wir heute Nachmittag miteinander, du weißt schon. Dein Gesicht direkt danach sah aus, als wäre dir der Heilige Geist begegnet, oder besser gesagt: die wider Erwarten gar nicht so jungfräuliche Heilige Jungfrau.«

»Du willst sagen –«

»Alles, was du wissen musst, ist: Es war heute wunderschön mit dir.«
Ich zog meinen Fuß zurück, um sie umarmen zu können. Ich dachte, jetzt müsse ich es riskieren.
»Ich bin so froh, dass ich dich habe, also, ich meine, dass ich dich kennengelernt habe.«
In der Dunkelheit suchte ich nach ihren Lippe und als ich nur ihre Nase fand, führte Orla mich zum Ziel. Meine Worte erwiderte sie nicht. Vielleicht hatte der Kuss eine Antwort auch überflüssig gemacht. Später, als meine Hand, zufällig genug, ihren Busen streifte, stieß mich ihr Ellenbogen sanft zurück.
»Kann ich dich etwas fragen?«
»Natürlich.«
»Du siehst keine andere Frau außer mir?«
»Orla!«
»Sei ehrlich. Ich kann es vertragen.«
»Aber natürlich nicht.« Ich richtete mich auf und ging so weit, das Licht einzuschalten, meine blinde Hand fand nur den Schalter nicht. »Wie kommst du darauf?«
»Weil du mich am Mittwoch bei der Begrüßung vor der Tate nicht geküsst hast.«
»Ich habe mich nicht getraut.«
»Und weil du abends fast nie Zeit hast.«
Ihre Stimme kam plötzlich aus der Ferne. Sie musste den Kopf der Wand zugewandt haben.
»Ach, das«, sagte ich erleichtert.
»Welches *das?*«
–
»Andy?«
Ich drehte mich von ihr weg, ein paar Sekunden lagen wir Rücken an Rücken, ehe ich mich mit einer blitzartigen Rolle wieder ihr zuwandte. Meine Hand fuhr unter

ihr Schlafanzugoberteil und fand auf ihrem Bauch Halt. »Weißt du, es ist so«, begann ich.

Als ich erzählt hatte, was ich zu erzählen hatte, hob und senkte sich ihr Bauch. Aber meine Hand ließ sich nicht von ihm abwerfen.

sechzehn

Sie lag auf dem Bauch, das Kopfkissen umklammert wie einen Rettungsring auf weiter See. Ich saß aufrecht daneben und sah ihr beim Schlafen zu.

Ich hatte mit Frauen immer die Sehnsucht verbunden, dass sie mir ein radikal neues Leben eröffnen würden. Würde ich einen guten Bauern abgeben, die Glieder trotz des Goretexanzugs klamm im peitschenden nordirischen Regen?

Doch der alte Spaß an diesem Fantasiespiel wollte sich nicht einstellen. Ich hätte wegen des Unfalls mehr Grund denn je haben sollen, mich in ein anderes Leben zu wünschen. Aber zum ersten Mal in meinem Leben war ich mir sicher: Ich sollte festhalten, was ich hatte. Die Auftritte und den gleichmäßigen Atem neben mir. Ich rutschte zurück unter die Bettdecke und passte mich Orlas krummer Schlafhaltung an, sodass ich ihren Po an meinen Hüften spürte. Es gelang mir, synchron zu ihr Luft zu holen, und schon bald spürte ich, wie die Wärme ihres Körpers auf mich überging. So musste ich eingeschlafen sein.

Als mein Handy Krach schlug, zischte ich kurz, wie um Ruhe zu gebieten. Schon beim zweiten Klingeln war ich allerdings hellwach. Schnell, aber vorsichtig stieg ich aus dem Bett. Das Telefon durfte Orla nicht aufwecken. Ich klaubte die Jeans vom Boden auf, aus der das Klingeln drang, hüpfte auf Zehenspitzen zur Wohnungstür,

schlüpfte in die Plastikschlappen, meinen Parka pflückte ich im Vorbeigehen von der Garderobe und zog ihn im Gehen an, die klingelnde Jeans von einer Hand in die andere und zurück balancierend. Ich schloss die Wohnungstür hinter mir und überlegte erst dann, ob ich überhaupt einen Schlüssel hatte. Er musste in der Jeans oder im Parka sein. Jims Name blinkte im Display.
»Hallo?«
Ich stand im Vorhof, in Badeschuhen und den Parka bis zum Kinn zugezogen. Sonst hatte ich nichts an. Aber eine Jeans in der Hand.
»Hi, Andy, Jim hier.«
»Hallo, Jim.«
»Warum flüsterst du so? Kannst du nicht reden?«
»Doch, doch.«
»Dann muss ich schlechten Empfang haben. Ich höre dich nur extrem unterdrückt.«
»Ich höre dich wunderbar, Jim.«
»Egal. Wie geht's, Andy, wir haben dich gestern im Havanna vermisst.«
»Ich bin zu Hause geblieben.«
»Zu Hause?«
Ich lachte auf. »Nicht so, wie du denkst, keine Angst, Jim.«
»Nun. Gut. Ehrlich gesagt hast du bei uns sowieso nichts verpasst. Wir haben über Margaret Thatcher geredet. Es ist immer dasselbe mit Jessica, wenn sie trinkt.«
Im Tageslicht, so spärlich es sich auch zeigte, sahen meine Unterschenkel viel behaarter aus. Dazwischen waren die tausend Hügelchen der Gänsehaut zu erkennen.
»Es ist ein bisschen kalt, Jim, also lass es uns kurz machen. Wie kann ich dir helfen?«
»Kalt? Ziemlich das Gegenteil, hätte ich gesagt. Deshalb rufe ich an: Wir dachten, die Sonne auszunutzen und in

Putney an der Themse zu Mittag zu essen, vielleicht können wir sogar draußen sitzen. Stößt du dazu?«
»Wer ist wir, Jim?«
»Jessica und ich. Holger und seine Frau kommen auch.«
Ich konnte nur staunen: Seit wann trafen sich Holger und Jim und auch noch samt Frauen?
»Um wie viel Uhr, Jim?«
»In einer Stunde?«
Ich hielt das Handy kurz von mir, um die Uhrzeit vom Display ablesen zu können. 11.32 Uhr. Vielleicht käme ich ein klein wenig später, sagte ich. Vielleicht brächte ich eine kleine Überraschung mit.

Aus der Küche drang das Zischen von schmelzender Butter in einer heißen Bratpfanne, als ich zurück in die Wohnung ging. Orla, noch barfuß, in ihrem Schlafanzug, machte Frühstück. Ich dachte, das hat sich noch keine getraut; nach der ersten Nacht. Im Türrahmen blieb ich stehen und steckte die Hände in die Parkataschen. »Guten Morgen«, sagte ich. »Jede Frau, die es versteht, einen Haushalt zu führen, wird besser in der Lage sein, ein Land zu führen.«
»Ist das dein Sonntagmorgenphilosophen-Auftritt?«
»Nein, nur ein Zitat von Margaret Thatcher.«
»Findest du nicht, dass Margaret Thatcher vor dem Frühstück ein bisschen unappetitlich ist?«
Sie hatte das Radio eingeschaltet, und ich störte mich nicht im Geringsten daran, der Besetzung meiner eigenen Wohnung beizuwohnen. Dann fiel mir ein, dass ich vielleicht den Parka aus- und etwas anziehen sollte.
Wir saßen schon wieder am so festlich wie möglich gedeckten Schreibtisch, und ich konnte den Gedanken nicht verhindern, dass dies für einen urbanen Künstler und seine

blutjunge Muse eine ziemlich förmliche, um nicht zu sagen spießbürgerliche Beziehung zu werden schien. Auf den Tellern lag Rührei mit Kochschinken, dazu golden schimmernde Toastbrotdreiecke, »Speck und Tomate waren leider nicht im Kühlschrank«, sagte sie. Ich wusste, so war es nicht gemeint, und verstand es trotzdem als Vorwurf.

Sie konzentrierte sich darauf, das Rührei mit dem Messer zu schneiden, und sagte, ohne aufzusehen: »Ich bin so froh, dass du mir gestern alles erzählt hast.«

»Ja.«

»Komiker; da wäre ich ja nie darauf gekommen.«

»Ach.«

Sie hatte die Haare hochgesteckt und trug weiterhin ihren Schlafanzug, so weit aufgeknöpft, dass ihr goldenes Christuskreuz und mehr als der halbe Busen zum Vorschein kamen.

Vielleicht war ich auch nur überempfindlich. Aber wieso sagte sie nicht: Ich würde gern einmal mit in deine Show kommen?

Der rosafarbene Toaster spuckte lautstark zwei neue Brote aus. Dankbar sprang ich auf, um sie aus der Küche zu holen. Ich hatte noch nicht wieder Platz genommen, als ich schon losredete.

»Wir hatten wohl eine ziemlich unterschiedliche Kindheit und Jugend.«

»Wie kommst du denn jetzt darauf?«

Eine Amsel landete auf dem Fensterbrett und sah misstrauisch zu uns herein oder bewunderte doch nur ihr Spiegelbild.

»Weil du so selbstverständlich – und so vorzüglich – Frühstück gemacht hast. Da dachte ich: Sicher musste sie von klein an auf dem Bauernhof anpacken. Ich musste zu

Hause eigentlich nie mithelfen. Überhaupt konnte man bei uns zu Hause den Eindruck gewinnen, niemand würde irgendetwas mit den Händen machen.«

»Das erste Rührei meines Lebens habe ich vor ungefähr drei Monaten geschlagen, als ich hier in London samstags im Café anfing.«

Mit einer ordentlichen Portion Rührei stopfte ich mir den Mund.

»Meine Mutter hat uns immer zur Hilfe in den Stall geschickt. Die Küche beanspruchte sie für sich alleine. Wahrscheinlich wollte sie einfach nur einmal ihre Ruhe vor uns haben.«

Warum fragte sie nun nicht: Und was haben deine Eltern gemacht? Wie bist du aufgewachsen? Interessierte sie es wirklich nicht, oder war es diese klägliche britische Höflichkeit, die ihr untersagte, Fragen zu stellen? Aber wie konnte ich, fügsamer Lehrling der britischen Höflichkeit, von mir erzählen, ohne danach gefragt zu werden?

Vor dem Fenster war nur die Hofmauer mit den struppigen, blattlosen Geranien zu sehen. Die Amsel war schon wieder weitergeflogen.

Es klingelte. Froh um die Unterbrechung, gab ich nichts auf die britische Höflichkeit und nahm den Anruf auf dem Handy entgegen, ohne mich bei ihr zu entschuldigen.

»Ja, Jim?«

»Andy, bist du schon in der Nähe?«

»Nein, es dauert noch ein wenig.«

»Ich höre dich schon wieder nur so leise, es muss etwas mit deinem Handy sein, denn alle meine anderen Anrufe heute funktionieren einwandfrei. Jedenfalls wollte ich dir nur sagen, wir sitzen im Dukes, das ist der hintere Pub am Thameswalk.«

»Okay. Ich weiß Bescheid.«

»Und komm bitte bald. Ich habe Hunger – und du weißt ja: Ein Jim Merton mit Hunger ist eine Gefahr.«
»Fangt bitte schon an zu essen, ich –«, ich blickte Orla an und errötete, »oder wir kommen später auf einen Drink vorbei.«
»Bist du sicher?«
Hatte er gar nichts gehört? *Wir* hatte ich gesagt. Oder waren auf einmal alle so väterlich um mich bemüht, dass sie mir gar keine Fragen mehr zumuten wollten?
»Das war Jim.«
»Der immer vor Glück brüllt. Es ließ sich nicht überhören.«
Unter dem Tisch stieß ich den Plastikschlappen vom linken Fuß und suchte ihre Beine, es war doch unser privater Code, meine Zehen schoben das Hosenbein ihres Schlafanzugs nach oben, meine Ferse streichelte ihre Wade, die minimalen Stoppeln auf ihren kürzlich rasierten Beinen hinterließen ein aufregendes Gefühl auf meiner Hornhaut. Sie ging nicht darauf ein, sie zog ihr Bein auch nicht weg.
»Möchtest du ihn kennenlernen?«
»Natürlich.« Sie presste die Lippen zusammen.
»Wir könnten später mit ihm und ein paar Freunden etwas am Fluss trinken gehen.«
»Ich muss heute noch lernen, Andy. Am Dienstag habe ich eine Prüfung.«
»Ach so.«
Erwartete sie, dass ich um ihr Mitkommen kämpfte? Oder wollte sie Jim lieber nicht sehen, weil ein Treffen sie zu sehr daran erinnern würde, wie ich sie angelogen, was von meinem Leben ich ihr vorenthalten hatte?
Mit einem Finger ließ ich das Handy auf dem Tisch Karussell fahren.
»Na ja, du kannst Jim natürlich auch beim nächsten Mal

sehen. Wie du willst«, sagte ich. »Noch mehr Toast?« Sie schüttelte den Kopf.
»Es ist gerade auch etwas schwierig zwischen Jim und mir.« Ich formte die Gedanken erst, während ich redete. »Ich habe das Angebot, zu einer Topagentin zu wechseln.« Ich sprach die Sätze aus, bevor ich über ihren Sinn oder gar ihre Konsequenz nachdenken konnte. »Was würdest du mir raten?«
Sie ließ sich von der Frage nicht unterbrechen und führte die Gabel zum Mund. Sie kaute ausgiebig und tupfte, sich bewusst, dass ich sie ansah, mit der Serviette den Mund ab. »Ich kann dir da nichts raten, Andy. Was soll ich dir raten, ich bin eine Studentin, ich habe noch nie gearbeitet, ich weiß noch nicht einmal, was ich wirklich arbeiten will.«
»Natürlich«, sagte ich und stocherte betroffen auf meinem leeren Teller herum.

Sie stand auf und begann, den Tisch abzuräumen. Instinktiv stopfte ich mein restliches Toastbrot in den Mund.
»Lass doch, das räume ich später schon weg.«
»Schon in Ordnung. Ich denke, es ist besser, wenn ich bald gehe. Ich muss heute noch so viel für die Prüfung lernen.«
Ich steckte die Hände in die Hosentaschen und sah ihren Rücken an. Ich wollte noch etwas sagen, aber ich fühlte, jetzt war es zu spät. Ich drückte die ausgestreckten Finger so sehr in die Hosentaschen, dass ich automatisch leicht in die Knie gehen musste.
Da erst wachte ich aus meiner verzweifelten Lethargie auf und realisierte, was sie in der Küche tat.
»Orla, bitte! Du wirst doch nicht auch noch abspülen. Wie beschämend für mich!«
Ich hatte immer gedacht, dass der beste Humor der ungewollte war, das hatte ich oft genug bei meinen Auftritten

erfahren, wenn das Publikum an Stellen lachte, die nicht als witzig eingeplant waren; das bestätigte Orla nur. Sie lachte. Sie schrubbte mit dem Spülschwamm ihren linken Schlafanzugärmel, so sehr brachte das Lachen ihre Bewegungen durcheinander.
»Du hättest dich sehen sollen«, die Wörter, inmitten des Lachkrampfs gesprochen, provozierten eine Hustenattacke, »dein Gesicht, als du riefst: ›Wie beschämend!‹« Der lachende Husten schüttelte sie wieder. Ich klopfte ihr auf den Rücken, welch ideale Gelegenheit, sie anzufassen.
Sie seufzte, um wieder Herr über sich selbst zu werden.
»Ehrlich gesagt trifft das Klischee, ihr Deutschen hättet keinen Humor, auf dich ja des Öfteren zu. Aber manchmal«, sie hob die Hände, um den erneuten Angriff des Lachens abzuwehren, »bist du so lustig, ohne es zu merken. Also, ich meine: lustig für einen so alten Mann wie dich.«
Ich hob sie auf die Küchenanrichte, sodass ihr und mein Mund auf einer Höhe waren, und ließ mich bereitwillig von ihrer Fröhlichkeit infizieren. Im Hinterkopf rumorte etwas, aber ich unterdrückte es, ich dachte erst wieder daran, als ich sie in den 74er gesetzt hatte und über die Putney Bridge zum Themseufer spazierte. Fand sie mich wirklich alt und humorlos? Sicher war das doch nur ein kleiner Witz gewesen? Aber selbst dann musste ich zumindest eine bittere Wahrheit anerkennen: Niemand vertrug Witze über sich schlechter als ein Komiker.

Zwei Ruderboote lieferten sich auf der Themse ein Duell. Kraftvoll schoss der Bug des einen Boots nach vorn, und während seine Besatzung zum nächsten Ruderschlag ausholte, machte das andere Boot den Vorsprung wieder wett, in diesem Takt ging es Schlag auf Schlag. Das Klatschen des Wassers, wenn die Ruder eintauchten, bekam durch seine gleichmäßige Wiederkehr eine beruhigende Wirkung. Vor dieser Kulisse hörte ich Jim schon, bevor ich ihn sah. Ein Lachen, wie es sich jeder Komiker von seinem Publikum erträumte, schepperte am Fluss. Sie hatten das Pub verlassen und standen, Plastikbierbecher in den Händen, auf dem Uferweg in der lauwarmen Sonne.

»Tut mir leid, dass ich ein bisschen zu spät komme.«
Holger und Jim wechselten einen Blick, ohne etwas zu sagen. Ich tat, als hätte ich es nicht bemerkt, und reichte jedem die Hand. Als ich vor Jessica stand, zog sie eine Augenbraue hoch. Ihre Wangen bliesen sich auf, als ob sie ein Lachen unterdrücken musste. Mir fiel der Name von Holgers Frau nicht mehr ein, obwohl ich ihn so gut kannte wie meinen eigenen.
»Ich hoffe, du bist nicht zu hungrig, Andy«, sagte sie, »aber als wir fertig gegessen hatten, konnten wir nicht länger im Pub sitzen bleiben, die nächsten Gäste warteten schon.«
Kein Problem, sagte ich und ärgerte mich, dass keiner fragte, warum ich drei Stunden zu spät gekommen war, wo denn meine Überraschung war. Nicht, dass ich es ihnen jetzt noch verraten hätte. Aber sie brauchten nicht zu tun, als müsste man ganz vorsichtig mit mir umgehen. Ich würde noch eine Runde holen, sagte ich und trank auf dem Rückweg schon ein Drittel meines Biers. Mich plagte das Gefühl, aufholen zu müssen. Holger und Jim sahen sich schon wieder wie Leute an, die es doch gewusst hatten.
»Ist was?«
»Was sollte sein?«, fragte Holger.
»Später«, sagte Jim. Holger sah aus wie ertappt.
»Also, Andy, Holger erzählte mir, dass du einen Doktor in Politikwissenschaften an der LSE gemacht hast«, sagte Jes-

sica, »interessant ist daran auch, dass ich erst Holger treffen musste, um es zu erfahren. Mein Freund scheint es ja nicht für nötig zu halten, mir so etwas zu erzählen.«
»Jess, ich habe dir doch schon –«
»Ist ja auch egal. Ich bin nur neugierig, was du als Politikexperte von den Aussagen des deutschen Botschafters hältst.«
»Welche Aussagen?«
»Hast du es nicht mitgekriegt?«
Ihr schien augenblicklich einzufallen, dass ich gute Gründe haben könnte, momentan nicht sehr viel mitzubekommen. »Na ja, war eigentlich auch nicht so wichtig, was er sagte.«
»Aber was sagte er denn?«
Die anderen drei machten ernste Gesichter, wie um klarzustellen: Also, sie hätten dieses Thema ja nicht aufgebracht.
»Er sagte«, Jessica klang auf einmal niedergeschlagen, kleinlaut, »die Engländer sollten mal ihr Deutschland-Bild überprüfen und feststellen, dass deutsche Geschichte nicht nur bis 1945 geht.«
»Der deutsche Botschafter sollte mal überprüfen, ob er nicht einfach zu viel englische Boulevardzeitungen liest, und feststellen, dass seine Art, andere Länder zu belehren, auch in Deutschland seit 1945 nicht mehr als ideale Politik gilt.«
War das meine Medizin? Wenn andere ernst waren, machte es mich fröhlich und unbeschwert.
»Das ist genau das, was ich die ganze Zeit sage!«
»Nicht wirklich, Jess, du hast –«
»Ich weiß, Jim, ich weiß, ich habe nicht explizit über den deutschen Botschafter gesprochen, aber ich habe dasselbe gemeint, was Andy sagt: Die Leute haben einfach viel zu ernst auf Margaret Thatcher reagiert.«

Sie zeigten mit Bierbechern aufeinander.
»Das ist lächerlich, Jess. Wenn du ernsthaft versuchst, Andys Argument zum deutschen Botschafter als Thatcher-Eloge umzuinterpretieren, dann solltest du dich für Tony Blairs berüchtigtes Fakten-Verdreh-Ministerium bewerben.«
»Du bist nur ein armseliger Verlierer, Jim, du kannst es nicht ertragen, dass ich in unserem Haus jede politische Diskussion gewinne.«
»Wer sagt, dass ich überhaupt mit dir diskutiert habe?!«
Die Themse floss nun schneller, sie hatten im Osten die Schleusen geöffnet, grau und mächtig strömten die Wassermassen stromabwärts. Ein Dutzend Ruderer war an Land gegangen, sie zogen grüne Gummistiefel an und begannen im englischen Glauben, dass hart mache, was exzentrisch sei, barfuß in den Stiefeln den Uferpfad entlangzujoggen.
»Nun, auch wenn ich euch nur im Entferntesten folgen kann, so stimme ich Jessica zu, dass Margaret Thatcher die komischste Britin aller Zeiten war, ohne dass es jemand bemerkt hat.«
»Das habe ich nicht gesagt!«
Jim sah mich mit zusammengekniffenen Augen an. Holger und seine Frau fassten sich an den Händen.
»Gewöhnlich bilde ich mir meine Meinung über einen Mann in zehn Sekunden. Und äußerst selten ändere ich sie. Hat Thatcher zum Beispiel einmal gesagt.«
Holger und seine Frau versuchten, überzeugend zu lachen.
»Ich hole noch eine Runde Bier. Andy, kommst du bitte mit, um mir beim Tragen zu helfen?«
»Ich bin mir nicht sicher, ob noch mehr Bier die Lösung ist.«
Aber Jim ging schon voraus. Er schien sich sicher, dass ich

ihm folgen würde. Er scheint keine Zweifel zu haben, dass ich ihm immerzu folge, dachte ich.
Es war gar nicht so einfach, ihn einzuholen. Auf der Außentreppe des Pubs war ich schließlich nur noch einen Schritt hinter ihm. Er schien es zu spüren und begann zu reden.
»Sie verträgt keinen Alkohol.«
»Kaufst du deswegen noch mehr?«
»Nein, damit ich sie vertrage.«
»Du solltest Komiker werden.«
»Das denke ich mir auch jedes Mal, wenn ich sehe, wie leicht ihr euer Geld verdient, Aisha gestern Abend zum Beispiel.«
»Wie war sie?«
Die Tür zum Pub klemmte, sie war verkantet, Jim rüttelte, mit einem Knall gab sie nach, als ob sie von innen verriegelt gewesen wäre. Gäste ließen missmutig von der Großleinwand ab, auf der eine Fußballpartie lief. Aus den Augenwinkeln überprüften sie, wer ihr Nichtstun störte. Das Gefühl, beobachtet zu werden, blieb, nachdem sie sich längst wieder von uns abgewandt hatten.
»Sie war nicht schlecht, das muss ich sagen, nicht schlecht.«
»Na, also.«
»Einen wunderbar bösartigen Gag hatte sie. Stell dir vor, da steht eine junge Muslimin auf der Bühne, und sie sagt trocken: ›Gestern stand in der Zeitung, ein 15-jähriger Islamist habe in Pakistan eine Bombe gezündet. Ich konnte es mir nur zu gut vorstellen – denn ich habe einen 15-jährigen Bruder, und wenn ich ihm sage, hol endlich die Butter aus dem Kühlschrank, brüllt er nur: Ach Mann, deine Scheißbutter! Also, stellt euch den 15-Jährigen in Pakistan vor. Die Terroristen brüllen ihn an: Jetzt wirf endlich die Bombe! Und er schreit zurück: Ach Mann, dann werfe ich halt die Scheißbombe, bumm!‹«

Als ich mein Lachen hörte, fiel mir auf, dass ich betrunken war.

Die Bedienung, ihr Akzent wies sie unverkennbar als Polin aus, nahm unsere Bestellung widerspenstig entgegen.

»Hör mal, Andy«, sagte Jim. Kozluk habe ihn zurückgerufen.

Der Anwalt hatte mit seinen Quellen bei der Polizei gesprochen. Das Geschrei der Fußballzuschauer im Fernsehen stieg wie eine bedächtige Welle an und brandete dann jäh und gewaltig, ohne dass irgendwer im Pub auf die Dramatik des Spiels reagierte. Die Polin, Monika stand auf dem Namensschild an ihrem Revers, ließ das Bier beim Zapfen gleichgültig überlaufen. Die Polizei hatte eine Fährte.

»Ich bin nicht sicher, ob ich es wissen will, Jim.«

Die Fußballspieler beider Mannschaften umringten nun den Schiedsrichter. Wie ein Rudel kreisten sie ihn ein, die Spieler in den hinteren Reihen schubsten die vorderen, schon standen sie Nase an Nase, drohend, alle gegen einen.

»Es ist gut möglich, dass es sich gegen die Mutter richtete.«

Die zwei Wörter elektrifizierten mich. Die Mutter. »Erzähl schon!«

»Kate Mahon.«

»Weiß ich doch.«

»Nun, sie ist eine äußerst erfolgreiche Rechtsanwältin. Zum Beispiel vertrat sie als Zivilanklägerin die Familie von Stuart Lawton, du erinnerst dich?«

»Der schwarze Junge, der von den zwei rechtsradikalen Türstehern erstochen wurde?«

»Richtig. Eine solche Frau macht sich viele Feinde, Andy.«

Ich sah sie vor mir, am Telefon, wie sie wählte. Sie las die Nummer vom Zettel ab, sie tippte die Ziffern ein, dann lauschte sie dem Freizeichen. Ihre Verwirrung, als sie am anderen Ende der Leitung eine Frauenstimme hörte oder

den tiefen Bass eines Mannes, der dreimal fragte: »Hallo?« Sie würde das Telefon sinken lassen, ohne etwas zu sagen, ohne aufzulegen.
Aber ich konnte die Ziffern in meiner Verwirrung doch wirklich einfach verdreht haben – oder sie würde denken, dass sie die Nummer falsch aufgeschrieben hatte, sie hatte die Nummer doch nicht einmal laut wiederholt, als ich sie ihr diktierte, wie einfach war es, zwei Zahlen einer Telefonnummer zu verdrehen.
»Du verstehst, was ich sagen will, Andy? Die Polizei verfolgt eine Spur in die rechtsradikale Szene. Man wollte sich wohl an ihr rächen, indem man dem Sohn die Bremsen –«
»Hör auf, natürlich verstehe ich dich, Mann!« Die Bedienung warf mir ein zorniges Funkeln zu, ich fiel vom Schreien direkt ins Flüstern, »was glaubst du denn.«
Abwesend verfolgte ich das Fußballspiel, das mich nicht interessierte. Sie zeigten die Wiederholung der Szene, die die Belagerung des Schiedsrichters ausgelöst hatte. Ein Spieler im gelben Trikot sprang mit beiden Beinen voraus nach dem Ball und traf nur das Schienbein des rot-weiß gestreiften Gegners. Stehend applaudierte ihm das Publikum, als er die Rote Karte sah und mit gesenktem Haupt vom Spielfeld schlich.
»Ein Deutscher«, sagte die Bedienung abfällig.
»Bitte?«
»Der Liverpool-Spieler, der gerade das schreckliche Foul begangen hat. Hamann.« Sie baute die fünf Bier vor uns auf. Ich hatte nicht die geringste Ahnung, ob sie mich für einen Engländer hielt, den sie mit ihrem Deutschen-Zorn bezirzen wollte, oder ob sie mich als Deutschen erkannt hatte, dem sie indirekt ihre Verachtung entgegenschleuderte.
»Macht 12,50 Pfund. Und nehmt auf dem Rückweg nicht

wieder den Notausgang zur Feuertreppe, falls ihr nicht wollt, dass sich euch der Türsteher vorknöpft.«
»Ach, das war die Feuertreppe?« Mein Gesicht wurde heiß.
Sie wandte sich gelangweilt der Großleinwand zu.
»Er ist eigentlich ein exzellenter Spieler, dieser Hamann«, sagte sie, ohne uns noch zu beachten. »Nur manchmal etwas durchgeknallt.«
»Wie alle Deutschen?«, entgegnete ihr Jim versöhnlich.
Sie ignorierte ihn. Aber ich nahm sein Friedensangebot an. »Komm, lass uns durchknallen«, sagte ich und ging in aufreizender Langsamkeit durch den Notausgang, die Feuertreppe hinunter, beschwingt vom eigenen Blödsinn. Gleichzeitig hoffte ich ein wenig, der Türsteher würde auftauchen und mir eine runterhauen.

siebzehn

Die Londoner Gepflogenheit, sich am Sonntagnachmittag barbarisch zu betrinken, wurde zwar im kontinentalen Europa mit Stirnrunzeln betrachtet, hatte jedoch den nicht zu unterschätzenden Vorteil, dass Londonern der gesamte Sonntagabend zur Ausnüchterung blieb und sie am Montagmorgen aufstanden, als wäre nichts gewesen. Ich hatte dabei meine eigene Methode. Ich trank sofort anderthalb Liter Leitungswasser, als ich gegen 19 Uhr vom Themseufer nach Hause kam. Dann schaltete ich die Heizung aus, riss die Fenster auf und legte mich auf das Wohnzimmersofa. Es dauerte nicht lange, bis ich fröstelte. Mit geschlossenen Augen registrierte ich das Kreisen in meinem Kopf und Zittern meiner Kiefernmuskeln. Ich hätte das Telefonklingeln ignoriert, wenn es nicht von der Festnetzverbindung gekommen wäre.

Hatte sie, über ihre Agrarbücher gebeugt, Sehnsucht nach mir bekommen, wollte sie, dass ich zumindest für die Nacht vorbeikäme? Ich fühlte, über den schlimmsten Kater war ich bereits hinweg.

Das Telefon stand noch auf dem Boden unter dem Wohnzimmerfenster, neben den zwei Leitz-Ordnern und der leeren Teedose, die wir ebenfalls für das Frühstück vom Schreibtisch geräumt hatten. Die nüchterne Frauenstimme schockte mich.

»Andreas? Hallo, bist du es?«

Ich musste mich setzen. Die zwei Holzstühle standen drei

Meter entfernt, so ließ ich mich auf den Teppich sinken. Die feuchte Luft aus dem offenen Fenster streifte meinen Rücken.
»Ja, natürlich.«
»Du klingst so enttäuscht.«
»Enttäuscht, nein, wieso?«
»Hast du jemand anderen erwartet?«
»Nein, nein, ich war gerade nur in Gedanken. Hallo, Theresa. Was für eine Überraschung.«
»Na, so selten rufe ich jetzt auch nicht an.«
»So habe ich es nicht gemeint.«
Ich fuhr mir mit der freien Hand durch die Haare und fragte mich, ob ich auflegen und es British Telecom in die Schuhe schieben sollte, eine Überlastung des Netzes. Doch spätestens morgen hätte ich sie dann zurückrufen müssen.
»Schon gut. Wie geht es dir denn?«
»Wie immer«, sagte ich, und mein Misstrauen erwachte.
»Ich hatte dieses Wochenende frei und habe unsere Eltern besucht. Sie sagten, sie hätten es öfters einmal bei dir probiert, dich aber schon länger nicht erreicht.«
»Ja?«
»Sie lassen dich natürlich herzlich grüßen, es geht ihnen gut, das heißt: wie immer, wie du sagen würdest. Mamas Spleen, sich wegen allem Sorgen zu machen, nimmt langsam dramatische Züge an, gestern sollten wir um 16 Uhr schon die Rollläden herunterlassen, weil Nordwind angekündigt war. Er könnte die Fenster eindrücken, sagte sie.«
»Aha.«
»Ich störe dich, oder? Du hast Besuch und bist wieder einmal zu höflich, es mir zu sagen, stimmt es?«
»Nein, nein, Theresa, es ist wirklich nichts.«
»Weil du so einsilbig bist.«
»Bin ich doch gar nicht.«

Wir hatten uns immer am besten verstanden in unserer Familie. Die Jüngste und der Älteste, vier Jahre auseinander, da gab es keine Konkurrenz, da waren die Rollen klar verteilt, der Beschützer und die Prinzessin. Mir wurde bewusst, wie sich die Rollen gewandelt hatten. Sie sorgte sich um mich; die ganze Familie sorgte sich um mich. Aus dem Beschützer war der Orientierungslose geworden.

Irgendwie, diffus, verstanden sie, dass in einer Familie einer auch ganz anders sein konnte, es war ein Wunder der Evolution, das wohl alle Familien staunend an sich selbst erkannten: Wie konnten aus denselben Genen so unterschiedliche Menschen entstehen? Und es war, das bestätigten sich meine Eltern und Schwestern sicher immer wieder gern gegenseitig, ja nichts Schlimmes daran, dass ich glaubte, in der Ferne leben zu müssen, offensichtlich ohne Freundin – oder wusste jemand mehr? –, offenbar mit diesem merkwürdigen Beruf, der eigentlich gar kein Beruf war, wo in dieser Familie doch durch die Generationen hindurch Ärzteblut floss, der Großvater Allgemeinarzt mit eigener Praxis, der Vater Chefarzt der neurologischen Abteilung am Hans-Susemihl-Krankenhaus, die jüngste Tochter Fachärztin für Radiologie am Klinikum Links der Weser in Bremen, die ältere Tochter, das mittlere Kind, Krankenschwester, immerhin. Nein, natürlich war nichts Schlimmes daran, dass er anders war, jedem das Seine, und vielleicht wird er ja wie Otto Waalkes, würde der Vater sagen, wenn sie an seinem Geburtstag zusammensaßen, die Mutter hatte zum Kaffee das Meißner Porzellan aufgedeckt, nur ich war nicht gekommen, er hat es doch auch so weit, würde meine Mutter sagen. Und jeder für sich würden sie denken: Aber was für einen anderen Grund kann es denn geben, so weit wegzuziehen, außer vor uns zu fliehen?

Samstags würde mein Vater dann durch den Garten zu unserem Boot am Kanal gehen. Über die majestätische Hecke hinweg würde ein Nachbar ein kurzes Gespräch beginnen. Und was mache der Sohn in London, würde er irgendwann, mehr aus Höflichkeit denn aus Interesse, fragen. »Ach ja«, würde mein Vater antworten. Er würde lächeln und das Thema wechseln.

Und dabei wussten sie noch gar nichts.

Ebenso wenig ahnten sie allerdings, dass die Gene und die selektive Erinnerung an die Kindheit sogar den merkwürdigen Sohn dazu brachten, voller Wärme und Zuneigung an sie zu denken. Auch wenn er die Hoffnung aufgegeben hatte, jemals imstande zu sein, es ihnen zu sagen.

Wenn ich nicht bald das Fenster schloss, würde ich mich erkälten.

»Sag mal, weshalb ich anrufe – Hanna hat irgendeinen Zeitungsartikel im Internet über dich gefunden.«

So kalt war es gar nicht.

»Und? Es wird viel geschrieben im Internet, ich frage mich, woher die Leute die Zeit nehmen, Foren, Chats, überall müssen sie ihre Meinung hinterlassen, wie Hunde jede Laterne markieren, sogar über Komiker schreiben sie Kritiken, nur weil sie einmal in einer Schau waren, betrunken genug, um nichts mitzubekommen, aber ihre Meinung, die niemanden interessiert, müssen sie trotzdem irgendwohin pinkeln.«

»Ich will dir gar nicht widersprechen, Andreas. Aber so wie ich es verstanden habe, war der Artikel, den Hanna fand, aus einer richtigen englischen Zeitung. Ich finde es ja überhaupt kurios, dass sie heimlich nach dir im Internet sucht. So wie sie ihren großen Bruder immer mit Neid und Galle traktierte, hätte ich nicht angenommen, dass sie im Stillen doch auch tiefe Bewunderung für dich hegt.«

Ich glaubte nicht, dass ich etwas sagen musste.

»Andreas«, wie abrupt sie ihre Stimme ändern konnte, wie sie auf Knopfdruck imstande war, die Ärztin zu werden, die einfühlsam, aber letztendlich sachlich die schlechte Nachricht übermittelte. »Wir machen uns Sorgen. In dem Zeitungsbericht stand, du wärst unschuldig in einen Autounfall verwickelt gewesen, bei dem ein Kind starb.«
Es war kein Kind, er war schon ein Junge, war mein erster, schreiender Gedanke.
Ich kroch drei Schritte auf allen vieren, mit zwei Fingern schleppte ich den Telefonapparat mit, schließlich gelang es mir aufzustehen. Ich streckte den Kopf aus dem Fenster.
»Andreas?«
»Wie ich dir sagte, Theresa, im Internet wird aller mögliche Unsinn verbreitet, es streuen sogar andere Komiker üble Gerüchte über dich, um dich fertigzumachen, das ist ein harter Wettbewerb und eine üble Welt hier, ohne jemandem zu nahe zu treten, aber das ist nicht die deutsche Szene, wo es ein paar Kalauer-Fritzen gibt, die gleich im Fernsehen auftreten dürfen, weil das Publikum Komiker mit Lachnummern verwechselt.«
Es roch nach verbranntem Holz auf meinem Vorhof. Ich suchte den Himmel nach Rauch ab und fand nur zwei Sterne.
»Sicher, Andreas«, wie professionell sie ihre Skepsis dosierte, wie gut sie mit ihrer von Gefühlen befreiten Berufssprache in England zurechtgekommen wäre, »deshalb habe ich mir eben auch jenen Zeitungsartikel selbst im Internet angeschaut.«
Vielleicht waren es doch nicht Sterne, sondern nur Flugzeuge am Himmel.
»Es ist, soweit ich dies beurteilen kann, ein seriöser Zeitungsartikel aus dem«, sie suchte etwas am anderen Ende der Leitung, »Evening Standard.«

Sie sprach über mein Schweigen hinweg. Ich war nicht der Einzige, dem so etwas passierte, schwächere Leute als ich verarbeiteten das, es gab exzellente Psychologen heutzutage, auch an ihrem Krankenhaus, und am Klinikum unseres Vaters, zu Hause, sie wiederholte das Wort, zu Hause, Andreas, ich musste nicht allein in der Fremde sitzen und den Schmerz in mich hineinfressen, natürlich war es für niemanden leicht, über diese Dinge zu sprechen, seine Selbstverachtung anderen zu offenbaren, aber sie würden mich verstehen, sie würden mir helfen. Wann immer Theresa dieses *sie* in der dritten Person Mehrzahl benutzte, sah ich nur sie allein, die spitze Nase, die Wangen gerötet, die langen superstarblonden Haare über die eigene linke Schulter nach vorn gelegt, wie sie am Telefon auf dem IKEA-Sofa in ihrer Wohnung in Bremen-Arsten saß, in der ich sie nie besucht hatte. Ihr Freund Kristian, den ich nie gesehen hatte, war vermutlich in der Klinik, Sonntagsdienst, sie fuhr mit der geraden Hand durch die Luft, um die Gedanken, die Sätze zu ordnen, mit denen sie ihren Bruder auf der anderen Seite des Kanals zu beruhigen versuchte, der vier Jahre älter war und sie hatte beschützen sollen, und da tat sie mir unendlich leid.
»Entschuldigung«, sagte ich und wischte mein Gesicht mit dem Pulloverärmel trocken.

Ich hatte Erschöpfung mittlerweile als einen glücklichen Zustand zu akzeptieren gelernt.
»Andreas.«
Ich war zu Boden gesunken. Nicht einmal den Telefonapparat auf meiner Brust spürte ich noch, so vollkommen war meine Taubheit.
»Weißt du, ich würde dich gerne einmal bei einem Auftritt erleben.«

Ich war erleichtert über die Leere in mir und glaubte, dass sie meine Erschlagenheit durch das Telefon spürte und keine Worte mehr von mir erwartete.
»Ich denke, dass du das sehr gut kannst. Papa denkt es auch, ich hoffe, es ist dir nicht unangenehm, aber wir reden natürlich oft über dich, für uns, die wir nichts erleben, bist du natürlich ein dankbares Thema: der Bruder und Sohn, der Entertainer in London. ›Er hatte schon als Jugendlicher diese Ausbrüche, als er etwa beim Abendessen auf einmal schier platzte vor Schalk‹, sagte Papa erst gestern wieder. Wir sind sehr stolz auf dich, Andreas.«
Vielleicht sprach hier nur eine Ärztin zu einem Patienten, und kein Wort war wahr, denn bei der Genesung war es wie bei der Kriegspropaganda: alle Lügen waren erlaubt, um zum Ziel zu gelangen. Doch ob sie nun die Wahrheit sagte oder mir nur schmeichelte. So oder so waren die Sätze eine Wohltat.
»Eventuell könnte ich im April einmal kommen, ich habe mal nachgeschaut, ich schaue doch immer, welche Kongresse in Großbritannien stattfinden, und Mitte April wäre in Manchester eine Veranstaltung zu Interventioneller Radiologie und molekularer Bildgebung. Das ließe sich mit einem Wochenende in London verbinden, was meinst du?«
Wir waren keine Familie, die reiste. Unser Großvater hatte in den Sechzigerjahren ein Ferienhaus auf Borkum bauen lassen und damit auf Generationen hinaus das Reiseziel der Oster- und Sommerferien festgelegt. Aber einmal war Theresa tatsächlich zu Besuch gekommen. Den Vorwand eines Kongresses in Cardiff hatte sie sich auch damals geben müssen, ich wohnte noch im Studentenwohnheim, und Violeta war die gesamten drei Tage des Besuchs hindurch unerträglich nervös gewesen; was Theresa – meine Familie! – wohl von ihr denken würde. Drei Tage lang re-

deten nicht nur Violeta und Theresa, sondern auch meine Schwester und ich wie Fremde, die sich gerade kennenlernten. Permanent sahen wir uns bemüßigt, uns zu versichern, wie toll wir den Besuch fanden.
Meine Eltern und Hanna hatten mich nie besucht. Vielleicht warteten sie einfach darauf, dass ich sie einlud.
»Doch bis April ist es noch ein wenig hin. Wir können an Weihnachten ja einmal darüber sprechen. Wann kommst du denn genau?«
Es dauerte einen Moment, bis ich begriff, dass ich angesprochen war.
»Ich?«
»Wie? Sag bloß, du kommst nicht!«
»Ich bin doch Weihnachten immer gekommen.«
»Ja eben!«
»Natürlich komme ich.«
»Und ich dachte schon – das könntest du unseren Eltern nicht antun, Andreas, das weißt du.«
»Ja, ja. Ich glaube, ich komme am 22. oder 23., ich habe das Datum jetzt nicht im Kopf, ich habe den Flug schon vor ewigen Zeiten gebucht.«
»Die Weihnachtsflüge muss man früh buchen, sonst werden sie teuer, was.«
»Und was machst du heute noch?«, fragte ich, die erstbeste Frage, die mir einfiel, um vom Thema abzukommen.
»Ich?«
Sie fragte es, als ob ich mich noch nie nach ihrem Wohlbefinden erkundigt hätte.
»Ach, das Übliche. Kristian ist mit Freunden etwas trinken gegangen. Ich hatte keine Lust rauszugehen, bei dem Wetter. Ich lese vielleicht noch ein bisschen. Ich habe ein wunderbares Buch von so einem Südafrikaner angefangen, der als Kandidat für den Nobelpreis gilt. Über seine Kindheit

in Südafrika. Ich habe schon das Buch über seine Jahre als junger Mann in London gelesen; ich habe mir sogar überlegt, ob ich es dir zu Weihnachten schenke.«

»Was du hoffentlich nicht tun wirst, nachdem du mir deine Absichten nun bereits verraten hast.«

»Natürlich nicht. Aber, also, wie er sich selbst als Ausländer in London beschreibt, da hatte ich immer das Gefühl, ich würde über dich lesen.«

»Und deswegen willst du es mir lieber nicht schenken.«

»Nein, es ist, also, ein melancholisches Buch. Also, es ist nicht so, dass ich glaube, dass du ein trauriges Leben hast, Andreas, im Gegenteil, als Komiker kann das Leben wohl gar nicht traurig werden, aber, also, verstehe mich nicht falsch, ich habe das Buch einfach gelesen, und vermutlich waren es bloß die Assoziationen Ausländer, London, die mich glauben ließen, ich lese über dein Leben.«

»Ist ja auch nicht so wichtig.«

»Nein.«

Ich riss mich noch einmal kurz zusammen.

»Tut mir einen Gefallen, Theresa.«

»Natürlich.«

»Bitte sag unseren Eltern nichts von dem Unfall.«

»Meinst du?«

»Ich – also, ich möchte es ihnen persönlich erzählen, wenn ich in den Weihnachtsferien komme.«

»In Ordnung.«

Und ich wusste, dass unsere Eltern sie überhaupt erst gebeten hatten, mich anzurufen und nachzufragen. Sobald wir aufgelegt hatten, würde sie ihnen Bescheid geben. Würden meine Eltern danach mich anrufen? Das Einzige, was ich ganz genau wusste, war, dass ich zur Sicherheit für einige Tage nicht mehr ans Festnetztelefon gehen würde. Ich hielt es allerdings für wahrscheinlicher, dass sie es gar nicht versuchen würden, wenn Theresa ihnen erklärte, ich bräuchte nun meine Ruhe, an Weihnachten würde ich ihnen alles erzählen. Distanz zu halten war eine Art meiner Eltern, ihre Liebe zu ihren Kindern auszudrücken. Sie respektierten, dass wir ein eigenes Leben führten. Aber wir, sie und ich, hatten die Distanz zu solch einem unumstößlichen Prinzip erklärt, dass wir die Nähe nicht mehr zu suchen wagten, selbst wenn wir uns danach sehnten.

Ich blieb liegen, nachdem Theresa sich verabschiedet hatte, und lauschte noch einen kurzen Moment dem Besetztzeichen.

achtzehn

Auch Angst und Schrecken werden irgendwann langweilig.

Die Tage vergingen, und es passierte nun, dass der Junge mit dem Fahrrad plötzlich wieder auf mich zufuhr, und ich hielt nur noch pflichtbewusst inne, um ihm zuzusehen. Oft laugte mich die Erinnerung sehr wohl wieder aus. Fast genauso oft jedoch kehrte ich, kurz nachdem er auf mich zugerast war, routiniert in die Wirklichkeit zurück. Ich schämte mich, es mir einzugestehen.

Doch ich lag nicht mehr unaufhörlich angespannt auf der Lauer. Umso unerträglicher war der Druck auf den Schläfen, der Drang zu laufen, wenn ich aus der Ferne oder von hinten eine Frau in den mittleren Jahren mit langen bräunlichen Haaren sah. Ich konnte mir nicht vorstellen, dass ich die Furcht, sie wiederzusehen, je im Leben abschütteln würde. Manchmal musste ich mich zwingen, die Wohnung zu verlassen und mich der Welt voller attraktiver Juristinnen und Bankangestellter im Hosenanzug zu stellen. Das Sugar & Sugar allerdings mied ich fortan. Es schienen dort nur Frauen mittleren Alters Kaffee zu trinken, im schlimmsten Fall mit ihren kleinen Söhnen. Als Ersatz entdeckte ich das V & V Café auf der oberen Hälfte der Munster Road, das seine Klientel hauptsächlich unter Bauarbeitern und Streifenpolizisten fand. Die Stühle waren aus billigem Holz, mit greller grüner Farbe zu dick gestrichen und unbequem. Ich saß Stunden dort und fragte mich, ob

professionelle Komiker wirklich auf diese Art ihre Gags schrieben.
An meinem jahrelang erprobten Programm war wenig auszusetzen. Außer dass es mich mittlerweile selbst langweilte. Wenn ich im Januar den Sprung auf die größeren Bühnen nahm, musste auch die Qualität meines Programms steigen, setzte ich mich unter Druck. Die Leitidee meiner Familie, dass wir uns ständig weiterentwickeln müssten, bekam ich nicht aus mir heraus. Das Problem war, dass ich nicht wusste, wie man dies machte: Gags schreiben. Bislang waren sie mir einfach eingefallen, unter der Dusche, im Auto, oder ich hatte sie aufgeschnappt, dem Alltag geklaut. Aber ich konnte schlecht den ganzen Vormittag duschen, und ich würde in diesem Leben ganz sicher nicht mehr Auto fahren. Ich hatte in den vorangegangenen zwei Tagen bereits einiges versucht, ich war im Bishop's Park joggen gegangen, ich hatte mich um Punkt neun Uhr an den Schreibtisch gesetzt, zur Arbeit gekleidet in Hemd und Anzughose. Ich hatte beim Joggen nur keuchend denken können, wie ich es hasste, wie ich es hasste, wie ich es hasste, und hatte am Schreibtisch ständig auf die Uhr geschaut, war auf Toilette gegangen und hatte mir Tee gekocht.
Ein aufgeschlagener Notizblock und als Inspirationsquelle der DAILY TELEGRAPH lagen vor mir auf dem grün gestrichenen Cafétisch, und tatsächlich war wenig so witzig wie mit heiligem Ernst geschriebene Leserbriefe. Aber meine Aufmerksamkeit flog schon wieder aus dem Cafèfenster ins wunderbare fleckige Grau des Londoner Dezembermorgens, das einem durch seine Ödnis die Berechtigung zum Nichtstun verlieh. Vielleicht sollte ich doch noch einmal mit Holger reden, damit wir beide, nicht nur ich, unsere Entscheidung später nicht bereuten. Aber

sollte nicht eher er mit mir reden nach dem gestrigen Gespräch?

Ich hatte ihn noch vor acht angerufen, ich wusste, er hatte Kinder, er war schon wach; ich gab ihm noch eine Chance, eine Aushilfe für mich für den Tag zu finden, er sollte sich nicht beklagen können.
Ich sei krank. Ich hielt mich nicht mit Details auf, ob es der Magen war oder der Kopf, und er fragte auch nicht nach, er schien zu akzeptieren, dass ein Mann mit meinen Erlebnissen ein Anrecht auf anonyme Krankheiten besaß. Durch das Telefon konnte ich das Rauschen des erwachenden Londoner Straßenverkehrs hören, er hatte den jüngeren Sohn in die Grundschule gebracht und war schon wieder auf dem Rückweg, die meisten Eltern brachten die Kinder mit dem Auto und schimpften über den Stau vor der Schule, den sie kreierten, er dagegen ging zu Fuß, er sei Deutscher, sagte er zur Erklärung und lachte, dabei war er nur ein Romantiker, der Deutschland mit dem Land verwechselte, das er vor fast zwei Jahrzehnten verlassen hatte. Seine Frau habe übrigens aus der Zeitung ein interessantes Interview herausgerissen, sagte er, und ich dachte zufrieden, er wolle gar nicht mehr über meine Krankheit und mein Fehlen reden, ein Interview mit einem der Komiker von Monty Python, er wollte es mir eigentlich heute bei der Arbeit geben. Die Überschrift des Interviews sei ein Zitat des Komikers: »Der beste Humor entsteht aus der totalen Verzweiflung.«
Er wollte mir wehtun. Er tarnte es als Aufmunterung, siehst du, andere kommen auch darüber hinweg, aber in Wirklichkeit war es seine Rache, weil ich ihn im Stich ließ. Sein Atem ging abgehackt, es konnte der Anstrengung geschuldet sein, während des Gehens zu reden, aber es lag

sicher auch am Zorn auf mich. Es sei eine unglaubliche Geschichte, der Vater des Monty-Python-Mitglieds – Holger glaubte, er hieß Eric Irgendetwas – kämpfte gegen die Nazis in Frankreich, als ihm seine Frau schrieb, der Sohn sei sterbenskrank. Es war eine Lüge, um den Ehemann aus dem Krieg zu befreien. Der Ehemann erhielt die Genehmigung, kurzzeitig von der Front nach England zurückzukehren, und starb auf der Heimreise bei einem Autounfall. Die Ehefrau kam nicht über den Schock hinweg und schickte den Sohn Eric mit sieben Jahren ins Internat, unfähig, ihn weiter zu versorgen.
Warum erzählst du mir das?
Ich dachte es nur, ich sagte es nicht.
Holger redete ohne Unterlass weiter, er zog die Nase hoch, bei der feuchten Kälte musste man sich doch erkälten, schau, Andreas, er sei der Letzte, der kein Verständnis habe für das, was ich durchmachte. Und ich konnte das *Aber* schon hören, das folgen würde.
Aber er müsse auch an seine Firma denken, an seine Verpflichtung gegenüber den Kunden und seiner Familie, ich wisse, er brauche einen Partner, allein ließen sich Fenster kaum einhängen. Ich schaffte es doch auch, abends als Komiker aufzutreten, da frage er sich natürlich schon, bei allem Respekt, warum ich tagsüber in den letzten zwei Wochen so oft krank war. Er könne nicht jeden Tag um acht Uhr Jens anrufen und bangen, ob er Zeit habe auszuhelfen. Wir machten es jetzt einfach einmal so, Andreas, dass er diese gesamte Woche mit Jens zusammenarbeite.
War das eine Abmahnung oder schon die Kündigung? Ich sagte: »In Ordnung.«

Draußen vor dem V & V parkte ein Fahrer nach dem anderen sein Auto im eingeschränkten Halteverbot. Als wollten sie den Politessen im Café nach der Mittagspause einen weiten Weg ersparen. Ich sah auf die Uhr, es war zwanzig vor. Um zwölf würde ich noch einen dritten Tee bestellen, um nicht als Schnorrer zu gelten.

Fakten, würde Jim sagen. Fakten: Ich hatte keine Wahl, außer Holger zu verprellen. Ich brauchte Zeit. Auf meine Auftritte abends konnte ich schlecht verzichten, das musste auch Holger erkennen, gerade jetzt, da es richtig loszugehen schien. Und ich musste Orla treffen, wenn ich sie nicht verlieren wollte.

Natürlich war ich unsicher, ob ich die Fensterarbeit wirklich aufgeben sollte, ob mein Talent und Glück reichten, auch langfristig genug Geld mit der Comedy zu verdienen. Aber ich wusste auch nicht, ob ich mir nach dem Unfall jemals wieder in irgendeiner Sache sicher sein würde. Für das Erste war ich erleichtert, dass wenigstens eine Entscheidung gefallen war – und dass ich sie nicht hatte treffen müssen. Wenn Holger meinte, auf mich verzichten zu können, dann war das so, dann würde ich doch nicht nachhaken; dann sollte es einfach so sein, dass ich mich auf mein Fortkommen als Komiker konzentrierte und viel Zeit mit Orla verbrachte. Wenn erst einmal die erste Entscheidung gefallen war, glaubte ich, würde sich automatisch nacheinander alles andere ergeben. Das Schicksal hatte sich in Bewegung gesetzt.

Ich legte den Teelöffel auf die Untertasse, strich die Zeitung glatt und befahl mir, mich zu konzentrieren. Auf der Leserbriefseite schrieb David Perry aus Salisbury in Wiltshire dem TELEGRAPH, ob die Einführung der europäischen Verhaftungsbefugnis in Großbritannien es mit sich bringe, dass nun auch er auf dem Kontinent diejenigen verhaften dürfe, die Stierkämpfe betrieben oder Ziegen aus Oberstockfenstern warfen. Graham Cooke aus London SW20 teilte mit, er habe unlängst ein Polizeiauto mit der Aufschrift gesehen: »Mobile Polizeieinheit zur Unterstützung des Verbrechens in Kingston.« Unterdessen widmete sich der Leitartikel einmal nicht dem Afghanistan-Krieg, sondern der »Sahne unserer Herzen«. Die Zeile des alten Lieds »Du bist die Sahne in meinem Kaffee, das Salz in meiner Suppe« möge ihren Charme verloren haben, seit wir Lebensmittel als eine Bedrohung betrachteten, argumentierte der TELEGRAPH, aber es sei an der Zeit, gegen die Dämonisierung der englischen Sahne anzukämpfen. Schließlich exportiere Großbritannien jedes Jahr 60 000 Tonnen seiner Sahne auf den Kontinent, wo sie mit deutlich weniger Misstrauen betrachtet werde, man denke nur an den Stellenwert der Sachertorte auf dem Kontinent. Wenn wir unseren Cholesterolwert steigen sähen, sollten wir spazieren gehen, statt es der Sahne in die Schuhe zu schieben.

Wer brauchte überhaupt Komiker in diesem Land?

Ich blätterte weiter, bei einem Bericht über den Gesundheitsminister blieb ich hängen. Er verteidigte sich, die Reduzierung der Wartelisten in den Krankenhäusern sei doch nur ein Ziel der Regierung gewesen, und überhaupt wies Labour in diesem Bereich deutlich bessere Statistiken auf als zuvor die Tories. Ich musste lachen, was sollte das heißen, *sei doch nur ein Ziel gewesen:* dass niemand erwarten könne, dass Regierungen selbst gestellte Ziele erfüllten? Und endlich begannen die Gedanken zu laufen. Ich sah das schwarze Nichts, ich stand vor ihm, die Arme auf dem Rücken verschränkt, um Schüchternheit vorzutäuschen, ich beugte mich leicht zum Mikrofon vor und sagte: »Wisst ihr, ich habe jetzt zu Hause auch Blairs perverse Regierungssprache eingeführt, seitdem läuft es besser mit meiner Frau. Gestern kam ich aus dem Pub, und sie schrie mich an: ›Du hast gesagt, um elf würdest du zu Hause sein!‹ Ich

entgegnete: ›Das war doch nur mein Ziel! Und überhaupt, mit den Konservativen wäre alles noch schlimmer!‹« Und das Lachen würde an die Bühne branden.
Ich schrieb den Gag sauber in mein Notizbuch und rahmte ihn mit vier Kugelschreiberstrichen ein. Zufrieden entschied ich, mich mit einem Tee zu belohnen. Ich hatte meinen ersten Gag als Profi geschrieben. Es hatte auch nur zwei Stunden gedauert.

Das Handy klingelte, als ich auf halbem Weg zur Theke war. Noch euphorisch, nahm ich den Anruf an.
Sie entschuldigte sich, sie wollte nicht aufdringlich wirken, aber bestimmte Sachen könnten nicht länger warten, wenn sie mir erst einmal sagte, worum es sich handelte, würde ich ihr Insistieren verstehen. Ich nahm erst jetzt wahr, wie sich das Café zum Mittagessen gefüllt hatte. Es waren kaum noch Tische frei. Konnte ich überhaupt sitzen bleiben, ohne etwas zu essen zu bestellen? Ich ging wieder von der Theke zurück zu meinem Tisch, lehnte mich aber nur gegen die Kante, statt mich zu setzen.
»Selbstverständlich, Misses Jones.«
Sie wollte nicht lange um die Sache herumreden, sie hatte mir bereits gesagt, was sie mir bieten konnte, sie sei der Meinung, und da sei sie ehrlich mit mir, das könne ich ihr glauben, ein erfahrener, etablierter Agent sei für mich unverzichtbar, wenn ich in der Szene ernst genommen werden wollte, so wie ich es verdiente, mein Talent sei unbestritten, aber Talent allein sei der Konjunktiv des Komikers, aber sie wolle gar nicht länger darum herumreden. Sie konnte mich auf der Australien-Tour unterbringen.
Zwei Wochen Ende Februar, Anfang März, Melbourne Festival, Brisbane, Gold Coast, auch das Adelaide Fringe, wenn ich es mir zutraute, eine 45-minütige Soloschau zu kon-

zipieren, darüber müssten wir dann reden, auf jeden Fall 16 Auftritte in 14 Tage, es sei nur etwas für die Härtesten, für die Besten, sie traute es mir zu, sie müsste es nur jetzt wissen, ob ich mich ihrer Agentur anvertrauen wollte, im Prinzip stand die Australien-Tour schon, sie hatte gerade mit ihrem Mann vor Ort gesprochen, eine Lücke für mich würde sich noch finden, aber warten konnten sie nicht mehr.
Ich malte mit dem Kugelschreiber Strichmännchen auf den DAILY TELEGRAPH. Zwei der Bauarbeiter am Nachbartisch hatten zur Mahlzeit nicht einmal ihre gelben Schutzhelme abgesetzt.
»Das«, ich wünschte, ich hätte den frischen Tee schon bestellt, meine Kehle verlangte nach Flüssigkeit, »das ist ein überwältigendes Angebot, Misses Jones. Aber ich kann das nicht Knall auf Fall entscheiden.«
»Schauen Sie, Andy, ich weiß, dass solche Entscheidungen wohlüberlegt sein wollen, aber zum einen, meine ich, hatten Sie seit unserem Treffen im Banana Cabaret vor anderthalb Wochen reichlich Zeit, sich Gedanken zu machen. Und zum anderen denke ich, wenn ich ehrlich bin und mich in Ihre Situation versetze, dass es da gar nicht so viel zu überlegen gibt.«
»Nein, da haben Sie recht, eigentlich gibt es überhaupt nichts zu überlegen.«
»Ich darf das als eine Zusage verstehen?«
»Nein – nein. Also, vielleicht schon. Verstehen Sie mich nicht falsch, Misses Jones, aber nach dem, was mir zugestoßen ist, also, Sie wissen schon, tue ich mich im Moment schwer, solche wegweisenden Entscheidungen zu fällen.«
»Gott, was ist Ihnen passiert?«
Zwei Malermeister, die weißen Kittel voller schwarzer Farbe, lehnten an der Theke und sahen hemmungslos auf meinen, den letzten freien Tisch im Café.

»Nun … haben Sie es gar nicht mitbekommen?«
»Nein, um Gottes willen, Andy, wie peinlich, sagen Sie nur, es ist doch nichts Schlimmes?«
»Nein. Nein, es ist nichts Schlimmes.«
Ich führte meine alte, leere Teetasse an den Mund und ließ sie so lange dort, bis ich mir sicher war, dass die Malermeister es gesehen hatten.
»Nun, es tut mir unheimlich leid, Andreas, ich weiß von nichts.«
»Schon in Ordnung.«
»Warum verbleiben wir nicht so: Sie machen sich jetzt einen Tee und überlegen und geben mir in einer Stunde definitiv Bescheid. Dann ist es in Australien noch vor Mitternacht, und ich könnte Ihnen in einem unglaublichen Endspurt noch den Platz auf der Tour garantieren.«
»Ich will nicht wie eine Diva klingen, Misses Jones. Aber in einer Stunde muss ich meine Freundin zum Flughafen bringen, sie fliegt nach Hause in die Weihnachtsferien, wir werden uns für zwei Wochen nicht sehen, verstehen Sie, da habe ich den Kopf nicht frei für solche Entscheidungen.«
»Gott«, schrie sie schrill, ich dachte: aus Ekel, was für private Details ich da vor ihr ausbreitete, »das ist aber auch ein bewegtes Leben. Andy, okay, Sie wissen, was ich von Ihrem Talent halte, Sie wissen, wie gerne ich Sie unter Vertrag nehmen würde, und Sie wissen, was ich bewerkstelligen kann. Ich werde David Roberts, das ist mein Mann in Melbourne, benachrichtigen, dass es extrem wichtig ist und er Sie bis morgen früh australischer Zeit auf Stand-by setzt, er wird fluchen, aber das lassen Sie meine Sorgen sein. Sie versprechen mir, dass ich bis heute Abend 20 Uhr Greenwich Mean Time von Ihnen höre?«
»Ich verspreche es.«

Ich sah auf die Uhr. Für ein Mittagessen reichte die Zeit nicht mehr. Ohne einen Tee kam ich jetzt nicht aus. Ich stellte mich neben die Malermeister an die Theke, als ob ich nichts gemerkt hätte, sie rochen nach Lack.
Der italienische Wirt nahm meine Bestellung wortlos entgegen. Er stellte das dampfende Wasser auf den Tresen, warf einen Teebeutel zum Schwimmen hinein und sagte: »Du sitzt schon den ganzen Morgen hier, was. Bist du ein Poet oder ein Steuerfahnder?«
Im besten Fall, antwortete ich, die perfekte Mischung aus beidem.

Nach der verrauchten Caféluft erfrischte mich die Unfreundlichkeit des Morgens. Regen hing unsichtbar in der Luft, ich trat kräftig in die Pedale, der sanfte Fahrtwind wischte mein Gesicht mit feuchter Kühle ab. Der Himmel war nicht zu erkennen im Einheitsgrau. Gemütliche Reihenhäuser, der Traum der Vorstädter mitten in der Metropole, wechselten an der Dawes Road abrupt mit den Türmen der Sozialwohnungen, dann wurden die Häuser schon wieder viktorianisch. Die Bürgersteige waren voller Londoner, die ihre Arbeit an diesem Tag schon beendet oder noch nicht begonnen hatten.
Wenn die U-Bahn nicht wegen Laub auf den Schienen oder sonst einem der surrealen wie alltäglichen Londoner Gründe stecken blieb, konnte ich Orla noch beim Kofferpacken helfen. Ich hatte mein sicheres Einkommen bei Holger geopfert, um sie öfters zu sehen. Aber ich hatte sie nur noch zweimal gesehen, seit ich ihr vor zwölf Tagen alles gesagt hatte. Sie habe Prüfungen. Bildete ich es mir ein, oder klang sie jedes Mal erleichtert, wenn sie mir absagen musste?
Ich sollte vom U-Bahnhof am Fulham Broadway noch

schnell Jim anrufen, damit würde ich Orla zehn Minuten Aufschub gewähren.
Es war besetzt.
Ich wusste, Jim führte Dutzende Gespräche am Tag, und selbstverständlich konnte ich mir ausrechnen, dass er just in diesem Augenblick mit irgendwem anderen telefonieren würde, und trotzdem glaubte ich: Er redet mit Kozluk. Seit er mir an der Themse von der heißen Spur in die rechtsradikale Szene erzählt hatte, blieb Jim äußerst vage, es gebe noch nichts Konkretes, nichts wirklich Neues. Ich ging davon aus, dass er mir etwas verschweigen wollte.
Ich betrat eines dieser Bahnhofsgeschäfte, die sich Zeitungsladen nannten, aber vor allem Süßigkeiten und im Prinzip alles verkauften. Vor dem kleinen Büchersortiment blieb ich stehen. Ich begann, in einem Reiseführer für Australien zu blättern. Einige Minuten später war die Telefonleitung frei.
Er war gerade auf dem Weg, einen Fahrgast abzuholen, aber wenn er den Anruf entgegennahm, konnte er reden, kein Problem.
Es gab auch gar keinen besonderen Grund für meinen Anruf, es war nur so, dass ich ein wenig nachgedacht hatte.
Nachdenken sei immer gut, er tue dies definitiv zu wenig.
An den abrupten Pausen zwischen den Silben hörte ich, wie er in den dritten Gang schaltete.
Und da sei mir diese Idee gekommen, wie gesagt, es war nur eine Idee, aber vielleicht wäre es für mich nicht das Schlechteste, mal herauszukommen aus London, mal in eine ganz andere Welt zu verschwinden für ein paar Wochen.
Es war eine Idee, sicher, aber ich musste auch bedenken, dass er für mich bis tief in den Februar nächsten Jahres hinein Auftritte gebucht hatte, mehr Auftritte denn je, ich war an einem ganz entscheidenden Punkt meiner Kar-

riere, da musste ich präsent sein, so sehr mein Wunsch, einmal zu verschwinden, nachvollziehbar sei.
Ich verließ das Zeitungsgeschäft wegen des Gefühls, von der farbigen Verkäuferin durch ihre runde Brille scharf beobachtet zu werden.
»Ich dachte auch gar nicht an Urlaub, Jim. Ich dachte, also, meinst du, es wäre möglich, mich auf die Australien-Tour zu bekommen?«
Die Lautsprecherdurchsage schallte vom Gleis in die Bahnhofshalle hinauf, ohne dass ich sie verstand, aber eine Durchsage an sich konnte nur Verspätungen bedeuten.
»Andy, bleib realistisch. Die Australien-Tour. Um dort eingeladen zu werden, musst du dich über Jahre hier in England etabliert haben. Du wirst eines Tages da runterfahren, davon bin ich überzeugt, also verstehe mich bitte nicht falsch, aber wir müssen Schritt für Schritt gehen. Es führt eine Treppe nach oben, kein Aufzug.«
»Natürlich, ich weiß, aber gut, es war nur ein Gedanke, Jim.«
»Und ich bin froh, dass du so ambitioniert denkst. Aber, wie gesagt, Andy, davor bleiben noch einige Treppenstufen. Bis zum 10. Februar bist du quasi ausgebucht, jede Woche fünf oder sechs Auftritte. Sogar der MIRROR rief mich dieser Tage an, sie wollen einen Bericht über dich bringen.«
»Der MIRROR? Du hast ihnen hoffentlich abgesagt, du weißt sicherlich, was das für ein Bericht werden würde.«
»Nun, ich habe ihnen gesagt, sie sollten bitte nicht vergessen, dass sie über lebende Personen schreiben, die, nun, in einer Situation sind, in der man sie mit einem unbedachten Wort leicht verletzen kann.«
»Verflucht, Jim, und du glaubst, dass sie diese philosophische Einlassung zu einem ganz einfühlsamen Schreibstil bekehrt, das glaubst du selber nicht.«

»Ich habe es versucht, Andy.«
Mit der einen freien Hand versuchte ich, am Automaten eine Tagesfahrkarte zu kaufen. Ein Mann hinter mir räusperte sich, weil es so lange dauerte.
»Andy, du wirst es nicht verhindern können. Du wirst für diese Schweinezeitungen lange, lange Zeit der Komiker sein, der um sein Lachen kämpft, oder der Deutsche, der schafft, woran Hitler scheiterte. Du musst lernen, es mit Humor zu nehmen. Das sollte man einem Komiker zutrauen.«
Einhändig stopfte ich das Wechselgeld in meine Hosentasche, nahm die Fahrkarte in den Mund und bedachte den Drängler hinter mir mit einem grimmigen Blick.
»Warum sollte es einem Komiker leichter fallen zu lachen als anderen, Jim?«

neunzehn

Ich spielte mit Orlas Haar und vermisste sie bereits. Mehr als dass wir saßen, lagen wir auf den Plastikstühlen der Abflughalle, ihr Kopf ruhte auf meiner Schulter. Ich wollte so viel sagen und schwieg. Ein Abschied, und wenn auch nur für zwei Wochen, war immer die Ankündigung, dass danach vieles anders sein würde.

Würde ihr nach ein paar Ferientagen, vom Bauernhof in der nordirischen Provinz aus betrachtet, ihr Londoner Leben missfallen? Und ihr Londoner Freund?

Oder missfiel ich ihr schon längst?

Eine Abreise in den Urlaub war oft gar ein Vorwand für einen endgültigen Abschied.

In der Plexiglasscheibe des Münztelefons gegenüber betrachtete ich unser verschwommenes Spiegelbild. Ich bildete mir ein, dass man ihr den Abschied ansehen sollte, dass sie schon anders aussehen musste. Besser? Schlechter? Ich wusste es nicht.

Sie kleidete sich, ohne darüber nachzudenken, aber nicht nachlässig, sondern mühelos. Eine ausgewaschene Jeans, ein türkisfarbener Pullover, der zwei Zentimeter der Taille freigab. Der Träger eines schwarzen Büstenhalters schaute heraus, das Haar hatte sie mit einem Gummi scheinbar achtlos zusammengebunden. Es lag außerhalb meiner Vorstellungskraft, dass es Kleidung geben konnte, die ihr nicht stand.

Alarmiert hörte ich den Lautsprecherdurchsagen zu und

wusste doch, dass der Flug nach Belfast noch nicht aufgerufen werden konnte. Die Nervosität des wenig Reisenden hatte uns viel zu früh nach Heathrow geführt. Mir fiel nicht ein, was ich sagen sollte.
Das konstante Surren der Kofferräder auf dem Linoleumboden und das ständige Aufschlagen des Gepäcks auf den Rollbändern der Abfertigung kündeten von einer Aufbruchslust, die ich nicht spürte. Ohne zu fragen, ob die Sitze frei seien, nahm ein Ehepaar neben uns Platz. Die Frau trug die dünnen Haare lieblos kurz. Schwere goldene Ketten hingen an den Fuß- wie Handgelenken. Der Mann hatte, dem Winter zum Trotz, ein kurzärmliges weißes T-Shirt gewählt, damit seine geschrumpften Tätowierungen auf den faltigen Unterarmen sichtbar blieben. Seine Körperfülle wärmte ihn besser als jeder Pullover. Sie bat ihn, ihr den Kaffee im Plastikbecher zu reichen. Ich kannte den Akzent. Es war derselbe, wenngleich stärker, mit dem Orla sprach.
Und wenn sich mein Blick auf sie während der zweiwöchigen Trennung auch veränderte?
Mit Violeta hatte das Ende auch seinen Anfang bei ihrer Heimreise in die Ferien nach Spanien genommen.
Ich zog Orla fest an mich, ich dachte, mein Druck müsste ihr an der Schulter schmerzen. Aber sie klagte nicht. Sie schlang ihre Arme um meinen Rumpf.
»Wir hätten gut und gerne eine Stunde später losfahren können.«
»Wir konnten doch nicht wissen, dass wir so reibungslos durchkommen würden.«
Aber das Gespräch entwickelte sich nicht. Es blieb jedes Mal stecken, so simpel die Themen auch waren. Ich dachte an Jim, Misses Jones, Holger; es war der Tag des Abschiednehmens. Wie sollte ich all diese Anrufe bewältigen, wenn

ich noch nicht einmal mit Orla über unsere banale Anreise zum Flughafen sprechen konnte?
»Ich werde dich vermissen.«
Sie drückte ihre Nase fester an meine Brust. Doch sie sagte nicht: »Ich dich auch.«
Ich konnte hören, wie die Frau neben mir den Kaffee schluckte. So sehr lauschte ich, ob ein Wort, wenigstens ein Geräusch von Orla kam.
»Ich denke, ich sollte jetzt langsam durch die Sicherheitskontrolle gehen.«
Ihr Flug war erst in 70 Minuten an der Reihe.
Ich sollte sie verstehen, es war erst der vierte Flug ihres Lebens, vor zwei Sommern war sie mit zwei Freundinnen nach Málaga und zurückgeflogen; ich war doch genauso unruhig vor meinen Flügen.
»Lass uns doch noch ein bisschen warten.«
»Andy, bitte. Ich will nicht den Flug verpassen.«
»Nur zehn Minuten.«
»Ich könnte die Zeit sowieso nicht genießen.«
Sie löste sich von mir. Aus ihrer Handtasche schaute ein Päckchen heraus, in Geschenkpapier eingewickelt. Ich nahm meine Plastiktüte und ihre Hand. Die Frau mit dem Kaffee und den Goldketten sagte mit einem Lächeln Auf Wiedersehen, als habe sie uns zugehört. Wir suchten auf dem Bildschirm, aber ihr Flugsteig war noch gar nicht angegeben. Ich war mir sicher, dass sie nur etwas sagte, damit ich sie nicht erneut bat, noch einen Moment zu bleiben.
»Ich finde es komisch, dass du an Weihnachten nicht nach Hause fliegst. Also, du kannst natürlich machen, was du willst, und ich kenne auch deine Familie nicht, aber – du weißt, was ich meine.«
»Vielleicht fliege ich auch, ich habe es noch nicht endgültig entschieden.«

»Du wirst wissen, was du tust.« Es klang wie eine Anklage: Du erzählst mir nie, was du tust.
In gebührendem Sicherheitsabstand zu den Sicherheitskontrollen blieben wir stehen. Eine lange Schlange hatte sich dort gebildet. Sie hatte recht, seit dem 11. September konnte man nicht mehr früh genug anfangen, die aufwendige Prozedur zu durchlaufen, um zum Flugsteig zu gelangen.
»Dann?«
»Dann gehe ich mal.« Sie flüsterte, aber es war nur die passende Tonlage zu ihrem sanften Lächeln.
Ich umarmte sie, sie warf ihren Kopf auf meine Schulter, sodass ich sie nicht küssen konnte. Ich küsste die Haare auf ihrem Hinterkopf.
»Rufst du mich heute Abend an, Andy?«
Es war, mit ein bisschen Fantasie meinerseits, die erste Liebeserklärung, die sie mir machte.
»Ja, natürlich.« Ich hatte einen Auftritt in Soho, ich sah nicht, wie ich entspannt mit ihr telefonieren sollte. Es würde schon gehen. »Ich werde dich jeden Tag anrufen, okay?«
Sie zog ihren Kopf zurück, um mich anzusehen. War ich schon wieder zu besitzergreifend?
Die Schlange vor der Sicherheitskontrolle war ins Immense gewachsen. Die Passagiere mussten ihre Gürtel und Schuhe ausziehen, und selbst denen, die regelmäßig flogen, schienen diese Anforderungen immer erst einzufallen, wenn sie bereits an der Reihe waren. Es würde unangenehm sein, wenn wir Abschied genommen hatten und sie noch eine kleine Ewigkeit direkt vor mir in der Schlange stehen würde. Aber ich sollte aufhören, ununterbrochen an den Abschied zu denken, während wir noch beisammen waren.

»Ich habe noch etwas für dich.« Ich hob das Weihnachtsgeschenk aus der Plastiktüte, ich fürchtete, der Karton war zu groß für das Handgepäck, ohne dass ich mir deswegen Sorgen machte. Für eine Frau wie Orla würden die Sicherheitsbestimmungen doch nicht ganz so streng sein. Die Schlittschuhe rappelten im Karton, als sie ihn entgegennahm. Ich dachte an meine Weihnachtskarte. Auf einmal kam sie mir zu pathetisch vor.

»Vielen Dank. Mann, so was Großes! Du musst das Geschenk aber leider noch einmal nehmen, sonst kann ich deines nicht herausholen.«

Reisende in der Schlange sahen uns zu, ohne ihre Blicke zu verstecken.

Es gibt Menschen, die leben von deinem Lachen, hatte ich auf die Karte geschrieben.

Ihr Paket war nur ein kleines Rechteck.

»Es kommt nicht auf die Größe an«, sagte sie und zwinkerte verlegen.

»Danke«, sagte ich und küsste sie und küsste sie weiter, als sie versuchte, aus meiner Umarmung zu entgleiten. Ich hielt sie, solange ich konnte, am Ende, als sie sich schon einen Meter von mir entfernt hatte, hielt ich noch ihre Hand, ein Finger nach dem anderen löste sich, bis mich nur noch der Mittelfinger mit ihr verband.

Ich glaubte, die Tränen in ihren Augen zu sehen und in meinen zu fühlen, und holte sie ein, ehe sie die Schlange erreichte.

»Wir haben uns in den letzten Tagen viel zu wenig gesehen.«

»Ich hatte doch Prüfungen.«

Ihre Handtasche drückte auf meine Hüfte.

»Ich weiß nie, wie ich mich bei dir verhalten soll.«

»Wie meinst du das?«

»Ich weiß nie, wie sehr dich die Erinnerung an den Unfall gerade quält. Da ist immer so ein eisiges, unausgesprochenes Etwas zwischen uns, selbst in unseren schönsten Augenblicken, wenn ich denke: Wir sind doch glücklich. Ich möchte dir doch gerne helfen, aber du sprichst ja nie darüber.«
»Aber du fragst doch nie! Seit ich dir alles erzählt habe, hast du mich kein einziges Mal danach gefragt.«
»Wie kann ich mich denn trauen zu fragen, wenn du nie etwas erzählst?«
»Wie kann ich denn etwas erzählen, wenn du nie fragst?«
Wir brauchten einen Moment, bis wir begriffen, was wir gerade gesagt hatten. Dann lachten wir. Und auf einmal glaubte ich tatsächlich, dass unsere Verkrampfung der vergangenen Tage einfach nur komisch war.
Nun müsse sie sich aber wirklich schleunigst in die Schlange einordnen, sagte sie. Sie zog den Träger ihrer Handtasche ordentlich auf die Schulter hoch, dann suchte sie meine Hand. Die ihre war ein wenig rau, ihre Finger kamen mir zu groß für ihren Körper vor. Und ich wusste, ich konnte jetzt loslassen. Regungslos, ein eingefrorenes Lächeln im Gesicht, sah ich zu, wie sie im ungeduldigen Gänsemarsch der Schlange mittrottete, bis sie hinter den Röntgenapparaten der Zollbeamten verschwand.

Es hieß, darüber zu reden, sei eine Befreiung. Bei mir war das anders gewesen. Ich hatte die Geschichte des Unfalls in jener Nacht vor zwei Wochen wie ferngesteuert vor Orla heruntergerattert, so wie ich sie mir selbst schon tausendmal erzählt hatte. Das Reden brachte keine Befreiung, nicht einmal Erleichterung. Vom Unfall zu erzählen glich nur dem zwanghaften Reflex eines Bulimiekranken, der immer und immer wieder alles ausspucken musste.

Was ich in jener Nacht nach meinem Geständnis empfunden hatte, war nur die Selbstzufriedenheit eines kleinen Beamten, der auf seiner Aufgabenliste wieder einen Punkt durchstreichen konnte.
Vielleicht hatten wir gerade gelernt, miteinander zu sprechen.
Ein Rollkoffer machte einen unvorhergesehenen Schlenker, um mir auszuweichen, der Geschäftsmann entschuldigte sich und kritisierte mich gleichzeitig, indem er die Stirn krauste, was mich daran erinnerte, dass ich nicht weiter vor der Sicherheitskontrolle stehen sollte. Ich wollte den Schwung nutzen und weiter die Aufgabenliste abarbeiten.
Ich setzte mich auf eine der Plastikbänke zwischen den Abfertigungsschaltern. Dort war es zu unruhig. Ich ging in ein Café. Hier standen die Tische zu nah beisammen. Ich tigerte durch die Abflughalle, einmal auf, einmal ab. Die Lautsprecherdurchsagen erklangen im Halbminutenrhythmus, und in noch kürzerem Abstand war ich irgendjemandem im Weg. Ich suchte eine Ausgangstür. Es war dort draußen nicht so, dass man gesagt hätte: Ich war an der frischen Luft. Dieselbusse knurrten, Flugzeuge heulten im Landeanflug, der Geruch von Kerosin drängte sich auf. Ich wollte zur U-Bahn gehen, es war doch wohl klar, dass ich hier kein ruhiges Telefongespräch führen konnte. Du läufst jetzt nicht weg, zwang ich mich im nächsten Moment selbst.
Ich wählte die Nummer und hoffte, der Anrufbeantworter springe an, diese großartige Erfindung, die gemeinsam mit dem Internet Kommunikation möglich machte, ohne je eine Konfrontation direkt mit dem Gegenüber austragen zu müssen. Das Freizeichen klopfte langsamer als mein Herz.

Sie meldete sich, als sei sie sich sicher, was ich ihr zu sagen hatte.
»Sie haben es aber eilig gehabt, mich zurückzurufen, Andy.«
»Wie meinen Sie das?«
»Sie sind offensichtlich noch am Flughafen und wollten mit dem Anruf nicht mehr warten.«
»Ach so.«
»Gott, bei diesem Lärm verstehe ich Sie kaum. Was halten Sie davon: Sie kommen einfach schnell bei mir vorbei, und wir klären alles. Mein Büro ist in Slough, Sie können von Heathrow leicht mit dem Taxi zu mir gelangen.«
Ich zog den Bauch ein, als ob die fröhlich trillernde Reisegruppe skandinavischer Pensionäre so leichter an mir vorbeikäme. Ein Koffer hüpfte kurz, als er über meinen Fuß rollte.
»Bitte, Misses Jones –«
»Haben Sie es eilig? Selbstverständlich, ich will Sie nicht überfallen, wir können den Papierkram auch in den nächsten Tagen erledigen, zunächst einmal brauche ich nur Ihr Wort, ich vertraue Ihnen natürlich.«
»Misses Jones. Ich kann das nicht machen.«
Da entstand, trotz ihrer Redekunst, eine Lücke, die sie nicht zu füllen wusste. Ich hielt die Augen geschlossen und den Kopf gesenkt, um ihr Urteil entgegenzunehmen.
»Was wollen Sie damit sagen, Andy?«
»Ich kann es nicht machen. Ich kann Jim nicht verlassen.«
»Andy.«
Warum sprach sie es nicht aus, von mir aus konnte sie mich gern auch beschimpfen, wenn sie nur den Teil des Redens übernahm und ich die Absage bloß abnicken musste. Einhändig rieb ich meine Schläfe. »Wissen Sie, Misses Jones, für mich und Jim war die Comedy immer ein Spiel: Wie

weit können es zwei Außenseiter, zwei Amateure wie wir bringen? Ich vermute einmal, dass es jeder Komiker, also auch ich, mit Ihnen als Agentin einfacher hat. Aber ich würde nicht nur einen Freund verlieren, sondern auch die spielerische Freude an der Comedy. Wissen Sie, wie es sich anfühlt, wenn Jim wieder einen Auftrag in einem unbedeutenden, stinkenden Pub für mich ergattert, wenn ich vor 26 Zuschauern spüre: Heute hast du dich selbst übertroffen? Wissen Sie das, Misses Jones? Es ist das Größte; das Gefühl: Alles ist möglich. Dieses Gefühl könnte ich – und das ist eigentlich ein Kompliment für Sie – mit Ihnen nie bekommen. Mit Ihnen wäre alles, selbst das Größte, selbstverständlich.«

Ich öffnete die Augen wieder und nickte.

»Andy, ich bin mir nicht sicher, ob ich Sie richtig verstehe, und vor allem zweifele ich, ob Sie richtig verstehen, worum es geht. Sie können mit mir alles erreichen, alles, und das liegt selbstverständlich nicht nur an mir, sondern vor allem an Ihrem Talent, aber jemand muss das Talent verkaufen, und das kann dieser – wie man hört – gescheiterte Geschichtsstudent an Ihrer Seite nicht; mit Verlaub.«

»Ich weiß Ihre Ehrlichkeit zu schätzen, Misses Jones. Aber: Nein. Nein. Es tut mir leid, Misses Jones.«

»Und wenn wir erst einmal über das liebe Geld reden? Ohne dass ich etwas garantieren möchte, aber 3000, manchmal auch 4000 Pfund im Monat sollte ich Ihnen schon, nun, garantieren können.«

»Ich glaube, Sie haben mich nicht verstanden, Misses Jones.«

»Das fürchte ich allerdings auch, Andy.«

Das Kerosin kitzelte meine Nase. Ich entschuldigte mich zum Abschied noch einmal bei Misses Jones, ohne Schuld zu fühlen, und wanderte ziellos durch den Busbahnhof. Es war kein naheliegender Ort für einen Spaziergang. Aber es gefiel mir dort. Ich atmete die Abgase tief ein. So nah zu mir und doch schon unerreichbar saß Orla in einem Flugzeug und wartete auf die Starterlaubnis. Ich stellte mir vor, wie ich in zwei Wochen zurück in Heathrow sein würde. Zwei Rucksacktouristinnen, die gerade in den Bus nach Nottingham einsteigen wollten, sahen mich überrascht, aber neugierig an. Da wusste ich, wie ich strahlte. Ein Abschied konnte auch ein Aufbruch sein.

Vor allem hatte ich Jennifer Jones abgesagt, um einen ähnlichen Anruf bei Jim zu vermeiden. Es war der Weg des geringsten Widerstands, es war einfacher, Enttäuschung und Zorn einer resoluten, letztendlich jedoch fremden Frau auszuhalten als die Fassungslosigkeit eines Freundes. Aber ich hatte nie daran geglaubt, dass man stark sein musste, um die richtigen Entscheidungen zu treffen. Schwach zu sein half einem mindestens genauso oft, sich vor falschen Entscheidungen zu drücken.
Die U-Bahn kam postwendend. Ein Rückkehrer, offensichtlich aus der südlichen Welthälfte, setzte sich in kurzer Hose und Sandalen mir gegenüber. Ich dachte an Australien und freute mich. Ich hatte ein unmögliches Ziel mehr, von dem Jim und ich träumen konnten.
»Sie sehen ziemlich glücklich aus«, sagte der Rückkehrer. »Froh, wieder im guten alten England zu sein, was?«
»Mehr oder weniger«, antwortete ich, mit einem Akzent, so englisch, wie es mir möglich war, und der Mann hatte keine Ahnung, wie präzise meine ausweichende Antwort war: Mehr oder weniger war ich wieder da.
In Hammersmith stieg ich aus, und als ich den Bus nach Fulham sah, ließ ich ihn vorbeifahren. Ich besaß zu viel

Energie; den überschüssigen Teil, der mich nur unruhig machte, wollte ich auf einem Spaziergang verbrennen.
Der seichte Wind trieb leere Plastiktüten und Pappbecher vor sich her. Es waren zwar noch über drei Stunden bis zum Auftritt, aber ich versuchte, professionell zu sein. In meiner endlosen Unterhaltung mit mir selbst führte ich die neuen Gags auf, die ich im Soho erstmals darbieten würde: Wisst ihr, gestern fragte mich jemand in einer Straßenumfrage, was ich von dem neuen Alkoholverbot in den Londoner U-Bahnen halte. Hart für die Fahrer, antwortete ich.
Ich durfte nicht zu viele neue Scherze auf einmal einbauen, nicht mehr als zwei, drei, ich musste zunächst erproben, wie sie ankamen. Mehr als vier neue Gags hatte ich sowieso nicht.
Geflickschustert und provisorisch, hier ein kläglicher Anbau, dort eine ungestrichene Hintermauer, standen die Häuser am oberen Teil der Fulham Palace Road. Die Sirene eines Krankenwagens heulte auf, die Autos, in Zweierreihen im Stau zusammengepfercht, versuchten, Platz zu machen. Ich kannte das Blaulicht und wartete geduldig, bis die Erinnerung vorbeigeeilt war. Es gab hier nichts, was vermuten ließ, dass London eine außergewöhnliche Stadt war. Es sei denn, man sah statt der Umgebung die Passanten an. Sie eilten ihres Weges, ohne dass ihre Bewegung Hektik verriet; so ernst ihre Gesichter auch waren, ihre Mundwinkel waren jederzeit bereit, sich zu einem beiläufigen Lächeln zu verziehen, diesem großartigen Londoner Patent.

Es war kurz nach 17 Uhr, eine Stunde später in Deutschland, wenn ich jetzt anrief, konnte ich mit gutem Recht davon ausgehen, dass vielleicht nur der Anrufbeantworter, schlimmstenfalls meine Mutter zu Hause war. Aber damit würde ich nicht davonkommen, nicht einmal vor mir selbst: Ich musste es ihnen beiden sagen, Vater und Mutter, das zumindest.

Ich würde ihnen einen Brief schreiben. Die Post brauchte selbst in die norddeutsche Provinz nicht länger als zwei Tage, darauf war Verlass, auch an Weihnachten, gerade an Weihnachten, wenn die Postämter Verstärkung eingestellt hatten. Wenn ich den Brief morgen früh verfasste und gleich aufgab, würde er noch ankommen, bevor sie mich erwarteten.

Ihnen schriftlich Bescheid zu geben statt anzurufen, war keine Flucht vor der Konfrontation, im Gegenteil. In meiner Familie war ein Brief das angebrachte Kommunikationsmittel, um Gefühle auszudrücken. Sie würden mich doch sowieso nicht wirklich vermissen, bestärkte ich mich. Mit 59 und 56 Jahren hatten meine Eltern das Alter erreicht, in dem von den Kindern in erster Linie Enkel erwartet wurden. Und ich hatte den natürlichen Lauf der Dinge schon zerstört, die mittlere Schwester, zwei Jahre jünger und als Krankenschwester gewiss mehr ausgelastet als der Bruder, hatte bereits die ersten Enkel auf die Welt gebracht.

Vermutlich waren sie nicht in der Lage, es so zu sehen, aber es war besser für alle, dass ich nicht kam. Eine Last hätte sich auf ihr Weihnachtsfest gelegt, die Angst, dass etwas aus mir herausbrach, die Sorge, dass ihnen ein falsches Wort entschlüpfte, und dies vor den Kindern, den Enkeln, drei und vier erst, Ben und Louisa, sicher der erste Ben, die erste Louisa in Emden, nahm ich an, doch ich konnte mich auch irren; vielleicht war auch nur ich derjenige, der mittlerweile hinter dem Mond lebte.

Doch würde meine Abwesenheit nicht genauso etwas Bedrückendes in ihr Fest schmuggeln, wie es meine Anwesenheit getan hätte? Etwas, was sich langsam in plötzlichen, linkischen Gesten, in schlagartig gesenkten Augen und in der Mitte abgebrochenen Sätzen zwischen sie schieben würde. Sie wussten gar nicht genau, warum, aber auf einmal griffen sie sich in kurzen, schnippischen Bemerkungen an.
Ich würde ihnen schreiben, dass ich nächstes Jahr sicher wieder käme, dass es nicht an ihnen lag, nur an mir, ich war nicht schlecht mit Worten, wenn ich sie nicht aussprechen, sondern nur aufschreiben musste. Und vielleicht würde mein Vater den Brief wortlos Theresa reichen, Ärzte unter sich, die sich mit einem Blick verständigten, dass sie zur selben Diagnose gekommen waren.
Ich schloss die grün lackierte Tür zu meinem Vorhof auf, irgendwann, schon bald, würde sie aus den Fugen brechen, das Holz war faul. Ich sah in den Briefkasten, nicht nur, weil ich gerade an das Briefeschreiben gedacht hatte. Weihnachten war die einzige Zeit im Jahr, in der sich noch jemand anderes als British Gas oder London Electricity per Post an mich wandte. Nach dem Humor waren Weihnachtskarten die zweiternsteste Sache in Großbritannien. Es schrieben mir in persönlichem Ton Leute, die ich nie gesehen hatte, wie mein Vermieter, und es schrieben mir mit formalen Sätzen Freunde wie Jessica und Jim. Selbstverständlich schrieb ich allen zurück. Es gab viele Geschmacklosigkeiten, die ich damit entschuldigen konnte, ich sei eben Deutscher. Aber keine Weihnachtskarten zu schreiben, war ein Akt der Barbarei, den keinerlei persönliche Schrulle noch nationale Deformierung rechtfertigen konnte.
Der Briefkasten war leer. Ich schlug mit der Faust dage-

gen, damit die Klappe wieder zuging. Einige Karten hatte ich bereits in den Tagen zuvor erhalten, und die von Orla trug ich nun in der linken Brusttasche meines Parkas. Der Brief, den ich nicht erwartet hatte, erreichte mich erst am 22. Dezember.

zwanzig

Lieber Andy,
ich wünsche Ihnen alles erdenklich Gute zu Weihnachten. Mir fällt nichts Besseres ein, um diesen Brief zu beginnen, ich habe es bereits mehr als zehnmal versucht, aber alle anderen Anfänge klangen falsch, so zynisch oder verzweifelt, auch wenn ich es gar nicht so gemeint hatte. Nun schreibe ich einfach drauflos, ohne noch über die Worte nachzudenken. Ich bin erschöpft von meinem eigenen Zaudern.
Ich weiß, dass Sie mir eine falsche Telefonnummer gaben, um nichts mehr von mir zu hören oder zu sehen. Ich sah sofort, dass die Zahlen nicht stimmten, denn ich war im Besitz Ihrer richtigen Nummer. Ich hatte sie mir genauso wie Ihre Adresse von der Polizei geben lassen; es ist zwar traurig, aber als Anwältin ist es besonders leicht, illegale Taten zu begehen. Aus Höflichkeit fragte ich Sie trotzdem zum Schein nach Ihrer Handynummer, um nicht den Eindruck zu erwecken, ich belästige Sie. Als ich die Nummern dann verglich – ich konnte Ihre Handynummer schon auswendig, obwohl ich sie noch nie gewählt hatte – und sah, dass Sie mir eine falsche genannt hatten, verstand ich, dass Sie Ihre Ruhe vor mir haben wollten. Es schmerzte mich. Aber ich respektiere Ihren Wunsch nach Abstand, ich respektiere ihn weiterhin, auch wenn ich Ihnen heute schreibe. Doch ich werde mich danach nie mehr bei Ihnen melden, das verspreche ich Ihnen. Und obwohl mich damals vor einem Monat Ihre Zurückweisung schmerzte, so

hat sie mir doch auch geholfen, mich erneut den Härten des Lebens zu stellen. Auch wenn ich nun gerade wieder das Gefühl habe, ich werde Sams Tod nie verkraften.
Aber meine Sätze werden wirr. Meine Gedanken springen. Entschuldigung. Der Reihe nach.
Ich schreibe Ihnen auch auf ausdrückliche Aufforderung meines Psychologen (aber keine Angst, er wird diesen Brief nicht zu Gesicht bekommen). Er hat mich gelehrt, dass ich den Tatsachen in die Augen schauen muss, dass es nichts bringt, wegzulaufen und zu verdrängen. Dass ich erst wieder leben kann, wenn ich akzeptiere: Das ist passiert. Sam ist tot. Ich kann es nicht mehr ändern.
So will ich auch versuchen, meine Begegnung mit Ihnen aufzuarbeiten und abzuschließen.
Wissen Sie, wir Menschen neigen dazu, aus einzelnen Ereignissen unseres Lebens eine Schicksalskette zu basteln. Wir glauben, dies musste mir passieren, und es lag daran, weil ich zuvor dies machte oder das nicht tat. Es gibt uns das Gefühl, unser Leben kontrollieren zu können. Aber es ist falsch zu glauben, irgendein Ereignis hänge mit einem anderen zusammen, irgendetwas – etwas so Schreckliches wie Sams Tod – stieße Ihnen und mir aus irgendeinem Grund zu oder gar zu irgendeinem Zweck. Unser Leben ist nur eine Ansammlung von vielen einzelnen Gegebenheiten. Unser Leben ist ein ungeordnetes Sammelsurium von Zufällen.
So dachte ich damals, Sams Tod solle mich zu Ihnen führen, dies sei so bestimmt. Ich glaubte, wir wären Seelenverwandte, ich glaubte, von Ihnen würde ich verstanden. Schon damals, als ich den Artikel im EVENING STANDARD las, fühlte ich mich von Ihnen so angezogen. Als ich dann Ihren Auftritt in der Lamb Tavern sah, machte es mir nichts aus, die Lustigkeit zu ertragen, obwohl mir doch ganz und

gar nicht zum Lachen zumute war. Aber ich glaubte,Ihr großes Einfühlungsvermögen zu spüren.
Heute weiß ich, dass ich bloß emotional durcheinander war – und dass ich mich vor allem selbst quälen wollte: dem Mann, an dessen Auto Sam starb, in die Augen zu schauen. Verstehen Sie mich nicht falsch: Ich habe weiterhin einen vorzüglichen Eindruck von Ihnen. Sie sind äußerst charmant, und Ihr Lachen allein macht sicher sehr viele Leute glücklich. Ich bin Ihnen auch aufrichtig dankbar für die Gespräche mit Ihnen, die mich in meiner damaligen Verwirrung wenigstens kurzfristig mein Gleichgewicht wiederfinden ließen. Und ganz sicher mache ich Ihnen keinerlei Vorwürfe, was Sams Tod angeht. Sie wissen, dass Sie am wenigsten von allen etwas dafür konnten. Und falls Sie trotzdem irgendwelche Schuldgefühle quälen sollten – nun, auch deshalb schreibe ich Ihnen; um Ihnen zu sagen, was wirklich passiert ist.
Die Polizei hat die Täter gefasst, Andy.
Es gibt eine Pressesperrfrist, die Polizei möchte die Ergebnisse der Ermittlungen erst Anfang Januar an die Öffentlichkeit geben, um uns wenigstens ruhige Feiertage zu ermöglichen, was natürlich ein Hohn ist: friedliche Feiertage, wie sollten Ian und ich noch besinnliche Tage finden? Doch ich möchte Sie trotzdem bitten, diese Informationen vertraulich zu behandeln; ich weiß, Sie stehen mit Ihrer Arbeit im Fokus der Presse und verfügen sicherlich über beste Kontakte zu den Medien, Gott, jetzt schreibe ich schon, als ob es sich um einen juristischen Brief handle, entschuldigen Sie, Andy. Ich möchte nur, dass Sie den Inhalt dieses Briefes für sich behalten, schon allein, damit die Polizei nicht den Eindruck erhält, ich würde mich unkorrekt verhalten.
Also. Die Polizei spielte zunächst mit allerhand Theorien, und schon bald schien sie zu glauben, Kriminelle, deren

Verurteilung ich als Anwältin durchgesetzt hatte, wollten sich an mir rächen. Aber warum foltere ich Sie mit diesen Details? Jedenfalls, es gab eine Spur ins rechtsradikale Milieu, eine andere Fährte führte zur Albaner-Mafia. Das waren die schlimmsten Tage. Ich lag schon am Boden, und nun trat sogar die Polizei auf mir herum: Ich sollte direkt Schuld an Sams Tod sein.

Niemals hätte ich gedacht, dass das Ergebnis der Polizeiuntersuchung noch schlimmer sein könnte.

Es waren seine Freunde.

Rob und Jay. Robert Rogers und Jason Guernsey. Seine besten Freunde. Wir hatten sie oft hier bei uns in der Wohnung, quasi jedes Wochenende, nicht selten kamen sie auch nach der Schule vorbei, wohlerzogene kleine Jungen, 13 Jahre alt, eigentlich noch Kinder. Was habe ich mich gefreut, dass Sam Freunde hatte, die sich nicht viel aus diesen Computerspielen machten, die am liebsten an der frischen Luft waren, Harry Potter nachspielten oder Sport trieben. Wie ich mich heute schäme für meine Liebe zu ihnen.

Sie wollten nur spielen.

Das haben sie der Polizei gesagt.

Rob hatte eine Drahtschere in der Hobbywerkstatt seines Vaters entdeckt. Sie schnitten Sam heimlich die Bremsen durch und sagten ihm, komm, wir machen ein Wettrennen, den Berg hinunter, wer am schnellsten ist, du fährst zuerst, Jay stoppt die Zeit mit seiner neuen Digitaluhr. Sie dachten, es sei doch nur ein kleiner Scherz, es werde doch nur ein kleiner Schreck. Das haben sie der Polizei gesagt.

Entschuldigen Sie, Andy, ich weiß, dies ist keine Art, den Brief zu beenden, aber ich kann nicht mehr. Machen Sie es gut,

Ihre Kate Mahon

einundzwanzig

Der Fluss, grau in der herannahenden Abenddämmerung, funkelnd von den Laternen der Promenade, schob sich geräuschlos stadtauswärts. Bäume, deren Blätter zu einem erstaunlich großen Teil dem Winter widerstanden, versanken am anderen Ufer langsam in der Dunkelheit. Ich war in Gedanken versunken und tauchte erst wieder auf, als Alicia und ihre Freundin vom Theater bereits höflich über irgendetwas lachten, was Jim erzählt hatte. Ich lachte mit, ohne zu wissen, worüber.

Zwar war ich noch immer überzeugt, dass ich an diesem Tag etwas anderes tun sollte, als frierend auf der Hinterseite eines wenig gepflegten Pubs mit ein paar Freunden zusammen zu stehen, doch während ich das Lachen in den Augen von Alicias Freundin betrachtete, ergriff mich schließlich auch hier das wärmende Gefühl, dass Weihnachten war.

Vor uns am Ufer liefen zwei Freizeitsportler vorbei, die in die Jahre gekommenen Beine in hautenge Polyesterhosen gequetscht. Sie unterhielten sich angeregt, ohne dass ich die Worte verstand. Als sie uns zehn Meter hinter sich gelassen hatten, fingen auch sie an, und ich begriff: Der Klang dieser Stadt war das Lachen.

Es kam aus dem Themsepub, hinter dem wir standen. Es kam aus dem Fluss, wo wohl ein Ruderboot anlegte, das wir wegen der Ufermauer nicht sahen. Es kam von der Mauer, auf der junge Leute mit ihren Plastikbechern saßen, nicht wenigen von ihnen war zuzutrauen, jederzeit widerstandslos nach hinten, in die Themse wegzukippen. Ich blickte über die Themse, damit die anderen meine Augen nicht sahen, während wir lachten.

Am Morgen am Telefon hatten sich meine Eltern nicht getraut, die Frage zu stellen, doch ich konnte sie aus jeder Silbe Schweigen zwischen ihren Sätzen heraushören: Aber was wirst du denn an Weihnachten in London machen, so weit weg und ganz alleine?

Stattdessen sagte mein Vater, dass er mich verstünde, und meine Mutter sagte, sie hoffe, dass ich dafür vielleicht Anfang Februar käme, wenn mein Onkel Friederich den 75. Geburtstag begehe. Ich antwortete, das würde ich sehr gerne tun.

Wie feierten denn die Engländer Weihnachten, fragte sie, um die Stille nicht überhandnehmen zu lassen.

Sie feierten erst am 25., erklärte ich im Ton eines längst von seinen eigenen Erklärungen gelangweilten Fremdenführers, mit Truthahn, Backkartoffeln und grünen Bohnen, der 24. sei ein ganz normaler Arbeitstag, wobei man am Abend mit seinen Freunden oder Arbeitskollegen zum Feiern in die Stadt ging.

Das sei gut, sagte sie, ich konnte ihren Gedanken hören: Dann hatte ich also offenbar wenigstens Freunde oder Arbeitskollegen.

Dann drängte sich das Schweigen wieder dazwischen, und ich sagte, ich müsste nun auflegen.

Ist gut, Andreas, sagte meine Mutter.

Auf der Mauer schwang sich einer der Jugendlichen in den Handstand auf und versuchte, roten Kopf nach unten, eine Melodie zu summen, der auf den Kopf gestellte Kehlkopf ließ seine Stimme krächzen, die Beine schwankten, dass mir vom Zuschauen bange wurde. Das erinnere ihn an noch so ein Erlebnis, hörte ich Jim sagen. Er nahm einen zügigen Schluck aus dem Plastikbecher, also, einmal rief ihn ein Fahrgast an, um sicherzustellen, ob er im Inneren seines Taxis auch Temperaturen von mindestens 27 Grad Celsius garantieren könne. Nachdem Jim ihm dies zusicherte, erschien der Gast mit einer lebenden Boa um den Hals. »Was?«, sagte der Fahrgast zu Jim. »Haben Sie noch nie eine Schlange gesehen?« Immer noch besser, als wenn er nackt erschienen wäre und gesagt hätte, »was?«, warf Alicias Freundin ein, an der mich irgendetwas an Orla erinnerte, ohne dass ich wusste, was.

Obwohl uns nichts fehlte, weder Gesellschaft noch Gesprächsthemen, sahen wir zu oft auf die Uhr oder zum Pub. Das Wissen, dass die Hälfte von uns noch dazustoßen musste, ließ uns in einer unruhigen Vorläufigkeit verharren. »Merkwürdig, dass Jessica noch nicht hier ist«, sagte Jim. Die Jacke trug er weit geöffnet. Unter dem weißen Hemd, das er zur Feier des Tages ausgewählt hatte, bebte sein Bauch noch nach vom Enthusiasmus über seine eigene Anekdote. »Und Bernard vor allem, wo steckt der denn? Aus Rücksicht auf ihn habe ich unsere Feier doch überhaupt hier anberaumt und nicht im Phoenix, aber«, er drehte die Schulter mir zu, um eine unsichtbare Trennwand zwischen uns und den Frauen einzubauen, »um elf, wenn Bernard genug getrunken hat, überrumpeln wir ihn einfach und ziehen ins Phoenix weiter, was?«
»Bernard trinkt nie genug, Jim.«
»Verdammt, ich hätte Agent von Rennpferden werden sollen und nicht von Komikern, dann könnte ich auch einmal, wenigstens einmal das letzte Wort haben.« Er zwang mich, mit den Plastikbechern zum mindestens zehnten Mal anzustoßen.

Alicias Freundin bemerkte, wie ich sie musterte. Doch während ich ertappt den Kopf einzog, schenkte sie mir wieder ihr Lächeln, als fordere sie mich auf, doch bitte ruhig ganz genau hinzusehen. Vermutlich verriet ihr Lächeln nicht mehr als die Unsicherheit des Neulings, der sich schnell in die Gruppe integrieren wollte. Gedankenverloren hatte ich ihren Namen nicht registriert, sie spielte aber wohl derzeit mit Alicia im Landor. Sie hatte eine knollige Nase, die Haare fransten spröde aus, aber ein Mensch mit lachenden Augen war immer eine Schönheit.

»Was sagst du?«

Ich hatte nicht mitbekommen, was Jim mir zugeflüstert hatte.

»Nur kurz, bevor die anderen kommen, ich will mit diesem endlosen Thema ja auch nicht den Abend kaputt machen.«

Ein Schrei lief zwischen den Jugendlichen die Ufermauer entlang. Ich zuckte zusammen. Der begeisterte Ruf galt einem Freund, der mit einem Tablett voller Plastikbecher aus dem Pub zurückkehrte.

»Ich habe heute mit Kozluk geredet.«

Es knackte hässlich, weil ich meinen Bierbecher eingedrückt hatte.

»Und?«

»Sie haben eine neue Fährte.«

»Ach ja?«

Ich fühlte nichts, gar nichts.

»Nun, es ist noch etwas vage, sagt Kozluk. Aber – also, die Mutter ist wohl als Nebenanklägerin auch in dem Prozess gegen die Albaner aufgetreten, du weißt schon, mit der ermordeten Zwangsprostituierten. Es könnte sein, also, du weißt, was ich meine.«

Ich wartete, dass es vorüberging.

»Ich wollte es dir nur sagen, Andy, ich dachte, also, nur damit du informiert bist.«
Mein Mund war ausgedörrt. Du hast ja keine Ahnung, Jim. Die Wörter vertrockneten lautlos auf der Zunge. Ich bückte mich, um meinen perfekt gebundenen Schnürsenkel neu zu schnüren. Kurz beugte er sich zu mir herunter und berührte mich mit den Fingerspitzen an der Schulter, ehe er sich, von meiner Sprachlosigkeit eingeschüchtert, den anderen zuwandte.
Ich hatte so oft in den vorangegangenen zwei Tagen daran gedacht, was wohl Kate Mahon an Weihnachten machen würde, dass ich mittlerweile überzeugt war zu wissen, wie sie den 25. Dezember verbrachte. Die Geschäfte würden geschlossen sein, überall in den Straßen würden Familien mit ausgelassen lärmenden Kindern auf dem Weg zu den Großeltern sein, sodass sie den Feiertag gar nicht ignorieren konnte. Sie deckte mit ihrem Mann den Tisch festlich. Aber statt Truthahn kochten sie Fisch, ihr Mann half ihr in der Küche, ohne eine Hilfe zu sein. Sie verrichteten die Arbeit konzentriert; schweigend. Am Tisch dann redeten sie ein wenig, ihr Mann zündete eine Kerze an, sie sagte nichts, obwohl es ihr missfiel. Sie trank ein bisschen zu viel Weißwein. Und auf einmal, sie wollte es gar nicht erzählen, hörte sie, wie sie über die Kew Gardens redete, mit welcher Faszination Sam die Palmen studiert hatte, vielleicht wäre er tatsächlich Naturforscher geworden. Ihr Mann hörte mit gesenktem Kopf zu, sein Messer knirschte auf dem Teller, er versuchte, ihre Worte von sich fernzuhalten. In zehn Minuten hatten sie einen Fisch gegessen, dessen Zubereitung sie anderthalb Stunden gekostet hatte. Sie konnte nicht sagen, ob er gut oder schlecht oder überhaupt nach irgendetwas geschmeckt hatte. Sie tauschten die Geschenke, für jeden nur eines, das hatten sie vereinbart, sie öffneten die Geschenke

mit Bedacht. Sie sagte, sie ginge noch ein wenig arbeiten, sie habe so viel zu tun. Ihr Mann nickte, ohne sie anzusehen. Und sie verschwand in ihrem Büro. Es gelang ihr schneller als gedacht, sich in die Arbeit zu vertiefen. Sie konnte es gar nicht glauben, als sie wieder auf die Uhr sah. Es war kurz nach zwei in der Nacht. Kälte hüllte den Rest der Wohnung ein, als sie sich aus dem Büro in der Dunkelheit ins Schlafzimmer vortastete, wo ihr Mann so tat, als schliefe er.

Zwei Stunden hatte ich am Schreibtisch gesessen, am Ende brannte mein Handgelenk, und ich hatte neun förmliche Zeilen auf das Papier gebracht, die ich glaubte, ihr schicken zu können. *Ich denke an Sie, Kate. Ihr Andy.* Bevor ich erneut zweifeln konnte, ob meine Sätze nicht zu belanglos, zu unsensibel waren, schloss ich schnell das Kuvert und versah es mit ihrer Adresse und Briefmarke.
Ich war mir nur nicht sicher, ob ich meinen Brief jemals aufgeben würde.
Sie war stark, sie würde, irgendwann, weiterleben. Das wollte ich glauben.
Das Leben war nur eine Sammlung von Zufällen, hatte sie geschrieben, kein Ereignis habe etwas mit dem anderen zu tun. Ich mochte das gern glauben. Doch wie passte es dann ins Bild, dass meine Komikerkarriere durch den Unfall Schwung bekommen hatte, dass ich Orla nur wegen des Unfalls gefunden hatte?
Ich wehrte mich vehement gegen Gedanken wie: Der Tod des Jungen darf nicht umsonst gewesen sein; er muss mich dazu bewegen, Sinnvolles zu tun. Der Tod des Jungen würde nie einen Sinn haben. Gestorben für einen dummen Scherz seiner besten Freunde – es würde für immer eine brüllende Sinnlosigkeit bleiben, egal, was irgendjemand in der Welt noch tat.

Aber ich brauchte mich nicht zu schämen, dass mir durch den Unfall das Beste seit Langem widerfahren war: Orla und der Aufstieg mit Jim auf die großen Bühnen. War deswegen die Liebe zwischen Orla und mir weniger rein, war ich deswegen ein schlechterer Komiker? Hundert andere Zufälle, tausend andere Momente trugen genauso wie der Unfall ihren Teil dazu bei, dass ich nun Orla und die großen Bühnen hatte. Es gab keinen anderen Sinn, auch nicht für mich, als sich weiter von Moment zu Moment, von Zufall zu Zufall, durch das Leben zu hangeln.
Nun musste ich nur noch glauben, was ich mir vorsagte.
Jims Hand ruhte auf der Schulter eines Mannes, dessen Ankunft ich gar nicht bemerkt hatte. Er war klar jünger als ich, und seine Stirn wies deutlich tiefere Falten auf.
»Du musst gerade in einem fernen, sonnigen Land gewesen sein.«
Ich nickte dem Mann freundlich zu, ehe ich mich an Alicias Freundin wandte.
»Wie meinst du das?«
»Du warst gerade ziemlich abwesend, aber als du aus deinen Gedanken aufwachtest, hast du gelächelt.«
»Habe ich?«
Sie bestätigte es mit ihrem Lächeln. Ihre Augen oder ihr Blick waren es nicht, die mich an Orla erinnerten, auch wenn ihre Augen, grün und grau, einen gefangen nahmen.
»Dann muss ich offenbar gerade in Gedanken einen Grund gehabt haben, mich zu freuen. Habe ich gar nicht gemerkt. Egal – du kennst Alicia schon lange, oder?«
»Nun, lange ist ein relativer Begriff. Sind zwei Wochen lange? Dann kenne ich sie schon lange. Wir spielen gemeinsam in einem Stück im Landor, es ist ein kleines Theater, du wirst es nicht kennen, am Samstag war die erste Aufführung.«

»Und?«
»Es war in Ordnung, danke. Ich fange ja erst an. Letzten Sommer habe ich die Ausbildung an der Ravenscourt Theaterschule beendet, und jetzt muss man mal sehen. Alicia sagte, dass Jim mir vielleicht ein bisschen helfen könnte. Du bist auch bei ihm, oder? Ich habe den Artikel im Mirror letzte Woche gesehen, Alicia hat ihn mir gezeigt.«
»Ach, Alicia macht so manche Sachen, die sie nicht sollte.«
Keck, das war das Wort, das ich suchte. Keck waren ihre Augen.
»Also, warum. Natürlich, der Artikel war schon ein bisschen krass, mit dem Unfall, Hitler und so. Aber, also, ich meine, wenn eine der größten Zeitungen des Landes mit ein paar Millionen Lesern über dich berichtet und die Essenz ist, dies ist der lustigste Mann des nächsten Jahres, das war doch ihr Satz, oder, dann finde ich das schon ein Kompliment.«
»Oh, absolut: Er hat nicht Hitlers Schnauzer, aber seinen Akzent. Er trägt keine Lederhosen, aber sicher Tennissocken in den Sandalen. Er macht Scherze über Nazis, und wir wollen gar nicht wissen, wo sein Großvater 1945 war. Das waren schon Komplimente.«
Die Verlegenheit brachte sie aus dem Takt. Sie kannte mich nicht, wie sollte sie wissen, dass ich es keineswegs bitter gemeint hatte. Sie war froh, dass der junge Mann mit den Falten uns unterbrach, um uns neues Bier zu bringen. Unsere alten Becher waren noch gut gefüllt. Aber er vertraute offenbar mehr auf seine Kaufkraft als auf sein Lächeln, um sich in die Gruppe zu integrieren.
»Danke, Darren«, sagte ich, »wie läuft der Fußball?«
Er sah mich verwundert an, sagte »gut« und beschäftigte sich damit, die weiteren Biere auszuteilen. Jim lachte, wie ein Pferd wieherte.

»Darren, sagst du? Hast du nicht Charlies Bauch gesehen, Andy, wie kommst du auf die Idee, dass er Darren wäre?« Er zwickte den Mann in den gewiss nicht auffälligen, aber, das musste ich zugeben, auch nicht wohltrainierten Bauch.
»Tut mir leid. Ich dachte mir schon, sah Darren früher nicht irgendwie anders aus?«
»Darren kommt auch. Später. Ich habe dir von Darren erzählt, Charlie, er spielt für Watford.«
»Spielen ist eine kleine Übertreibung, Jim.«
Jim schüttelte den Kopf, rollte die Augen und deutete mit dem Zeigefinger auf mich. »Noch so ein Witz, du Komiker, und es war dein letzter Scherz. Jedenfalls – das ist Charlie. Ich dachte, ich hätte ihn vor fünf Minuten vorgestellt, aber offenbar hatte Herr Merkel Besseres zu tun als zuzuhören. Charlie ist Schlagzeuger. Wir werden eine richtig gute Band für ihn finden, echter, alter Rock, das war es doch, nicht wahr, Charlie?«
»Schlagzeuger sind schlimmer als Torhüter, Jim: Torhüter sind Fußballer, die kein Fußball spielen können. Schlagzeuger sind Musiker, die kein Musikinstrument spielen können.« Im allgemeinen Gelächter fiel es auf, dass Charlie mit verbissenen Lippen lächelte.
»Das war es dann, Andy. Wir sind gleich wieder da. Ich muss mal ein sehr ernstes Wort mit dem einzigartigen Andy Merkel sprechen.«
Jim legte mir wie ein sorgsamer Polizist die Hände auf den Rücken und führte mich ab, ich spielte das Spiel mit. Alicias Freundin strahlte mich an. Alicia sah zu ihr, dann zu mir, und öffnete den Mund, als ob sie gerade etwas begriffen hätte.
Das schwarz gestrichene Parkett des Pubs klebte. Der weite Raum war fast leer. Wir stellten uns mit unseren gut gefüllten Plastikbechern an die Theke, und der Wirt fragte

uns, was wir trinken wollten. Sie meinen, wenn wir das nächste Mal kommen, fragte ich.
»Du bist in guter Form, Andy Merkel, was.«
Ich hörte die Anklage, obwohl ich wusste, dass er es nicht so gemeint hatte: Wie kannst du nur so ausgelassen sein? Ich musste kurz die Augen zusammenkneifen und die Hände zusammendrücken, es dauerte nicht einmal zwei Sekunden. Es war unmöglich, dass Jim irgendetwas merkte.
»Es ist ein netter Abend, und das Bier schmeckt, Jim.«
»Und Kate ist auch sehr nett, was.«
Die Kälte eines trockenen Schlags landete auf meiner Brust.
»Was, wer – Kate?«
»Sag mal, du hast heute aber ziemliche Aussetzer. Alicias Freundin natürlich.«
»Ach so«, das Glücksgefühl, wenn die Starre im Kopf sich löst, überschwemmte mich, »natürlich, die Freundin von Alicia«, und ich musste lachen, als sei ich verrückt geworden.
»Habe ich gerade einen Witz verpasst?«
Ich schüttelte den Kopf und lachte immer noch.
»Dann bin ich ja beruhigt.« In seinem Gehirn, ich sah es an seinem starren Blick, war er jedoch schon wieder ganz woanders. »Klar, du hast recht, Schlagzeuger ist nicht Sänger oder Komponist, das verstehe ich auch. Im Moment jobbt Charlie ausschließlich als Studiomusiker, Werbelieder und so etwas. Ich habe ihn letzten Freitag verpflichtet. Ein Kunde im Taxi, dem ich von meiner Agentur erzählte, sagte, er hätte da vielleicht jemanden für mich. So muss es laufen. Du musst die Augen offen haben und die Chancen sehen. Was mich zum Punkt bringt, Andy.«
»Fragt sich nur zu welchem: zu dem Punkt, an dem es kein Vor und kein Zurück mehr gibt?«

»Ich sollte spontan eine Show für dich hier organisieren, so wie du drauf bist, was. Aber gut, pass auf, ich will mit dir kurz einen kleinen Unfug in Ruhe besprechen, bevor alle hier sind und nur noch prächtiger Unsinn geredet wird. Ich habe eine Idee.«

Gekreuzte Ruder hingen an der Hinterwand. Das Pub war nahezu leer, doch der Wirt hatte alle Hände voll zu tun. In Scharen kamen sie von der Promenade herein, um Bier zu kaufen und wieder hinauszugehen in die an diesem Montag etwas wärmere Winterkälte. »Ich höre«, sagte ich.

»Du erinnerst dich an Ben?«

»Ben?«

»Na komm, Andy, hast du ein Namensgedächtnis oder ein Namenssieb im Kopf? Ben Fletcher. Der Schriftsteller.«

»Der noch nichts geschrieben hat.«

»Der sehr bald einen Bestseller schreiben wird, darum geht's.«

Er balancierte die Becher vor der Brust, in jeder Hand einen. Ging der eine ein paar Zentimeter hoch, sank der andere, als wären sie eine Waage unter dem Gewicht von Jims Ideen.

»Er soll deine Geschichte aufschreiben.«

»Bitte?«

»Natürlich fiktiv, als Roman, Literatur mit erfundenen Namen und so. Er ist in allen Richtungen offen: Es kann ein lustiges Buch werden, du weißt schon: ein deutscher Komiker in London. Oder es wird ein Melodrama, der Komiker, der nicht mehr lachen konnte, was auch immer, es ist eine Bombengeschichte. Ich habe Ben gesagt, er soll sich mal ein bisschen an deine Fersen heften, um Material zusammenzukriegen. Er ist einverstanden. Er kommt ja nachher, dann könnt ihr euch schon einmal austauschen.«

»Ach.«

»Was?«
»Ob ich einverstanden bin, ist offenbar nachrangig.«
»Deswegen frage ich dich doch gerade, Andy. Und, wie gesagt, es wird alles fiktiv, du musst dir keine Sorgen machen.«
Plötzlich waren meine eben noch reichlich gefüllten zwei Becher leer. Fassungslosigkeit machte offensichtlich Durst.
»Ich weiß nicht einmal, ob dieser Typ schreiben kann.«
»Das braucht auch nicht dein Problem sein. Außerdem ist das Schreiben auch nicht so wichtig. Das Entscheidende ist die Geschichte, und die ist gut.«
»Gut? Ich bin also eine gute Geschichte, Jim.«
»Nimm es doch nicht gleich wieder so persönlich, Andy.«
»So persönlich? Hallo, bist du da, Jim?! Es geht um meine Person, und ich soll es nicht persönlich nehmen. Und hast du einmal daran gedacht, dass da eine Mutter und ein Vater sind, die ihren Sohn verloren haben und auch lesen können?«
»Verdirb mir doch nicht gleich wieder die Freude, Andy. Es ist eine Idee – okay, im Moment ist es noch nicht mehr als eine Idee, und wenn sie unsinnig sein sollte, dann blasen wir es halt ab, was glaubst denn du, natürlich habe ich auch meine Zweifel, ob so ein Buch recht wäre. Ich wollte dir doch nur einmal die Idee darlegen.« Durch das vergitterte Fenster konnte man den Abendhimmel sehen. Es brannten zu viele Lichter in der Stadt, um irgendwelche Sterne zu erkennen. »Früher konnte man immer herrlich mit dir solche Einfälle herumspinnen.«
»Das wirst du auch wieder können, Jim. Ich habe nämlich auch eine Idee.«
»Was?«
Aus seinem Gesicht sprach eine Mischung aus zu viel Begeisterung und ein wenig Glück.

»Erzähle ich dir später. Jetzt lass uns erst einmal wieder zu den anderen hinausgehen.«

Auf der Uferpromenade kamen keine Jogger mehr vorbei, daran ließ sich ermessen, wie spät es geworden war. Es war unmöglich zu sagen, ob es regnete oder nicht, etwas Feines, Frisches war in der Luft. Meine Hände waren klamm, und meine Wangen glühten. Nach und nach waren alle eingetroffen, Darren Hutchinson, Jessica, Bernard in einer engen roten Lederhose, die er nach meinem Wissen ansonsten nur auf der Bühne trug. Ben Fletcher kam auf mich zu, die dünnen Haare mit Wasser nach vorn gekämmt, das spitze Gesicht eines Raubvogels.
»Geht's dir gut?«
»Mir geht's gut und dir?«
»Alles in Ordnung. Ich komme gleich wieder, ich muss nur einmal, du weißt schon.«
Ich flüchtete auf die Toilette, es roch nach Kamille, Kamille und penetranter Schärfe, und da ich schon einmal dort war, benutzte ich sie pro forma auch. Als ich wieder den Salon des Pubs betrat, stand Jessica am Tresen.
»Hallo, Andy. Es mag zwar lächerlich sein, aber ich bestelle mir jetzt erst einmal einen Tee. Um den Alkohol, wage ich anzunehmen, komme ich früher oder später sowieso nicht herum.«
»Das ist nicht die schlechteste Idee: ein Tee. Wärest du so liebenswürdig, mir einen mitzubestellen?«
Sie klopfte mit den dünnen Fingern auf das grüne Holz. Ihre Fingernägel waren rosarot lackiert. Glitzer funkelte auf ihren Wangen. Aus den Musikboxen erklang gedämpft *Wham*.
»Ich muss sagen, Andy, du siehst viel besser aus als noch, also.«

»Du kannst es ruhig aussprechen: als nach dem Unfall. Die Wörter fressen mich nicht auf.«
Sie schlugen mir nur auf die Schläfen wie ein Klöppel auf den Gong. Aber das musste sie nicht wissen. Der Hall eines Gongs verstummte einigermaßen schnell.
Der Tee kam. Wir rührten entschieden länger um, als es notwendig gewesen wäre. »Hast du eigentlich mal mit Holger geredet?«
»Nein. Wieso?«
»Na, du weißt schon.«
Ihr Löffel rührte noch immer in dem milchkaffeebraunen Tee. Alicias Freundin kam herein mit ihrem Lächeln, ich wollte ihren Namen noch immer nicht aussprechen, und sei es nur in Gedanken. Ihr Lächeln blieb, aber ihre Bewegungen gefroren, kaum hinter der Tür. Ich sah sie nur aus den Augenwinkeln, konnte mir aber vorstellen, was sie zögern ließ. Sie hob demonstrativ den rechten Zeigefinger und zeigte sich selbst den Weg zu den Toiletten.
»Holger hat mich, nun, ich denke, du kannst sagen, er hat mich vergangene Woche freigestellt. Ich denke, wenn es etwas zu besprechen gibt, dann sollte er mit mir reden und nicht ich mit ihm.«
»Die klassische Situation: Zwei Freunde wissen eigentlich gar nicht, warum sie nichts mehr miteinander zu tun haben, aber jeder findet, der andere sollte doch den ersten Schritt machen.«
»Und was findest du?«
»Dass es sehr schade wäre, wenn ihr wegen eines Kommunikationsproblems so auseinandergeht.«
»Ich habe kein Kommunikationsproblem, Jessica.«
»Nun, dann rede mit ihm, Andy. Unter uns, Holger ist ziemlich verbittert. Er denkt, er hat dir Arbeit gegeben, als du nichts hattest, er hat dich verständnisvoll behandelt, als

du nach dem, also, du weißt schon, und jetzt, wo du ein Star bist, wo der Mirror und der Telegraph über dich schreiben, lässt du ihn schnöde hängen.«
»Das ist doch lächerlich, Jessica. Weder ähnele ich auch nur im Entferntesten einem Star, noch bin ich mir zu schade, für Holger zu arbeiten, im Gegenteil.«
»Mir brauchst du es nicht zu sagen. Ruf Holger an.«
»Hält sich für einen Star.« Ich spuckte Luft aus.
»Ruf ihn einfach an.«
Ihre Hand lag flach ausgestreckt auf dem Tresen.
»Vielleicht hast du recht. Ich werde ihn anrufen.«
In diesem Moment dachte ich wirklich, ich werde ihn anrufen, ich hörte die Sätze sogar schon, die ich zu ihm sprechen würde, und war gerührt von unserer Versöhnung. Und im nächsten, oder war es sogar noch im selben, Augenblick wusste ich schon, dass ich ihn nicht anrufen und nie wiedersehen würde. Ich war mit 30 realistisch genug zu wissen, dass ich mich nicht mehr ändern würde; auch nicht durch eine diffuse Läuterung nach dem Unfall.
Ich vermisste Holger bereits, die Sorglosigkeit der Tage mit ihm und den Fenstern, und der Gedanke quälte mich, dass ich diese Oase meines Alltags ohne Schwierigkeiten hätte retten können. Aber dieser Schmerz war leichter zu ertragen als die Vorstellung, ihn anrufen zu müssen.
In meinem Magen vermischte sich der Tee mit dem Bier zu zähflüssigem Beton. Den Mund jedoch belebte die Wärme des Getränks. »Komm ruhig her«, rief ich. Jessicas Verwunderung galt zunächst mir, dann erst richtete sie ihren Blick in den Raum.
»Dies ist Jessica. Und das ist eine Freundin von Alicia.«
»Schön, dich kennenzulernen.«
»Oh, ihr trinkt Tee, das ist eine fabelhafte Idee. Ein warmer Tee mit Milch. Ich denke, ich nehme auch einen.«

»Ich schaue einmal, was mein Freund draußen so treibt. Wir sehen uns.«
Die dünnen Absätze von Jessicas schwarzen Stiefeln klopften in dramatischem Rhythmus auf das Parkett. Als sie durch die Tür war, wandten Alicias Freundin und ich uns zu, unsere Augen waren nur Zentimeter voneinander entfernt, ich konnte nicht sagen, wessen Lachen das andere hervorzauberte.
»Habe ich sie vertrieben?«
»Ich denke, du hast sie eher gerettet: endlich eine Gelegenheit, von mir davonzukommen.«
Sie trug zwei langärmelige Shirts übereinander, der engere Rundkragen des dunkelgrauen schaute am Hals unter dem hellgrauen hervor. Auf dem Rücken ihres schwarzen Mantels glänzten im penetranten Licht des Pubs einzelne hellbraune Haare. Aber es war auch nicht die Kleidung, die mich an Orla erinnerte.
»Wird nicht auf dem Kontinent heute, am 24., Weihnachten gefeiert?«
»Das ist richtig.«
»Wie ist es für dich? Also, ich meine, dass du hier bist, während deine Familie – nehme ich an – zu Hause feiert.«
Ich schloss die Faust um den Griff der Teetasse. »Ich war noch nie irgendwo so zu Hause wie in London.«
»Verstehe.«
Wir tranken Tee, sie blies den Dampf aus ihrer Tasse zur Zimmerdecke. Ich dachte an morgen. Vielleicht würde ich die hohen Stimmen der Kinder von gegenüber durch meine schlecht verglasten Fenster hören, vielleicht würde ich mir den Ruf ihres Vaters, endlich einzusteigen, die Oma warte, auch nur einbilden, Autotüren würden zuschlagen, und das Gefühl, niemanden stören zu dürfen, würde sich schwer auf mich legen. Die Furcht, wie ein Aussätziger

angestarrt zu werden, würde mich davon abhalten, im Bishop's Park oder an der Themse spazieren zu gehen. Aber ich sagte mir, dass ich mich auf den Tag freute. Ich hatte Orlas Geschenk. Ich würde es morgens gegen halb elf, elf öffnen, nachdem ich sie wie jeden Tag in Nordirland angerufen hatte. Der Form nach musste es ein Buch sein. Ich würde es lesen, den ganzen Tag lang, und darin nach versteckten Botschaften von Orla suchen.

»Kate!« Der Name riss mich jäh aus dem Tagtraum. »Andy! Kommt, wir gehen ins Phoenix.« Alicia stand in der Tür, den Stehkragen der roten Lederjacke zugeknöpft wie ein Motorradrennfahrer. Sie klang geradezu aggressiv. Oder war es nur ihr Blick, unter dem mir ihre Stimme fester, ruppiger erschien?

Durch gepflasterte Seitenstraßen liefen wir Richtung U-Bahn. Die Stahldreiecke der Hammersmith Bridge hingen wie fliegende Pyramiden in der Luft. Sanft sprühte der Nieselregen frische Luft in die Stadt. Ich spürte einen Druck an der Innenseite meines Oberarms und ließ es geschehen. Wir brauchten vier Schritte, dann fand ich den Gleichschritt mit Alicias Freundin, die sich bei mir untergehakt hatte. Ich dachte an Orla.

Natürlich sah ich die Fakten. Ich war vielleicht pathetisch, aber doch nicht naiv. Fakt: Es war vor allem die Einsamkeit, in ihrem Fall in einer fremden Stadt, in meinem Fall in einem schrecklichen Moment, die uns zusammenhielt. Aber viel mehr als das Gefühl, allein in der Fremde zu sein, hatte mich mit Violeta auch nicht verbunden, und wir waren glücklich; bis wir eben nicht mehr glücklich waren. Vielleicht war es schon vorauszusehen, dass mich Orla, so jung wie sie war, irgendwann verlassen musste. Aber davon wollte ich jetzt nichts wissen.

In meinem Oberarm spürte ich die Schritte von Alicias Freundin. Das war es; das hatte mich bei ihr an Orla erinnert: die Natürlichkeit ihrer Bewegungen. Doch wie war ich nur auf den Vergleich gekommen? Orla bewegte sich viel graziöser.
Aus einem Restaurant vor dem Hammersmith-Kreisverkehr stolperten ein Frosch, ein Matrose und ein Pirat ohne Kopftuch und tauchten auf dem Bürgersteig in die bunte Menge konzeptlos verkleideter Büroangestellter ein. Mein linker Oberarm wurde gewaltsam angehoben, »darf ich«, sagte Jim, als er sich bereits untergehakt hatte. Es musste aussehen, als führten mich Alicias Freundin und er ab; vorwärts in die alte Zeit.
»Jetzt hast du es aber spannend genug gemacht, Andy. Erzähl schon.«
»Was denn?«, fragte Alicias Freundin.
»Er hat eine Idee.«
»Oh, Ideen hätte ich auch so einige.«
»Nein, aber Andys Idee ist eine ganz spezielle.«
Wie konnte ich sie ihm jetzt noch erzählen? Seine Bemerkung hatte die Erwartungen so hoch geschraubt, dass ich ihn nur enttäuschen konnte.
»Ach, ist gar nichts Besonderes.«
»Na, los, Andy.«
Vor dem Restaurant blieben zwei Büroangestellte zurück, ihre Kollegen schrien ihnen von der anderen Seite der Straße etwas zu, aber sie wollten nicht hören. Ihre zusammengepressten Körper lehnten sich gefährlich über das Straßengitter, wer sie nur sah, musste denken, sie küssten sich leidenschaftlich. Wer sie hörte, wusste es besser: Die Stadt, die einmal swingte, hörte nicht auf zu lachen.
»Na, es ist«, ich wandte den Kopf zu Alicias Freundin, »es ist nur eine Arbeitsidee.«

»Oh, keine Sorge, wenn du etwas mit Jim zu besprechen hast, bitte. Wenn du willst, halte ich mir sogar die Ohren zu. Ich will einfach nur in deiner Nähe sein, wenn das in Ordnung ist.« Sie legte ihr Kinn auf meine Schulter. Ich steckte die rechte Hand kurz in die Tasche meines Parkas, um so die Schulter auf natürliche Weise vor und zurück bewegen zu können. Ihr Kinn hüpfte kurz unter meiner Bewegung. Dann zog sie es zurück.

Die Idee sei eigentlich ganz simpel, sagte ich. Ich konnte natürlich immer weiter in Pubs und Klubs auftreten, und dagegen war nichts einzuwenden, im Gegenteil, ich platzte vor Vorfreude, im Januar die großen Bühnen kennenzulernen, da sollte mich Jim nicht falsch verstehen. Ich war mir sicher, dass dies der beste Job der Welt war: nichts anderes zu tun, als Leute zum Lachen zu bringen. Aber Comedy konnte doch so viel mehr. Also, er sollte mich nicht falsch verstehen, ich litt nicht unter Größenwahn und glaubte auch nicht, die deutsch-englischen Beziehungen neu gestalten zu können, aber würden wir nicht eine Chance verschenken, wenn ich einfach nur den Blödelmeister gab?

»Ich habe keine Ahnung, wovon du sprichst«, sagte Jim.

Ich auch nicht, sagte ich. Ich dachte einfach nur, also, warum suchten wir nicht ein Theater, in dem ich als Einmannshow mit einem Programm zum deutsch-englischen Verhältnis auftreten würde? Man musste sich ja nicht gleich Illusionen machen, aber vielleicht – vielleicht – würde solch eine Comedy-Show nicht nur Bier verkaufen, sondern sogar einen klitzekleinen Teil dazu beitragen, dass im Deutschen-Bild der Engländer irgendwann einmal auch andere Inhalte als nur Bratwurst, Hitler und Elfmeter vorkämen.

»Das ist eine brillante Idee!«, rief Jim so laut, dass sich Jessica und Alicia ängstlich umdrehten. »Das wird sofort ein Bombenerfolg, das weiß ich schon jetzt. Die Show des lus-

tigen Deutschen. Es wird deine Comedy in den Rang der Kunst heben, Andy, Kumpel.«
»So weit würde ich dann doch nicht gehen.«
»Ich bin mir sicher, dass sie zum Beispiel im Landor dafür sehr aufgeschlossen wären. Wenn ihr wollt, frage ich gerne einmal nach«, sagte Alicias Freundin.
»Und jeder Zuschauer bekommt mit der Eintrittskarte eine Bratwurst gratis«, rief Jim. »Wahlweise natürlich eine Anleitung zum Elfmeterschießen.«
Scherze. Oder Träume? Oder endeten nicht all unsere Träume als Scherz?
Im besten Fall.
Die Ampel am Hammersmith-Kreisverkehr stand für Fußgänger weiterhin auf Rot. Wir drängten uns auf der Verkehrsinsel dicht aneinander, als schütze die Nähe gegen die Kälte. Jessica rieb ihre Hände gegeneinander. »Lass mich mal«, sagte sie und schob Alicias Freundin resolut zur Seite, um sich statt ihrer eng bei mir unterzuhaken.
»Rabiat wie die *Iron Lady*«, rief Jim, nicht ohne Stolz, wie mir schien.
»Warte du nur, bis wir nach Hause kommen«, antwortete Jessica und versteckte ihr Lächeln hinter meiner Schulter.
Alicia nahm ihre verwirrte Freundin an der Hand.
»Du findest etwas Besseres«, flüsterte Jessica.
»Schon gefunden«, sagte ich. »Im Januar stelle ich sie euch vor.«
Sie nickte, als habe sie es gewusst.
Am Stromkasten hing ein orangefarbenes Werbeplakat für eine Silvesterfeier. Ein Jahr ging zu Ende. Man konnte den alten Kalender abhängen und sich einbilden, etwas sei jetzt definitiv vorbei, das habe man nun hinter sich gelassen, ein Schlussstrich war gezogen, und es ging von vorn los. Natürlich war es nie so. Aber es half, so denken zu können.

Ein Satz fiel mir wieder ein: Das Beste, was mir im Leben geschah, war, als Londoner geboren zu werden. Mit 30 war ich noch jung genug, um als Londoner wiedergeboren zu werden.
Die Ampel sprang auf Grün. Zwei Karawanen, selig und schrill, begegneten sich an der U-Bahn-Station, die eine galoppierte heraus, die andere marschierte hinein. Jim begann zu singen: »Die Morgensonne auf deinem Gesicht offenbart dein wahres Alter«, ich wehrte mich, mein Hals machte nicht mit, er kratzte und schwoll zu, aber ich zwang mich, ich stimmte ein: »Aber das ist mir egal/In meinen Augen bist du alles/Ich lachte über all deine Witze.« Jim legte mir den Arm um die Schulter, und wir holten synchron Luft, um schmettern zu können: »Oh Maggie, öfters konnte ich es einfach nicht mehr versuchen.«
»Das Lied kenne ich doch, was ist das?«, rief Jessica. Auf ihrer Wange schimmerte, vom Londoner Regen verschont, noch ein einzelnes Glitzersternchen.
Wir kamen in der U-Bahn-Passage an einem Café vorbei, die Stühle waren auf die Tische gestapelt, nicht einmal die Notbeleuchtung brannte. Ich sah mich im Schaufenster gespiegelt und musste automatisch lachen. Ich betrachtete mein Lachen und fand, es sah echt aus, jedenfalls so, dass andere Leute es für ein echtes Lachen halten würden.

Anerkennung

Ich möchte mich sehr herzlich bei allen bedanken, die mir bei den Recherchen zu diesem Roman geholfen haben: Dr. Bettina Gorißen, Uwe Berger, Nik Coppin, Stefan Kosel, Nick Revell, Henning Wehn.

Auch wenn ich mich anstrengte, mir die Witze meines Komikers auszudenken, so konnte ich nicht der Versuchung widerstehen, einige wenige Gags der Wirklichkeit zu entleihen. Ben Norris und Adam Bloom dürfen deshalb gelegentlich ausrufen: »Hey, das war doch mein Witz!«

Ronald Reng. Fremdgänger. Roman. KiWi 894

Ein junger Deutscher, der in London als Investmentbanker arbeitet. Eine ukrainische Studentin, die in Kiew in der U-Bahnstation Klarinette spielt. Der Beginn einer berührenden Liebesgeschichte mit sehr modernen Hindernissen.

»Beeindruckend beweist Ronald Reng, dass sich Globalisierung wirklich erzählen lässt, wenn man einer lauten Welt lauter leise Sätze abzugewinnen versteht.«
Jochen Hieber, SWR-Bestenliste

»Ein detailgenau geschilderter Zusammenprall der Kulturen.« *FAZ*

www.kiwi-verlag.de KiWi PAPERBACK

Ronald Reng. Mein Leben als Engländer. Roman. KiWi 796

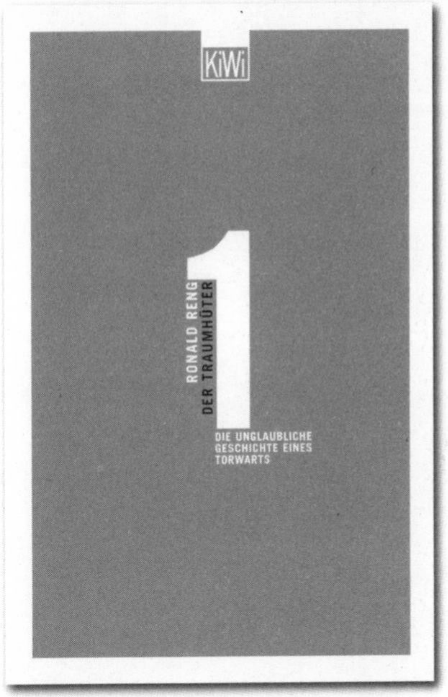

Ronald Reng. Der Traumhüter. Die unglaubliche Geschichte eines Torwarts. KiWi 685

Lars Leese hat das erlebt, wovon zehntausende Freizeitfußballer heimlich träumen: Plötzlich kommt einer und macht dich zum Profi.
Eine der kuriosesten Sportlerkarrieren der Gegenwart, erzählt vom Sportjournalisten Ronald Reng, der Leese aber immer wieder selbst berichten lässt. Ein ungemein witziges, anekdotenreiches Buch, das in seinem Mix aus Fußballstory und ganz persönlicher Lebensgeschichte selbst sportuninteressierten Lesern die Faszination des Fußballs nahebringt.

Lars Lesse hat das getan, wovon zehntausende Freizeit[illegible] [illegible] Plötzlich kommt [illegible] und [illegible].

Eine der kuriosesten Sportlerkarrieren der Gegenwart, erzählt vom Sportjournalisten Ronald Reng, der Lesse aber immer wieder selbst berichten lässt. Ein ungeheuer witziges, anekdotenreiches Buch, das in seinem Mix aus Fußballstory und ganz persönlicher Lebensgeschichte selbst Sportuninteressierten [illegible] die Faszination des Fußballs nahebringt.